戴國煇全集

史學與台灣研究卷・七

◎未結集1：台灣農業與經濟

目次
contents

未結集1：台灣農業與經濟

輯一　台灣農業

輯二　戰後台灣經濟

戴國煇全集 ⑦

史學與台灣研究卷・七

未結集1：
台灣農業與經濟

翻　　譯：李毓昭・何鳳嬌・林彩美
　　　　　陳進盛・蔣智揚・謝明如
日文審校：吳文星・林彩美

輯一

台灣農業

台灣問題的本質是什麼？
——關於「台灣現狀」座談會之我見

◎ 蔣智揚譯

　　美國企圖造成「兩個中國」之陰謀，隨著甘迺迪上台，似乎已經加快速度。中國社會主義建設愈有進展，反攻大陸之不可能就愈明顯。此時，美國即使捨棄反攻大陸要角蔣介石，亦必須至少重新抓穩台灣。因而所想出的辦法就是兩個中國，亦即給予台灣形式上之獨立，而實質上使其從屬於美國。

　　另一方面，在台灣內部有意識形態上、經濟上的基礎，可供「兩個中國」謬論之利用。此似乎言之成理的「台灣人之台灣政權」口號，極具蠱惑之危險性，對日本知識分子亦無例外。故欲藉本誌之一隅，分析台灣獨立派意識形態上、經濟上之基礎，試圖在理論上抓出台灣問題的本質。

台灣獨立之論據

　　主張台灣獨立的人，大抵都採以下兩個論據：第一，台灣之地位未定；第二，台灣居民不是中國人，而是另外的民族。

　　第一論據已經被反駁過，此處不贅述。（詳細內容請參閱

《反對美國占領台灣與製造「二個中國」之陰謀》，1958年，北京外文社）。

第二論據可分為含義多少有不同之以下二點：

其一為台灣民族論。台灣獨立統一戰線執行委員長簡文介曾說：「與鄭成功一起來台的我們祖先，其所產生的民族是與支那人根本不同的。」（《產經新聞》，1960年3月4日）

其二為邱永漢等人所主張，即台灣人雖然系出漢民族，但因經半世紀之日本殖民地統治而成為另外的民族。他們認為尤其台灣人之生活方式或風俗習慣是問題的所在。

台灣民族論是極端牽強胡扯之謬論，由以下事實亦可得知：即台灣人之98%為漢民族，其大多數操閩南語（福建南部之語言）與客家語，乃自福建、廣東省移居者之子孫。

經半世紀之殖民地統治而成為另外的民族之說，其為附會之議論自不待言。東南亞之華僑離開祖國幾百年，亦未喪失做為中國人之意識。受著美國殖民地統治的沖繩人，渴望回歸日本。不過據傳在沖繩人之中，也有與美國獨占資本結合之上層階級，對回歸日本運動採消極之態度。其實在此就有解開問題之鑰。

殖民地本地資產階級之雙重性格

台灣獨立派所要建立的牽強理論，有其意識形態上之基礎。

接受殖民地統治之民族，其中的資產階級同時具有買辦性格與民族主義性格。

殖民地之本地資產階級，只要沒有利害衝突，就有可能與殖

民地主義獨占資本相結合。觀看兩者之間如同天秤的起落，本地資產階級也隨之成為傀儡而買辦化。因留學或與殖民地主義者之接觸，會將已買辦化之本地資產階級與其家屬的風俗習慣、生活方式加以改變，幫助其加強買辦性格，並規定其行動方式。正如大宅壯一所述，此現象在菲律賓與印度上層階級亦可見到。

　　不過相反地，事實上也有少數本地資產階級出身的知識分子，將留學加以反利用，使自己之命運與大眾之命運相結合，投入解放運動而行動。

台灣本地資產階級之買辦性格

　　台灣本地資產階級也沒有例外。曾被稱為台灣十大富豪之一的葉廷珪（前台南市長），由幼稚園一直到大學都是慶應校友。朱昭陽（現合作金庫幹部）由一中、一高而自東大畢業，曾改為日本姓氏，官至戰前大藏省局長。

　　本地資產階級之上層經買辦化而與殖民地主義者結合，藉此以提高自己之地位。不過在此過程中，受到殖民地主義者之差別、藐視等，並非沒有矛盾感，試舉戰前台灣文化協會運動，以了解此現象。在此運動中較有名的，就是右派主張在日本帝國主義體制範圍內設立台灣議會，以對抗與國際共產主義運動結合之左派。

　　此運動因日本的戰時體制而被打壓下去。戰後，包含右派在內的人，對日本之反感強烈覺醒。「台灣人在戰爭結束時，對日本人抱有強烈的反感。」（《世界》，昭和35年11月號，傾聽台

灣現狀座談會中，陳先生之發言）戰爭剛結束時，獨立派人士亦
視陳儀之軍隊為解放軍，認為以往被日本人所占職位台灣人也可
分一杯羹。「戰爭結束時，聽到國民政府軍要來的消息，不由得
感到自己畢竟是中國人。接著抱持期望、盛大地歡迎他們。當時
台灣人的歡迎非常熱烈。」（上述座談會中，張先生之發言）

　　不過，「以為隨著日本的戰敗而可輕易實現的夢想，現在卻
被推得遠至天邊。陳超平以為可當工商處長或財政處長，結果這
些肥缺全由外省人包辦」（邱永漢，《濁水溪》，頁137）。

　　他們的期望被蔣介石打破後，乃以二二八革命（對國民黨之
獨裁政治與經濟破產抱持不滿的台灣省民，於1947年2月28日，
因台北市警察不當彈壓市民，起而爆發打倒國民黨之革命〔譯
註：反國民黨者事後將二二八事件定位為革命〕，波及全島。最
後被血腥鎮壓，死了約二萬人）為轉機，（邱永漢等人）經由香
港而逃亡至東京。現在竟然說出他們是與中國人不同且獨立的
民族。甚至把日本人蔑稱為狗的他們還對日本人說：「在15年
前還是同胞的日本人士，請你們了解我們的心情。」（《朝日
Journal》，1960年12月14日號，旁點係引用者所加）15年前，執
行三光政策與命令南京大屠殺的軍國主義者亦包含在內，日本人
是他們獨立派的同胞，而被害的同為漢民族之大陸系中國人卻不
是同胞，他們就是採如此之論調。有位東大生（日本人）對筆者
說讀此覺得噁心想吐，令我不禁臉紅。

　　另外左派亦以二二八革命為契機轉入地下，或如建中校長陳
文彬（前法政大學教授）經由香港去了北京而站在人民的一邊。
此事對於我們理解關於本地資產階級之雙重性格，當能給予很好

的啟發。

以上大概描述歷史上本地資產階級之雙重性格。但為了要暴露他們思考上之買辦性格，我們必須再稍忍耐來聽其謬論。

大宅壯一去年（1960年）到台灣時，碰到一些本島人，對於日本人視為禁忌的支那、支那人、清國奴等語詞，竟然隨便被使用，他感到很驚訝（《產經新聞》，7月21日）。不過這種台灣人的心情，與在東京台灣獨立派的心情正好吻合。總之，大宅壯一在《產經新聞》所寫的，獨立派認為「對我們而言，也不過是將當然之事，替我們寫出而已」（台灣獨立派之雜誌《台灣青年》第4號，章漫龜，〈外省人如此論「台灣人與外省人」〉）。

與大宅壯一對談的本島人，其思考之所以會與獨立派之思考極為相似，是因為他們的出身階級相同。能與大宅壯一對談的本島人，不難想像是相當會講日語的台灣人（在殖民地能夠將統治階級之語言說得很好，須受過相當教育。能接受這樣教育的，是以前地主階級以上的人）。

查一下台灣獨立派主要指導者之出身背景，廖文毅是大地主出身，從同志社中學、金陵大學畢業後，於昭和初年留學美國。已故之其兄廖文奎為香港大學教授。邱永漢自日本人小學、台北高校、東大畢業。《台灣青年》雜誌主筆兼指導者王育德也是台北高校、東大出身。

本地資產階級之台灣獨立論與外國獨占資本的志向一致

買辦化之本地資產階級，其代表者之發言，不僅在他們以建立經濟基礎為目的之經濟面，在意識形態面也與外國獨占資本集團的志向一致。

例如瞧不起日本人，並將民族骨氣化為紙墨而賣起雜文的名人邱永漢，就說：「假如讓台灣人在日本與中共選擇其中之一的話，可能台灣人都會選日本。」（《中央公論》，1957年7月號）這與日本統治集團的志向完全一致。而在前述座談會中，山下正雄也說：「日本人最近去台灣，受到外省人以及台灣人雙方的厚禮款待而高興，歸來後就說台灣人都非常親日。以往日本的統治是成功的。甚至也有人說，台灣還是必須成為日本人的。」戰後去台灣，受到台灣人、外省人款待的日本人，大部分都屬統治集團或其徒眾。

此事連同簡文介「目前對於台灣，美國之利害與我們之利害互為一致的時機已經來臨」之言論，意味著台灣本地資產階級之內部，有美國想要利用的意識形態、經濟上之基礎。台灣獨立派勾結美國，甘做「二個中國」之演員，其意識形態之基礎亦在此。

台灣獨立論為何如今被凸顯出來了？

我們剛才已經看到台灣本地資產階級內部，在意識形態與經濟上，有被帝國主義者利用的基礎。尤其蔣介石集團之腐敗與壓

制，不僅激化全民之反感與矛盾，也激化統治階級內部之蔣集團與本地資產階級的矛盾。

此結果更加強本地資產階級的買辦化。試看他們的經濟基礎，在前封建大地主階層，有因土地改革而取得股權，以獨占四大類公司（水泥、農林、工礦、製紙）經營權，以及併吞中小股東而成長者，也有本地產業資本與美國獨占資本結合而成長的唐榮鐵工廠、大同製鋼公司等產業資本家。更有當官的民選縣市長或省議員，並與蔣介石集團的官僚資本或美國國際協力局（全球規模之特務機構）[1]結合而成長者，如吳三連（一橋大學畢業，前台北市長，現台南紡織公司董事長）之本地資本。

此現象美國帝國主義者當然不會放過。要趕走蔣介石，扶植其他傀儡，意圖占領台灣的美國，當然可能將此傀儡角色由本地資產階級來擔任。

自去年秋天連續發生之一連串事件──雷震事件、反對黨創立運動、《公論報》（本地資產階級之唯一大報）之彈壓與併吞陰謀、依《國家總動員法》第十六條、第十八條對唐榮鐵工廠（台灣最大鐵工廠，本地資本）所發動經營權占據等，就是美國統治集團與蔣集團矛盾激化的呈現。

這些也可說是蔣集團害怕本地資本與美國獨占資本結合之趨強，而採取的掙扎吧！

如此，與金馬論爭並列，美國之偷天換日政策──李承晚、

---

1 國際協力局（ICA，International Cooperation Administration），美國國防部之一機構，現改稱國際開發局（AID，Agency for International Development）。

孟德雷斯之失勢，南越吳廷琰政權之顛覆陰謀（參照《朝日新聞》，去年12月10日，「世界之鼓動」欄），正使台灣動盪不安，並因而凸顯出台灣獨立運動。廖文毅一派之買辦型本地資產階級，為了與美國帝國主義結合而趕走蔣介石，以確立自己的掌控權，乃奸巧利用民眾對蔣介石之不滿，鼓吹台灣獨立。

台灣問題的本質

　　由以上分析，亦可知道台灣問題的本質，並非如台灣獨立派所言大陸系中國人對台灣系中國人之矛盾。原來之帝國主義（美國獨占資本）及封建主義的殘存，與人民之間所存在基本矛盾，未被民眾正確認識，僅以蔣介石集團之矛盾呈現在表面，此與台灣特殊諸條件糾結，而使人民對全統治階級（包含蔣集團、本地資產階級）之矛盾與階級鬥爭，錯認為如同外省人全體對本省人全體之矛盾。（台灣之特殊條件有如下五個：第一，具有近代性格之勞動者，其絕對數很少；第二，外省出身之勞動者幾乎沒有。外省人都是蔣政權的爪牙——警官、軍隊、稅吏；第三，由於資產階級土地改革，把農民閹割；第四，與中國大陸之交通阻斷及思想箝制；第五，買辦本地資產階級與蔣介石集團之利害衝突及其對立。）此等情形被帝國主義者與買辦本地資產階級所利用，而蠱惑有良心的人們。

　　筆者對於台灣人與外省人之感情對立，並非如國民政府完全否定其不睦之處（《政治評論》，去年8月10日號）。但也不像台灣獨立派那樣，誇大台灣人與外省人之隔閡，並對台灣人內部

之隔閡——閩客之抗爭、平地人對山地人之矛盾——採取掩飾欺瞞的態度（前引《台灣青年》第4號）。

　　台灣人與外省人、多數族群與少數族群之間，確實有矛盾。不過祖國只有一個，因而這在勞動民眾之內部，不應視為敵對的矛盾。與不弄濕手便無法拾起水底石頭一樣，如果不將美國帝國主義者趕出台灣，並將法西斯體制打破的話，僅是統治者集團之替換（蔣介石→廖文毅），並無法揚棄殖民地體制及資本主義體制固有之矛盾。

　　我們藉由與祖國的人民攜手遂行社會主義革命，才能將我們自己從腐敗、保守、貧困、不安之中解放，並克服揚棄台灣人與外省人之隔閡、閩客之隔閡、少數民族（山地人）對漢民族（平地人）之矛盾。

　　（敬稱一切從略）

　　　本文原刊於《世界》第183號，東京：岩波書店，1961年3月，頁195～198。以筆名陳來明發表

台灣小史

◎ **謝明如譯**

　　所謂台灣，乃是由台灣本島、澎湖列島及其他附屬島嶼共79個島所組成，位於東經119度18分至122度6分、北緯21度45分至25度3分之間。因北回歸線幾乎橫跨台灣中央的嘉義市附近，故其南半部屬於熱帶。北方經琉球群島，與日本相連；南方隔著巴士海峽，鄰近菲律賓群島的呂宋島：東方瀕臨浩渺的太平洋，西方隔著寬約150公里的台灣海峽，臨近中國福建省。

　　總面積35,961平方公里，略小於九州，人口1,188萬人（1963年），人口密度1平方公里約330人。

史前時代

　　迄今，視台灣原住民高山族（高砂族）為馬來系印度尼西亞種之說法仍為一般通說，然而，近三十年來在台灣西部挖掘、發現的化石及黑陶、紅陶、彩陶等陶片所做的考古學研究（金關丈夫、國分直一，《台灣文化論叢》第一輯）顯示，史前時代的文化樣態並非只有南方諸島系的單一要素，亦可見中國大陸系的要

素，由此幾乎可證明史前時代的台灣原住民在文化系統上也與中國大陸的住民同源。換言之，原住民未必只有馬來系的高山族，亦有中國系諸民族先行居住之可能性。

台灣與中國本土早期的交往

　　由文字紀錄追溯古代台灣，除仰賴漢籍之外別無他途。有戰國時代（西元前403～前221年）重要的地理文獻〈禹貢〉中可見的「島夷」、《前漢書》地理志的「東鯷」、《三國志》的「夷州」係台灣之說法，但並未明確。據說台灣史最早的正式紀錄是西元3世紀中葉成書的沈瑩《臨海水土志》（劉大年等，《台灣歷史概述》；吳壯達，《台灣的開發》），若肯定這說法的話，則中國本土與台灣大規模的接觸係以黃龍2年（230）吳國孫權命衛溫和諸葛直率領萬人之兵前往台灣（夷州）為最早。此乃距今1735年前之事。其後資料暫時斷絕，自隋代起又趨於明朗。隋、宋、元三朝稱台灣為流求、琉求、瑠求或琉球。就現存文獻可知台灣與中國本土第二次大規模的接觸是大業6年（610）隋煬帝命陳稜、張鎮州率領萬餘人遠征之事（《隋書·流求國傳》）。以上兩次接觸可謂封建王朝對台灣地方暫時性的經略。由當時統治者的觀點來看，台灣欠缺經濟價值，原住民亦曖昧未開化，加上台灣海峽之天險，若中國本土的大軍撤退，大陸與台灣之間的交流除民間小規模者外亦中斷了。

　　另一方面，宋代亦有高山族接觸大陸。傳說毗舍耶人（高山族）入侵平湖（澎湖）（宋樓鑰撰，《攻媿集》卷88，〈汪大猷

之行狀〉）、淳熙年間（1174～1189年）至泉州水澳、圍頭村逞兇、掠奪鐵器等（南宋，趙如适《諸蕃志》）。元代以降，關係稍有改變，世祖忽必烈攻略日本（元寇）（第一次1282年、第二次1287年）失敗後，1292年遣楊祥招撫未應，成宗元貞3年（1297）福建平章（省長）高興討之（《元史‧瑠求傳》）。此舉與上述之遠征無異，唯首度在澎湖島設置中國政府的地方機構巡檢司，乃劃時代之事（元，汪大淵《島夷志略》）。

明清兩代的台灣

明代以降，「琉球」之名開始普遍被使用，洪武5年（1372）楊載出使於前代已為人所知的琉球，其避開有野蠻人的台灣，前往今日的琉球，並帶回其使者。從此時起發生名稱的混用。明初的王朝政府分別稱呼沖繩島的琉球國為「大琉球」、台灣為「小琉球」。明代部分文獻亦稱台灣為東番、北港、雞籠山或大圓（張燮《東西洋考》）、大惠（鄭舜功《日本一鑑》）、台員（周嬰《遠遊篇》）、大員（陳第《東番記》、何喬遠《閩書‧島夷志》）、大灣（沈鐵〈上巡撫南居益書〉）、台灣（何喬遠《鏡山全集》）。正式稱為台灣乃是從明末清初以降。

歐洲人自15世紀末起發現新航路、入侵新殖民地之波動亦及於台灣。葡萄牙人進入東洋貿易，經印度西岸、麻六甲、華南（1557年起租借澳門並與明朝通商）等地，以平戶為根據地展開與日本間的貿易（1540年代）。其北上途中看見台灣本島而叫為「美麗島」（Ilha Formosa）。此即現今台灣的英文名稱Formosa

之起源。又歐洲人也依據傳聞而稱呼台灣為「Leqeo Peqeno」
（小琉球）。

　　自16世紀中葉至末葉，台灣被所謂的海盜林道乾、林鳳等所
占據，但不見其經營，僅利用台灣為其寄泊地或根據地。由漢族
出身者經營台灣，係以顏思齊（岩生成一懷疑其存在，指出李旦
即顏思齊【〈明末日本僑寓支那人甲必丹李旦考〉，《東洋学
報》，昭和23年3月號】）、鄭芝龍為首的集團為嚆矢。關於彼
等進入台灣的時間有各種說法，但幾乎都指出是在荷蘭人占領台
灣的1624年前後。荷蘭人以經營今台南附近為中心，鄭芝龍以經
營北港附近為中心。鄭芝龍與荷蘭人（荷蘭東印度公司）對台灣
的意圖是一致的，皆是以台灣為中心獲得東亞貿易之利益。1628
年鄭芝龍招攬數萬名福建省民來台，每人給銀三兩、三人給牛一
頭使其開墾（黃宗羲《賜姓始末》）。荷蘭人於1624年在安平建
置熱蘭遮城、在對岸本島赤嵌建置普羅民遮要塞，開始統治台
灣。又其後西班牙人於1626年在台灣北部雞籠（基隆）和淡水築
城，進行侵略統治，但1642年為荷蘭人所擊退，台灣全島悉成荷
領。荷蘭人又欲獨占貿易，與日本人濱田彌兵衛起衝突，亦有蕃
社抵抗，最初統治不太有成果，其後從對岸招攬漢人，嘗試以種
甘蔗或稻米為中心進行農業開發，另一方面撫恤高山族，教其荷
蘭語、傳播基督教、建立學校等，獲得殖民地統治之實績。1650
年代僅中國人所繳納的人頭稅即達33,700里爾（Real），又，每
人1里爾的狩獵稅達36,000里爾，贌社稅、漁業稅、屠殺稅、酒
造稅及貿易等每年達30萬基爾德（guilder，荷幣單位）的利潤。
然而，1624至1644年從福建、廣東移住的漢族約25,000戶（A.R.

Colohoun and T. H. Stewat Lockhant, "A Sketch of Formosa", *China Review 13*, p. 171），1644年時漢族人口約30,000戶、10萬人左右（《台灣總督府舊慣調查報告》第二部調查經濟資料報告，上卷頁3）。由上可知，荷蘭人殖民統治之利潤主要來自對漢族的榨取，漢族則不斷地將高山族趕往山上。其中包括有名的郭懷一抗荷事件（1652年）。荷蘭人歷經38年經營，於1661年[*1]被清朝所敗而以「圖明朝再舉」之名義攻台的鄭成功（即國姓爺）所追擊，自寶島台灣撤退。

鄭成功改赤嵌地方為東都，設置承天府、天興及萬年縣的「一府二縣」，稱熱蘭遮為安平鎮。中南部施行屯田制，從對岸招募農民，積極獎勵農業、鼓勵經營，唯於1662年病歿。其子鄭經繼位，改東都為東寧、獎勵殖產、謀求民福、開設學校以獎勵學問、從事貿易等，雖然非常努力，卻因清朝數次遷界令而深受打擊。鄭經治世20年之業績雖有可觀之處，唯於1681年病歿。其後克塽繼位，遺臣因繼承之爭分為兩派抗爭等，政令一時不行，清朝見機命水師堤督施琅征伐之。克塽遂降服（1683年），鄭家三代22年之治世落幕。

清朝將鄭家滅亡後，採納施琅的建議，以台灣為隸屬福建省之一府，其下置台灣、鳳山、諸羅三縣統治之。雖然初期在維持治安之必要上限制來自本土的渡航，但因本土的戰亂、饑饉，對岸不守禁令之人民接踵渡來，先來的福建省民在西海岸平野的良地、遲來的廣東省民（以客家人為主）在山腳地帶居住，從事開

[*1] 應為1662年。

墾。因人口大為增加與開發之進展，1723年在舊諸羅縣內新設彰化縣和淡水府〔譯註：應係淡水廳〕；1810年再新設噶瑪蘭廳（宜蘭附近一帶）。

　　其間因無正確的統計，人口增加的變化不明，依據1811年利用保甲所進行的首次戶口調查，約24萬戶、200萬人（高山族除外）。其後，台灣省獨立，劉銘傳調查時總計戶數約51萬戶、人口250萬人（伊能嘉矩《台灣文化志》〔《台湾文化志》〕中卷，6篇，頁233～242）。隨著人口增加，開墾亦有所進展，米、砂糖的輸出蓬勃地進行。

　　19世紀中葉，歐美資本主義各國入侵東亞的威脅不久也逼近台灣。1858年《天津條約》之結果，台灣府、淡水（1860年），加上做為附屬港的基隆（1861年）、高雄（1863年）等四港被迫開為通商口岸。

　　不久，台灣亦被捲入包括日本在內的所謂先進諸國爭奪殖民地之漩渦中。察覺此事的清朝於1887年將台灣升格為獨立的一省，任命開明主義者劉銘傳為巡撫。劉銘傳擬嘗試包括土地調查、鋪設鐵路、建設通信設備等在內的資本主義式開發，但因太過急切而招致島民的反感，在職六年而去職。不久，甲午戰爭的結果，依據《馬關條約》，決定將台灣割予日本。清朝二百餘年的台灣統治，在人口增加與農業開發方面雖有可觀之處，但治績可觀之處甚少，正如「三年一小反、五年一大反」的諺語一般，民眾的叛亂或匪亂頻頻發生。

日本統治時代

　　日本領有台灣，一般認為係基於欲利用台灣做為「圖南飛石」的海軍之要求。甲午戰爭的結果，決定割讓台灣後，台灣的軍隊、官員、人民在承認清朝宗主權的基礎上向島內外宣布建立台灣民主國。1895年5月25日，台灣民主國推戴原台灣巡撫唐景崧為總統後，再以舉人丘逢甲為副總統兼全台義軍總領，定年號「永清」（與主動認定清國的宗主權一事合觀，此一年號深具意義）、藍地黃虎的國旗，在台北設立議院而開始運作。但日本以北白川宮能久親王為總司令的近衛師團與增派至南部的兩個師團，加上其他軍隊，計有兵員49,835人、軍伕26,214人，以合計76,049人的大規模軍事行動，耗費五個月的時間，總算大致鎮壓了以在中法戰爭揚名的勇將劉永福為首的軍民一致的果敢抵抗（戰死者約1萬人）。隨之，台灣民主國也在短時間滅亡了。其後，武裝游擊隊仍頑強地繼續抵抗，日據最初七年間（1895～1902年），僅在乙未之役中所遺棄的台人屍體就將近1萬人，判處死刑的游擊隊員約3,000人、戰死者與被捕殺者約8,000人，加上據台翌年被殺的約7,000名游擊隊員，約近30,000名台人在抗日運動中死亡。

　　日本帝國主義帶來殖民政策之推進與資本原始累積的急遽開展，決定了台灣人的貧困化（極少部分的協力者階層、地主階層反而受惠），同時亦持續受到中國本土革命動向微妙的刺激，導致以1907年北埔事件為端緒，迄1916年〔譯註：應係1915年〕著名的西來庵事件為止的十年間，相繼發生林圯埔事件、土庫事

件、苗栗事件（羅福星事件）、新庄事件等，使當時的統治者感
到震驚的事件乃至計畫。這些被侮蔑地宣傳為「土匪」或「魯莽
的小陰謀」的抗日游擊隊與日本領台之初的抗日運動相較，在質
上更進一步，乃是頑強的台灣人民抗日民族運動才是真實之事。

　　特別是從苗栗事件的主謀者羅福星的近代性格（苗栗客家出
身，參加辛亥革命，歷任小學校教員、中國國民黨黨員）或組
織、蜂起計畫之緻密性與西來庵事件的規模（參加者3,000人、
戰死者1,000人、被起訴者1,500人，其中，被判處死刑者1,000
人）、發生年為日本領台後第21年等觀之，即甚為明白吧！（台
灣文獻委員會編《台灣省通志稿》卷九，〈革命志抗日篇〉；台
灣總督府法務部編纂《台灣匪亂小史》。）

　　1898年，兒玉源太郎就任總督、後藤新平任民政長官後，廢
止向來的軍政而改行民政，以警察為主體，恢復並強化保甲制
度，另一方面，巧妙地採取「軟硬兼施、亂誘兼騙」之所謂土匪
招降策略與騙殺政策，故1890年代〔譯註：應為1900年代〕初期
全島幾已大致平靜。此一期間後藤於1899年設立台灣銀行（資本
金500萬日圓），翌年成立台灣製糖株式會社（資本金100萬日
圓）。1903年*2完成土地調查事業，1906年〔譯註：應為1908
年〕縱貫鐵路開通與對日本國內的貿易港——基隆港之整備，
1911年亦可見金本位制之確立。如此一來，奠定了從意識形態的
帝國主義轉向實際的帝國主義實踐之基礎（矢內原忠雄《日本帝
國主義下之台灣》）。

---

*2 應為1904年。

　　成為殖民地的台灣經濟慢慢地從中國經濟圈（特別是與對岸的貿易關係）被切離，領台十年之間大致驅逐了外國資本（包括中國資本），由以三井、三菱為首的有力日本資本取而代之。對於本地資本，則因當初資本相對不足，而巧妙地利用整理大租戶所增加的地主資金，或為喚回避免日本領台之危險而逃往對岸的資本，並充分地活用之。待以糖業為中心的產業開發或產業資本進一步集中、蓄積後，再將本地資本從利益豐厚的近代企業中排除。

　　1912年2月25日，總督府以一紙政令制定「禁止商號內使用會社文字之件」，阻止僅由台灣人組織之公司設立近代企業。此與基於製糖取締規則禁止台人在製糖公司的原料採取區域中設立公司（此舉實巧妙地阻止了舊式糖業經營者向產業資本家轉進）一事相結合，使台人本地資本停留在小規模商業資本的階段，產業資本夭折。以買辦化的林本源、陳中和家為中心所設立的林本源製糖、新興製糖兩社之後亦被日人資本家所合併。

　　又因台人向來欠缺林野登記制度與近代所有權觀念，約96%之林野被總督府當局沒收，又因伴隨警察權力所實施的強制蔗作、低工資等所謂的理蕃政策，使高山族陷入絕境，包含高山族在內的台灣人民之反抗，隨著世界史的進展，逐漸呈現近代性的樣態。由台灣文化協會（1921年）所主導的六三法撤廢運動、台灣議會設置請願運動、台灣民眾黨（1927年）（謝春木《台湾人の要求》）、台灣共產黨（1928年）（李稚甫《台灣人民革命鬥爭簡史》）、台灣工友總聯盟、台灣農民組合等團體所領導的改良或革命的反日民族解放運動勃興。

　　1930年以高山族為主體，著名的武裝蜂起——霧社事件發生。總督府利用飛機、毒瓦斯（或者是催淚彈）等進行徹底的武力鎮壓。其後，因九一八事變（滿洲事變）爆發，社會運動被徹底彈壓，運動領導者大多逃入大陸協助抗日戰爭，或是被捕入獄。

　　另一方面，總督府強硬地要求台灣人協助作戰，以戰爭景氣誘惑買辦、協力者階層等，並巧妙地編入殖民地愚民教育之成果以全面地推進皇民化運動。雖有部分台灣人因此喪失骨氣，但對日本人的不信任感並未消失，迄終戰之前，抗日運動規模雖小但其火苗並未熄滅。

回歸祖國

　　由於1945年日本戰敗，台灣回歸中國。同年10月25日，當時的中國代表陳儀在台北中山堂接受末任台灣總督安藤利吉的投降。國民黨軍隊所進行的台灣接收，因腐敗的官僚加上政學系、CC派等派系暗中活動而一片混亂，引起台灣人民的反感。另一方面，以蔣、宋財閥為首的四大家族謀求利權，將台灣的糖、米輸出至對岸，促進了通貨膨脹。其結果，1947年著名的二二八事件爆發且被鎮壓，其領導人、部分的文化人士則被殺害。又，大陸解放前夕，台灣呼應此一趨勢之動向亦頗為激烈。1949至1950年間國民政府大量虐殺和鎮壓逮捕共產黨員（包括原阿里山、角板山的酋長或部落領導人），以及最後的學生運動——四六罷課（1949年）不問本省、外省人一致的反飢餓、反內戰、反獨裁之

抗爭即是。

　　因韓戰爆發，美國一面派遣第七艦隊至台灣海峽，一面扶植其一度拋棄的蔣氏政權（《中國白書》），令之呼喊反抗大陸之口號。但中國本土社會主義政權的安定與國際地位之提升，使美國認定為使台灣維持在所謂自由陣營的狀態而支持頑固、腐敗的老朽政權亦未必沒有好處。在島內，1956年左右起，通貨膨脹稍微緩和，加上世界性的好景氣和日本市場的擴大，砂糖、香蕉、鳳梨、蔬菜類的對日輸出雖有起伏，但大致情形良好，官僚資本以外的部分本地商業資本家亦獲利，本地資本家乃又利用台灣的低利貸款和低廉的電費，在與日本、美國的獨占資本家共同組成的三角貿易上獲得利潤。農民雖因土地改革獲得些許利益，但糧食局的低米價政策和潛在的失業威脅促進階層的分化，特別是貧民、雇農（未因土地改革分得土地者）汲汲營營於掙一口飯吃，而將子女送往風化區，還因此讓日本人旅行者謳歌台灣為夜晚的樂園。大學畢業生也因面臨就職難的處境，轉而前往歐美、日本留學。從大陸被強行帶來的軍人因無法結婚和生活困苦等因素而陷入鄉愁，且持續累積不滿。對此一狀態，蔣家政權雖意圖利用強力的特務機構、暫時性的政策等緩和矛盾，但仍經常隱含不穩定的動向，處於衝突一觸即發的狀態。

　　以1954年吳國楨事件為開端，孫立人事件（1955年）、《公論報》事件（1957年）、中國地方自治研究會、民主自治研究會等組織申請設立之動向（1957～1960年）、美國大使館放火事件、中國民主黨事件（雷震事件，1960年）、《公論報》侵吞事件（1961年）、蘇東啟事件（1961年）、裝甲兵政變事件（1964

年）、彭明敏台大教授事件（1964年）、特務少將程一鳴叛變事
件（1964年）及最近監察委員曹德宣開除國民黨籍事件等還有不
少與共產黨相關之事件先後發生。因原則上不發表，故不易表面
化。這些事例不勝枚舉。

本文原刊於中國の會編，《中国》第19號，東京：普通社，1965年6
月，頁21〜32。係由戴國輝、尾崎秀樹合著

【附錄1】
1895年‧割讓時的混亂

◎ 井出季和太著‧謝明如譯

　　我（J. W. Davidson）登陸基隆，係1895年（明治28年）3月時。當時，在北台灣的中國軍隊有5萬人，若加上中南部的部分，據說是8萬人。雖說有8萬人，但其本係舊式的軍隊，沒有訓練，亦無規律，自不待言。日軍登陸基隆海角澳底之際，我跟隨中國軍隊，當一聽到日軍登陸的消息，中國兵就紛紛開始退卻了。我與一名中國司令官一同前往淡水，因該司令官乘船逃至中國，頓失首腦的中國軍隊遂陷入更混亂的情況中。當時，清國官吏道台（巡撫）居於台北城內，但因盛傳其將返回中國，為此我親訪衙門以確認消息之真偽，於是在一個下雨的深夜造訪衙門。衙門即今日所謂舊官廳，其門扉深鎖，不管怎麼敲，門內的衛兵就是不開門。我從懷中取出洋銀一枚，從門板的縫隙塞入之後，門終於開了。進入屋內，因為我與道台是知己，故遇見他即問：「您將逃往中國之傳聞是否為真？」道台堅決地否認絕無此事。詎知翌日早晨已不見其身影。因道台不在，中國士兵開始蜂擁進入官廳的金庫掠奪，滿手抱著洋銀（此為墨西哥洋銀）在路上嘩啦嘩啦地一邊掉一邊逃。……翌日中國兵逐戶掠奪，反抗的良民一個接一個被殺，街上到處是橫屍，其悽慘光景幾無言語可形容。

本文原收錄於井出季和太，《南進台灣史攷》，昭和18年

【附錄2】
孫文與台灣

◎ 井出季和太著・謝明如譯

　　明治33年（1900）發生義和團事件時，孫文見此為革命不可逸失之好機會，乃命鄭士良入惠州召集同志，謀求聯絡。俟籌備稍成，乃與外國軍官數人繞道至香港，企圖潛入內地。唯因中途有人密告，抵達香港時，即被香港政廳所監視，連登陸亦不可得，遂擬改經台灣前往惠州，在台灣登陸，透過平岡浩太郎之介紹與兒玉總督會面。總督對於華北宛如處於無政府狀態下的中國革命事業抱持若干同情，乃使後藤民政長官引見孫文，立下起事時不惜給予援助之約定，然而，革命軍在惠州起事後不久，日本山縣內閣下台，改為伊藤內閣的時代，日本政府一改援助中國革命黨之方針，禁止供給武器、出動日本軍官等，惠州事件之計畫遂成畫餅，孫文因此空手離台。據當時消息之一，孫文向後藤長官申請借款被拒，故向同年一月設立之廈門台灣銀行分店提出籌款之請求時，後藤長官當然未正式予以承認。

　　第二回有大正7年（1918）在台北「梅屋敷」與台人同志聚餐一事。今梅屋敷仍留有孫文揮毫之匾額以做為當時的紀念。據當時的女服務生所述，其不知孫文為何許人也，僅推測其為中國人，且具有難以侵犯的品格，可看出其非俗人。

本文原收錄於井出季和太，《興味の台灣志話》

理解台灣工業化的必要文獻及資料

◎ 何鳳嬌譯

前言

　　1945年，從日本50年間的殖民地統治脫離，回歸祖國的台灣，經過戰後的混亂和復興期，自1953年以後透過三次四年計畫的實施，達到相當高度的經濟成長。其成長以部門來看，1953至1964年平均成長率，農業生產是5.9％，工業生產是12.8％（*Taiwan satistical data book*, 1965）。從這些可以知道台灣的經濟成長是以工業化為主柱來展開。尤其1959年以來達到不曾低於10％的工業部門——過去是殖民地，也屬於低度開發地區的台灣，儘管一面被課予過重的軍事負擔，卻能一面進行發展——是令人驚異的，也為有見識者所驚歎。

　　然而關於其工業化的發展過程及實情意外地不為人知，關於其研究，就個人管見，在日本只數得出笹本武治編的《台灣的工業》〔《台湾の工業》〕一書，從實際上來說是處於未開拓的狀態也不為過。

　　最近對台灣的關心從各個國家，以不同的立場逐漸抱持想要

理解。

在此時點下，理解台灣經濟——尤其是以台灣的工業化為中心——的必須資料、文獻，分為殖民地時代＝日據時期和回歸祖國以後到現在兩個時期來介紹，應是有其意義的。

一、殖民地時代——日據時期

不管喜不喜歡，台灣的工業化，是回歸祖國後勤勉的人們在自己的主體性之下堆積在過去日本殖民地統治的遺產上，正促進新的發展，這是事實。

在此意義下，做為理解台灣工業化的現狀之前提，概觀台灣工業的沿革及近代工業導入台灣的歷史背景，尤其是回溯到日據時期來概觀，是有其必要的。

可以提供方便的文獻資料部分，首先是台灣總督府殖產局出版的《台灣產業年報》（筆者能夠看到的是明治44年度《台灣第七產業年報》——大正6年度〔1917〕《台灣第十三產業年報》）。正因為是產業年報，所以記載的不只是工業，還包含其他農業、林業、礦業、水產業和商業等。

到了昭和以後，企圖介紹台灣商、工業的沿革及現況的《台灣的商工業》〔《台湾の商工業》〕同樣是由殖產局編輯出版。

之後新情勢的展開——所謂從準戰時體制進入戰時體制時期——日本帝國對台灣經濟的要求也和軍事、政治的要求一同改變，從「台灣農業・日本工業」開始考慮將近代工業導入台灣（台灣工業化的第一階段），以日月潭發電所的完工（昭和9年

〔1934〕7月）為開端來實施。

　　殖產局也將《台灣的商工業》之商業分開，新編輯出版《台灣的工業》。（筆者有閱覽之便的，有昭和12年～昭和19年度的五冊）

　　從滿洲事變衝入中日戰爭的日本帝國主義，更衝進太平洋戰爭。伴隨著衝進太平洋戰爭而產生的南進政策，不久要求再整編台灣的政治、經濟，台灣的工業化也在這種再整編過程中更進一層加速被捲入。為理解這期間的情事、背景，不可欠缺的有《台灣經濟年報》（第一輯【昭和16年報】～第四輯【昭和19年報】）四冊。特別將有關工業部分列記如下。

　　第一輯第二部第七章、第三部第三章為台灣工業化的諸問題。

　　第二輯第一部第三章為工業化的進展。

　　第三輯第三部第五章為台灣工業化和資金動員。

　　又該年報的主要編輯者、也是執筆者的楠井隆三以年報的論述為基礎，著有《戰時台灣經濟論》（〔《戰時台湾経済論》〕，昭和19年台北版）。在了解當時台灣工業化統治者方面的意圖及其背景上，應可做為參考。

　　雖然時期稍稍早些，中日戰爭以後的台灣工業化之產業政策在理論上給以支撐的有高橋龜吉的《現代台灣經濟論》（〔《現代台湾経済論》〕，昭和12年版），也是不能忘記的。特別是第五章台灣的工業地位可供參考。

　　又上述的工業化主要是由上（政府）的，同時資本的主體也是日本人資本為主。對此表示抗拒的當時本地資本家階層的代表

性辯論家陳逢源在其書《新台灣經濟論》（昭和12年）寫了〈台灣工業化與其局限〉〔〈台湾工業化とその限界〉〕、〈台灣工業化與島內資本家〉〔〈台湾工業化と島內資本家〉〕二篇短文。

上述以外的資料還有同樣是總督府在昭和12年出版的《台灣商工統計》、《台灣商工月報》、《台灣工場通覽》、《工場名簿》及《台灣工業資料》。

上述文獻資料的搜尋，利用國立國會圖書館編《日本舊外地關係統計資料目錄》〔《日本旧外地関係統計資料目録》〕（1964年版）和南方農業協會編《台灣農業關係文獻目錄》〔《台湾農業関係文献目録》〕（昭和33年版），是很方便的。

二、回歸祖國以來到現在

1945年10月從日本殖民地統治脫離的台灣經濟，經過數年的混亂和曲折，到1952年大致恢復戰前的水準。戰後台灣向工業化的傾斜事實上是第一次四年計畫開始的1953年以後的事。

從政策推行者（政府）方面鳥瞰這之後一般經濟的變遷，可以參考尹仲容的《我對台灣經濟的看法全集》（1963年）。又行政院國際經濟合作發展委員會（The Council for International Economic Cooperation and Development, CIECD，簡稱經合會）〔綜合計畫處〕編輯出版的《台灣經濟年報》（何時開始出版的現在不詳，筆者得以閱覽的只有1963、1964年兩個年度的二冊[*1]）

---

[*] 1 國家圖書館館藏有自民國57年開始的《台灣經濟年報》。本刊民國62年停刊，改名為「台灣經濟情勢」。據經合會係成立於1963年9月判斷，開始出版年度應係1963年。

和中央銀行的《中央銀行年報》（1962年創刊）也有助益，特別是經合會在編纂年報之前也有出版發行可以稱為季報、各年度各季的《台灣經濟情勢》*2。

　　做為一般統計的有行政院主計處的《中華民國統計提要》，又限定在台灣省區的有台灣省政府主計處的《台灣統計要覽》。尤其是《中華民國統計提要》相當於日本的統計年鑑，是相當具有參考價值的資料。1955年以前是不定期發行（1935年創刊，於1940、1945、1947年各刊行一回〔在大陸時期〕），1955年在台灣復刊，同年以後每年一回定期出版。又兩書都有並列英文，很方便。近年來台灣經濟長足發展，在與國際比較和公共關係（public relations）的必要下，經合會因此出版最新方便的英文版 *Taiwan statistical data book*。

　　一般經濟相關的文獻、資料就此打住，以下想為本雜誌的讀者介紹台灣工業相關的文獻、資料。

　　關於台灣工業，最基本的資料是《中華民國台灣省工商業普查總報告》（*General Report on Industry & Commerce Census of Taiwan*）。這種工商業普查的第一回開始於1955年3月。翌年6月發表出版該報告。該書為大開本，本文（含表）741頁，附錄載有調查的大綱、調查的經過及主要日誌。

　　該工商業普查的第二回開始於1961年12月，隔年12月發表出版四分冊、722頁的《中華民國台灣省第二次工商業普查總報告》。

---

* 2　應係同編註1所指的刊物。

　　關於製造業（manufacturing）的統計表，在第一回報告書中從其第三部第38到578頁，又在第二回報告書中全部收錄在第三冊。

　　又最近送到的報紙（《徵信新聞報》，1966年1月26日）報導第三回工商業普查決定停止預定的抽樣調查，決定以從來原有的方式，全面實施。

　　其他調查報告之類，有經濟部統計處和台灣省建設廳共同進行，規模較大的全台灣工礦業關係公司、工廠等的調查報告書《台灣省工礦業調查報告》（第一輯是1960年、第二輯1961年、第三輯1963年，整理各年調查的報告。其間1962年因實施第二次工商業普查，為避免重複，所以暫停調查）。

　　又關於勞動力調查，台灣省政府社會處從1963年10月開始，每三個月主要就勞動力人口、就業狀況、不完全就業人口、失業人口、潛在勞動力人口及非勞動力人口等六大項目進行調查，以季刊發表出版《台灣省勞動力調查報告》。上述的調查主要是就供給方的統計掌握，又嘗試從需要方掌握勞動力的統計，因此在該處的主辦下，重新單就該年度末於製造部門進行人力需要調查。其報告書為《台灣省人力需要調查報告——製造業》（1964年12月）。

　　關於農村勞動力的移動之研究有 *A Study on rural labor mobility in relation to industrialization and urbanization in Taiwan*（J. C. R. R. by Y. C. Tsui & T. L. Lin）。

　　工礦業部門關於資本構成、資產內容、製品成本及利益率之調查，台灣銀行經濟研究室為主體，與台灣省政府建設廳第一科

合作的，自1960年以來，對資本額100萬元（1元相當於9日圓）以上的公司或是工廠進行問卷調查，整理成《台灣工礦企業資金調查報告》，公開發表。

關於台灣工業的文獻（單行本）數目很少，僅有台灣銀行經濟研究室發行的台灣銀行叢書的第7種《台灣之造紙工業》、第15種《台灣之發酵工業》、第16種《台灣之電力問題》、第33種《台灣之食品罐頭工業》、第41種《台灣之紡織工業》、第65種《台灣之工業論集》卷一、第66種《台灣之工業論集》卷二、第78種《台灣之對外貿易》、第80種《台灣之工業論集》卷三和最近寄到的該經濟研究室發行的《台灣銀行季刊》第16卷第3期的「工業特集號」，我想這早晚會整理成單行本《台灣工業論集》卷4。

填補單行本之缺，有期刊論文。在台灣內部以台灣經濟為主題，出版的期刊有《台灣銀行季刊》、《自由中國之工業》（月刊，中英文並列）、《中國經濟月刊》、《財政經濟月刊》、《國際貿易月刊》，再加上在台灣編輯、在東京出版的日文期刊《今日之中國》（月刊），成為主要的六種期刊。

又在香港出版的英國保守派期刊*Far Eastern Economic Review*，在每年10月10日左右進行台灣特集，與上述六種期刊的作者重複的情形雖然不少，但或許是在外地以英文出版之故，屢屢可以察覺作者所寫東西中有些微不同。另外所謂自由陣營方面的英文期刊，偶爾登載台灣經濟關係的論文有以下兩個期刊：*The China Quarterly*和*The Journal of Asian Studies.*

最後因帶有強烈政治色彩，或許有問題，基於中國大陸方面

　　的政治立場，踏實地追蹤台灣經濟最新問題的期刊是《經濟導報》（香港）。

　　　以上所記述的文獻、資料是筆者所知最大範圍，若能提供對台灣的工業化，以至對台灣經濟有興趣的讀者研究參考之用，將是敝人之幸。

　　　　本文原刊於《機械工業海外情報》第83號，東京：財団法人機械振興協会，1966年4月，頁11～14

台灣經濟發展與美援

◎ 何鳳嬌譯

前言

　　近年來台灣的經濟成長在各方面受到注目。

　　特別是60萬大軍間接顯示了過重的軍事負擔下，仍能維持高度經濟成長，很多人將其主要原因歸諸美國的援助。但是，關於美援的內容及其扮演的具體角色，因闡明它的基本資料尚未充分公開，故未必被理清楚。

　　不只是基本資料難以入手，在立法院（中華民國的國會）從來未被審議[1]及台灣內部報導機關[2]僅在被容許範圍內，對美援做報導等原因，更加妨礙我們研究的深化。

　　本文是在這種限制下，盡可能且僅限於經濟援助的實情和角色所嘗試的初步整理。

---

1 立法委員（國會議員）艾時等24人提出的議案中有一段：「過去有何種美援有多少，做何處理，從來未曾提出於本院接受審議⋯⋯。」（〈經合會應予撤銷〉，《中華雜誌》第2卷第11期，頁32）

2 耿瀅志，〈介紹國際新聞學會對台灣新聞自由的報告〉，《自由中國》第23卷第2期，頁55。

第一節　對華援助法的變遷與美援的性格

　　所謂的美國對華援助（以下簡稱美援）嚴格地說，由於是兩國間的援助，不單是以台灣這個地區為對象，毋寧是以中華民國即國民黨政權為對象。

　　如眾所周知的，援助的本質是供給國對被供給國國家利益的追求，美援當然也不例外。在此意義下，透過其依據的法律沿革來掌握美援的性格，是有其意義的。

　　事實上美援的內容及其扮演的角色大受美國相關諸法的規定。

（一）《1948年援華法案》（China Aid Act of 1948）

　　如一般所知，戰後美援是基於1948年4月成立的《經濟合作法》之一部的《援華法案》，以在南京締結的《中美經濟援助協定》（又稱中美雙邊協定，1948年7月3日）的援助為嚆矢。

　　當初美國的約定額雖然是2億7,500萬美元（1948年4月3日至1949年4月3日一年份[3]），但伴隨中國大陸的赤化，援助時常停頓，實際上供給的是1億6,200餘萬美元。

　　國民黨政權的敗退從1949年初起的大陸情勢更為清晰，美國透過《中國白皮書》的發表（1949年8月5日），對國民黨政權表明不信任之舉，杜魯門更在1950年1月5日聲明迴避介入內亂和中

3　堅白，〈喜憂參半談美援〉，《週末觀察》第8期，1950年4月8日，頁3。

斷對國民黨政權軍事援助。

　　由於這樣的背景，伴隨著1949年9月美蘇關係的惡化，中華民國不能進入加強成立的《共同防衛援助法》（Mutual Defense Assistance Act）的適用區域中。

　　然而，美援並沒有因此全面終止，在先前所述的杜魯門聲明的結尾中有如下記載：「基於現在法律上容許的權限，現在經濟合作署（ECA）的經濟援助計畫打算繼續推進。」[4]1948年度約定額未消化部分，將其一部分挪用於「一般中國區域」（General Area of China），即被認為易受中共影響的中國大陸的鄰近地區，剩餘小款勉勉強強地對台灣繼續援助。

　　就台灣地區來說，1948至1950年2月15日獲得援助額大約是1,800萬美元。其內容是肥料900萬美元，石油540萬美元，棉花160萬美元，小麥粉10萬美元，其他物資170萬美元，技術合作是70萬美元[5]。

　　之後1950年2月15日至6月30日再給台灣地區850萬美元，以上是前期的美援。

　　以1950年6月爆發的韓戰為契機，美國對中華民國的政策大轉變，伴隨著杜魯門台灣海峽中立化的宣言──派遣第七艦隊──以台灣地區為中心的美援在上述雙邊協定第三次延長適用下正式推進。

　　自此以後的美援是我們主要的課題。其實施期間以美國的會

---

4 《「アメリカの台湾占領と二つの中国」をつくる陰謀に反対》（北京：外文出版社，1958年10月），頁17。

5 參照堅白前引論文，頁3。

計年度來說，是1951至1965會計年度的15年間。

以下想就這期間美援依據的援助諸法來討論。

（二）《共同安全法》（Mutual Security Act of 1951）

如先前所提的，美援雖然以韓戰為契機再度加強，但1950會計年度是前記中美雙邊協定延長的適用，《共同安全法》的適用則是1952會計年度以後的事。

本法不用說，是為因應新的國際情勢，美國企圖將過去分離的援助行政——1948年《經濟合作法》（經濟合作局），1949年《共同防衛援助法》（國防部）及《國際開發法》（國務院技術合作局）整合為一，做為完成強力援助政策的法律根據，在1951年10月20日制定。

基於本法，美援的項目如下：

1. 直接軍協（Direct Force Support，DFS）——其目的在協助中華民國能夠保持適當的軍力，援助內容有軍需民需通用的物資，例如部隊給養的副食品及服裝等，必需的大豆、小麥、棉花等，及若干的軍用消耗品及保養器材——石油、機械零件和各種金屬器材等。

2. 防衛支助（Defense Support，DS）——其目的是幫助中華民國的經濟建設，改善一般國民的經濟狀況，以此增強軍事防衛的潛在能力。援助的範圍包含各種農工建設及教育衛生計畫等必要的器材，一般工業需要的機械及原料，民生日用品——包含棉花、小麥、大豆、牛脂等。

　　防衛支助如後述，是《共同安全法》的主要支柱，美國的意
圖可從美國國會圖書館立法考查局審議1959年的共同援助法案的
參考資料，所提出的報告書中記載看出：「對接受美國軍事援
助，比較貧困的開發中國家，是為了補助能夠籌措擴大國內防衛
體制時的經濟及政治負擔的一部分之經濟援助。因此，雖然主要
目的是軍事的安全保障，但是多少有做為副產物的一些經濟開
發。」[6]雖然說是經濟援助，本質上，軍事目的才是最重要的。

　　3.技術合作（Technical Cooperation，TC）——其目的是幫助
中華民國能夠享受各種技術上的知識及技能，使能夠有效地利用
於經濟發展，並且提高生活水準。主要是分配於從外國（美國為
中心）邀請學者、專家的費用和支付中華民國方面的技術者派遣
海外的費用。

　　《共同安全法》在1961年9月美國國際收支的逆差——黃
金的流失——為防衛美元等情況下，在《國際開發法》（Act
for International Development）制定前一直適用。其間雖經過
幾次修正，關係台灣重要的是《共同安全法》範圍內的剩餘農
產品（Surplus Agricultural Commodity，SAC）和開發貸款基金
（Development Loan Fund，DLF）的新適用。

　　剩餘農產品援助首先追加於1953年《共同安全法》修正法的
第550節，之後在1954年修正法的第402節延續實施。

---

6 *U.S. Foreign Aid: Its Purposes, Scope, Administration and Related Information*, Prepared
　by Legislative Reference Service, Library of Congress, June 11, 1959, Government Printing
　Office, Washington, 1959. 日譯，板垣与一編，《アメリカの対外援助》（日本経済新聞
　社出版），頁170。

　　雖說是剩餘農產品援助，這與前三個項目一開始就具有贈與的性格不同。在《共同安全法》範圍內被分配的部分資金，提供受困於剩餘農產品累增的CCC（商品信用公司，Commodity Credit Cooporation，隸屬美國農業部），做為買其所藏農產品資金。賣得的當地貨幣（新台幣【元】，以後簡稱台幣）做為美國政府所有的金額計累起來，大部分使用於贈與和貸給中華民國，一部分則用於美國政府當地資金調度及工作薪資的支付。

　　開發貸款基金（DLF）是基於1957年的修正法，從1959會計年度開始適用於台灣，開發貸款是貸款給經濟開發計畫中經濟上、技術上健全，有貢獻於經濟成長且合理的條件下，僅限於不能從其他自由陣營的財源中貸款的計畫。

　　關於DLF，美國清楚表明促進接受援助國家的自由企業制度發展，排除美國人個人資本對外投資的障礙，並且確保其安全為目的。

　　以開發貸款（DL）的供給為契機的美援性格是：一、從過去的贈與方式轉換為貸款方式；二、從政府為對象的援助擴及企業為對象，且似乎將重點置於民營企業。尤其是在台灣，變成支撐本地資產階級，帶來了政治上的派生效果；三、在軍事色彩濃厚的防衛支助（DS）中加進經濟開發的目的，培育自由企業制度和偏重民營是「反共基地台灣要塞化」的大致完成，透過中產階級的培育，似乎開始清楚地圖謀強力支撐台灣內部的經濟、政治及社會安定政策之轉換。

　　這如後面所述的，美援對台灣不只是限於軍事要求，也有因基礎建設的整備擴充，為美國人資本進入準備有利條件的經濟目

的之一面，則更為清楚吧。

（三）《國際開發法》

1961年9月制定的本法取代以前的《共同安全法》，自1962會計年度開始適用於台灣。

1961年甘迺迪總統的就任與美蘇共存的冷戰結構的變化──美蘇冷戰的凍結──美國對外援助政策的外在因素由對蘇戰略逐漸轉移重點為對中共的戰略（特別是與台灣有關），與此相關的對國府政策，與其說是為反攻大陸而強化軍事力，不如說是以限定軍事援助在於台灣防衛力，並強力推進培育台灣本地資產階級為重點的經濟援助政策。

美國對外援助政策另一形成主要因素是美國國內的經濟政策──一直以來大致限定於在戰爭中擴張的美國生產力的維持，和排除剩餘農產品的壓力──因國際收支逆差，造成黃金的外流，隨之加上防衛美元的新因素。

在這背景下適用的美援，《共同安全法》範圍內，做為贈與的DS與基於DLF貸款的DL一元化，變成基於新的《國際開發法》的DL。結果，以前一部分贈與殘留下來的部分也全部變成貸款。

只有技術協力援助，少額以開發贈與（Development Grant）的方式留下來。

即直接軍協（DFS）在中途，民需部分改為DS供給，軍需部分改在軍事援助項目下供應。

又，本法適用至美援中止的1965會計年度（1965年6月30
日）止。

（四）《1954年農業貿易發展與援助法》（The Agricultural Trade Development & Assistance Act of 1954）

所謂美援，除上述的三法外，也適用通稱Public Law 480
Program（480號公法，即PL480，美援中止後也只有本法繼續適
用）。

本法與上記三法不同的地方是，其主管機關是農業部，計畫
未包含在美國對外援助預算內。因此，雖然與過去《共同安全
法》的第550節或是第402節剩餘農產品的供給不同，本法出現以
來，《共同安全法》有關剩餘農產品援助相對地減少，變成由
480號公法關係剩餘農產品來取代。480號公法剩餘農產品的供給
採取以下四種方式。

1. 方式一：剩餘農產品的價款以台幣支付，價格是基於世界
市場的價格。賣掉所得的台幣變成美國政府所有，使用於軍事援
助、開發貸款或是供應美國政府在當地使用。

2. 方式二：贈與做為救濟用或是建設計畫僱用者的工資（近
年來在台灣的學校飲食供給也靠此來支付）。

3. 方式三：本項也是以贈與方式，透過非營利機構使用於貧
民救濟。

4. 方式四：以長期的延期付款供應，價款以美金來償還。

　　本法為人所知，是將美國的商品信用公司庫存剩餘農產品以擴大農產品市場和擴大農產品援助的適用範圍（《共同安全法》非適用各國，例如對印度等非同盟諸國也是）有效處理為目的。

　　在台灣被追加方式四以前，方式一是主要支柱，相對基金的利用等稍微嚴格規定用途外，與《共同安全法》第402節剩餘農產品並無很大差別。

　　之後到了1957年，柯立修正案通過，設定新的柯立基金。

　　所謂柯立基金是根據480號公法相對基金的25％為限度，允許貸付給當地美國系企業的基金。

　　這個基金的設立與方式四的漸增傾向（1963會計年度以降）意味著美援性格顯著地轉變（參照後面的敘述）。

　　以上簡單地介紹美援依據的法律沿革。

　　雖然法律條文的意義也許是重要的，但正確地認識法律背後，美國必須實施對外援助的國內（主要是經濟的）、國際的（主要是政治的）背景或許更為重要。就台灣來說，與其說是來自台灣的要求，不如說美國的國家利益的追求是優先的，在其範圍內決定援助，也有其發展與變遷。

　　例如在《中國白皮書》階段，為避免捲入中國的內亂，約定的援助額度也因美國的方便而挪用到其他地區（這期間儘管國民黨的援助要求是強烈的，但大都被拒絕[7]），韓戰一爆發，又一變，為了台灣要塞化，再度展開加強軍事援助。經濟援助也在所謂對美國的安全保障效勞，而以防衛支助為中心。

---

7 這期間情事可詳見前引堅白的論文。

　　至1953年左右為止，上述的援助收到效果，台灣政局趨向安定，抑止通貨膨脹以後，美國另一項國家利益的追求，即擴大剩餘農產品市場也適用於台灣，這也是當然的。

　　甚至1950年代末期到1960年代初期，因美國的美元防衛和國際關係的變化，美援的性格也再度改變，由開發貸款取代防衛支助的贈與性援助。做為對蘇戰略一環來思考的美援，因美蘇關係的好轉，又在台灣海峽情勢的固定化上做考慮。

　　固定化的必然要求不只是經濟的發展，也朝向政治的安定——特別是對台灣本地資產階級的培育及援助而使其安定。之前二國間的援助只是以政府為對象的美援，重新以開發貸款名義下，積極地嘗試導入適用於民營事業為主的個別企業。

　　從這種發展與變遷也可以知道，美援是美國對台灣為追求軍事的、政治的國家利益之手段，經濟開發不過是做為其副產品而已。

　　那麼，以下想試著提出在什麼內容，供應了多少數量的美援。

　　在這之前，為易於了解，將美援依據的法律和援助方式整理成圖1，請參照。

第二節　美援的概觀

　　在進入美援的內容前，首先想確認的是，所有項目的美援不只是以現金提供（美元），台灣方面關於建設計畫、必需物資、必要勞力（技術協力項目）提出申請，美國關係當局就此申請進

圖1　對華美援的形式與其線路

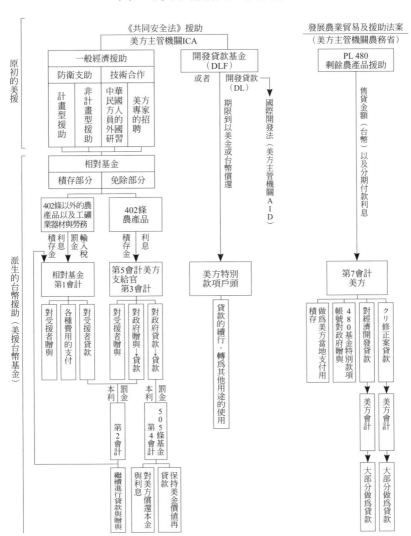

圖註：1.軍事援助除外。2.有關PL480方式四的部分不清楚。

資料來源：本表主要依據《中華民國年鑑》（1960年，頁416；1961年，頁432）作成。並參照光岡玄，〈台灣經濟とアメリカの援助〉，《中國研究月報》，頁177。

行審查之後，供給資本財、原料、勞力等。

　　對於這些供給，台灣方面須將相對基金（一部分是免除的，參照後面的敘述）交給規定的各會計委託保管。

　　由以上來看我們有必要將美援分為：一、以美元表示的美援（即原初的美援）；二、以台幣表示的美援（派生的美援）二種來考察吧！

（一）原初的美援

1. 其總額及項目別分配

　　美援在台灣恢復的1951會計年度以前，供給台灣地區的金額，如先前已講過的，大約是2,650萬美元[8]。

　　不含這前期的美援，1951至1965會計年度止，15年間供給的金額，就約定額（obligations）合計來看的話，如表1所示。從表1也可以知道，15年間供給的美援總額實際上達14億7,000萬美元，每年平均約1億美元。

　　其中整個時期供給量之順序，以防衛支助占第一位，54％，剩餘農產品援助第二位，24％，開發貸款（包括計畫貸款）第三位，11％，前三個項目占九成。

　　15年間的美援變化可分為以下三期來分析：

（1）第一期（1951 1958會計年度）

---

8 這個金額我想是對大陸的援助，因大陸赤化後，除去卸貨地變更為台灣地區的部分，實際情形不清楚。

　　本期又以剩餘農產品援助的供給量之大小，分為前後兩期。

　　前期是1954會計年度以前，這時期的援助大部分是在防衛支助項目下的贈與性援助，因此對具有銷售性格的《共同安全法》範圍內的剩餘農產品非常地保守，只賦予90萬美元的義務。

　　後期是1955會計年度以降，情況相當地改變，《共同安全法》範圍內的剩餘農產品，僅1955會計年度一年度就比上一年增加五倍多，下年度更增加，接近1,000萬美元。

　　漸增趨勢因480號公法的適用而更加速，1957、1958會計年度剩餘農產品援助占全援助額比例，分別躍進為18.5％和20.9％（參照表2），躍上二成左右。

　　這兩年度包含防衛支助的贈與性援助有減少傾向，減少的部分採取以剩餘農產品援助來補充的形式。由上可知，這個時期雖然全是以贈與為中心的援助，但可知來自美國要求承購剩餘農產品的義務逐漸加強。

（2）第二期（1959～1961會計年度）

　　這個時期，依據從1957會計年度開始強化480號公法剩餘農產品在絕對額上更為增加，到了1961會計年度，衝破3,000萬美元大關，實際上達到援助的三成。

　　不只如此，主要是以美國方面的國內情事，從贈與開始轉換為貸款，開發貸款更被加到剩餘農產品，進入取代贈與性援助的階段。

（3）第三期（1962～1965會計年度）

　　如先前敘述，黃金的外流，1960年底選舉獲勝的甘迺迪總統將美元防衛政策編入他的援助構想中。在1961年《國際開發法》

中加以法制化。台灣在本法適用下，之前是贈與性援助主柱的支
持性援助完全被取消，剩下的贈與性援助變成少額，相當於舊技
術合作的開發贈與而已。

　　因此，台灣方面與其說是義務，毋寧是積極地根據480號公
法，熱中於獲得剩餘農產品援助。其具體的表現是1962會計年度

表1（上）　　對華經濟援助金額表（約定額）

項目 ＼ 會計年度	1951	1952	1953	1954	1955	1956	1957
1. 計畫援助	13.7	13.4	21.4	31.7	36.1	28.1	42.9
防衛支助	11.4	10.2	16.0	23.1	23.6	24.7	39.3
直接軍協	0.6	2.3	3.2	5.0	5.1	0.1	0.2
技術合作	1.7	0.9	2.2	3.6	2.4	3.3	3.4
開發贈與	—	—	—	—	—	—	—
開發貸款	—	—	—	—	—	—	—
2. 非計畫援助							
農業	69.7	69.5	79.2	76.6	95.9	73.5	64.0
防衛支助	49.5	45.2	51.6	55.6	53.2	54.4	57.2
直接軍協	48.7	42.3	45.5	43.6	43.1	35.4	30.9
480號公法	0.8	2.5	6.1	11.5	7.5	9.4	6.5
物資貸款	—	0.4	—	0.5	2.6	9.6	19.8
（Program Loan）	—	—	—	—	—	—	—
非農業	20.2	24.3	27.6	21.0	42.7	19.1	6.8
防衛支助	16.1	11.7	10.3	11.0	25.8	18.6	6.8
直接軍協	4.1	12.6	17.3	10.0	16.9	0.5	—
物資貸款							
（Program Loan）							
總計	83.4	82.9	100.6	103.3	132.0	101.6	106.9

註：（1）在美援金額的統計上之分類雖然有計畫額（programs）、約定額
　　　　（obligations）與抵達額（arrivals），但因計畫額常被變更，抵達額的抵
　　　　達日期紛紛不一，在此採取約定額。
　　（2）又本表的480號公法項目中，1954至1956會計年度可看成是《共同安全
　　　　法》的第550節或是第402節剩餘農產品；1952會計年度資料來源不明。

的5,900萬美元，1963會計年度的6,400萬美元，1964會計年度的
7,000萬美元，最終年度雖然只到4月15日止的統計，也有4,200萬
美元，竟占全部援助額的98.6％。

對台灣，援助的條件不只是變嚴苛，480號公法剩餘農產品
供給方式對台灣比較有利的方式一以外，1963會計年度以降，追

表1（下）　　　　　　　　　　　　　　　　單位：100萬美元

1958	1959	1960	1961	1962	1963	1964	1965	總計
29.7	55.4	33.6	24.4	8.2	2.0	59.5	0.6	400.7
26.6	22.0	10.7	5.7					218.3
—	—	—	—					16.5
3.1	2.6	2.5	2.0					27.7
—	—	—	—	3.0	2.0	2.1	0.6	7.7
—	30.8	20.4	16.7	5.2	—	57.4	—	130.5
52.0	69.1	74.5	72.9	59.1	82.6	84.0	42.1	1,064.7
52.0	59.0	44.0	60.1	59.1	63.7	69.5	42.1	816.2
33.3	36.4	30.7	29.7	—	—	—	—	419.6
1.6	—							45.9
17.1	22.6	13.3	30.4	59.1	62.9	68.8	42.1	349.2
—	—				0.8	0.7	—	1.5
—	10.1	30.5	12.8	—	18.9	14.5	—	248.5
—	10.1	30.5	12.8		18.9	14.5		153.7
—	—	—	—					61.4
—	—	—	—	—	18.9	14.5	—	33.4
81.7	124.5	108.1	97.3	67.3	84.6	143.5	42.7	1,465.4

資料來源：　（1）據Neil H.Jacoby, *An Evaluation of U.S.Economic Aid to Free China,*
　　　　　　　　1951～1965, Table IV-1製成。
　　　　　　（原註）1965會計年度是1965年4月15日止已計畫完的約定額。
　　　　　　（2）中華民國方面發表的資料有*Taiwan Statistical Data Book*，《中美合
　　　　　　　　作經援概要》，及尹仲容諸論文，但會計年度不統一，這三者甚至
　　　　　　　　資料出處同樣是CIECD或是CUSA，但還有混亂，所以利用Jacoby
　　　　　　　　論文的表。該表的出處是*U.S.AID Mission to China*。

加必須以美元償還的方式四慢慢取代實施。根據台灣的經合會
（CIECD）的發表[9]，適用最初年度的1963年度約900萬美元，翌
年度稍減為600萬美元，最終年度的1965會計年度竟跳到4,800萬
美元。

　　在此附帶地想就剩餘農產品援助加以說明。

　　本文中所謂的剩餘農產品，是基於《共同安全法》範圍內的
第550節和第402節及480號公法提供的剩餘農產品（這些之外雖
然也提供農產品，在此除外不做考慮）。如早在方式一中所敘述
的，剩餘農產品援助在本質上是賣掉，相對基金為美國政府所
有。初期，其大部分是以贈與方式提供給台灣，如所見的第505
節貸款[10]和柯立貸款及供應當地調度等，有回流美國的可能性，
是不能單純地看作與贈與性援助相同的外面資源導入台灣來看待
的一面。

　　如480號公法方式四，更有以美元償還的規定，又更不能單
純看作贈與性援助了。如表1，剩餘農產品援助全期合計約提供3
億5,000萬美元，占總援助額的23.8％。根據480號公法則是1957
會計年度以降開始，1956會計年度以前好像是根據《共同安全
法》第550節和第402節（如表1的出處所提到的，1952會計年度
的40萬美元的出處雖然不清楚，姑且不追究來考察）其合計只有
1,300萬美元，不過只占約4％，剩下的96％，3億3,600萬美元事

9　CIECD, *Taiwan Statistical Data Book, 1965*, p.130.

10　MSA第550節和第402節剩餘農產品銷售收入（美國政府所有）的一部分可以貸給被
　　供應國政府是據1954、1955、1956年《共同安全法》第505節規定而取名的貸款。
　　（《中華民國年鑑》，1956年版，頁570。）

實上是在1957會計年度以降的九個會計年度被提供的。

　　如表2所見，只占援助額10％以下的剩餘農產品援助從適用480號公法以後一躍激增為二倍，特別是《國際開發法》適用期間，1964會計年度不到50％毋寧是例外，其他三個會計年度都占75％以上的事實，表示近幾年的美援不單純是對中華民國的恩惠，更有貢獻於美國的農業政策，且對其國內的經濟利益也有幫助。

2. 計畫型援助（Project Type Assistance）與非計畫型援助（Non Project Type Assistance）

　　一般來說，對開發中國家的援助，根據被援助國的國內因素，是易流向社會福祉和救濟的這種消費性用途，或是流為腐敗官僚和特權階級的浪費性消費，嚴重的話，導入的資源再度變成外幣，成為這些特權階級的外國存款，這也不是稀奇的事。

　　為防範未然，將援助較多導入開發計畫中，並強化其管理，同時企圖有效統管消費，這是當然的想法。

　　台灣的開發計畫有，在接受美援之前檢討從國內資源支出的可能性，準備對應於此種要求，有可能在沒有計畫的狀況下，將有可能挪用於非生產性用途的資金引進開發計畫的功能（當然邏輯的前提是這個開發計畫就經濟來說是合理的）。

　　基於以上美國的藍圖方式（Blue Print System）下的計畫型和非計畫型的援助區分，能夠透過援助期間兩者的比率推移來明白美援和台灣經濟關係的一面。

　　計畫型援助是供給經濟開發的資金，因此包含特定計畫的建

設用資材和機械設備的輸入和邀請外國（主要是美國）專家、技術者等，派遣台灣方面的技術人員到海外等，有關引進經濟開發必要技術的各種費用的供給（技術協力）。

　　非計畫型援助因是在計畫範圍之外供給，在台灣是為了農工業原料和一般民生物資的輸入而供給。如表1、2所示，台灣接受的計畫型援助15年間約4億美元（27.3％），非計畫型援助是10億6,000萬美元（72.7％）。其比率大概是3：7。

表2（上）　美援各項目別比例

會計年度 項目	1951	1952	1953	1954	1955	1956	1957
1. 計畫援助	16.4	16.2	21.3	29.3	27.4	27.6	40.1
防衛支助	13.7	12.3	15.9	21.3	21.7	24.3	36.8
直接軍協	0.7	2.8	3.2	4.6	3.9	0.1	0.2
技術合作	2.0	1.1	2.2	3.3	1.8	3.2	3.2
開發贈與	—	—	—	—	—	—	—
開發貸款	—	—	—	—	—	—	—
2. 非計畫援助	83.6	83.8	78.7	70.7	72.6	72.3	59.9
農業	59.3	54.5	51.3	51.3	40.3	53.5	53.5
防衛支助	58.3	51.0	45.2	40.2	32.6	34.8	28.9
直接軍協	0.9	3.0	6.1	10.6	5.7	9.2	6.1
480號公法	—	0.6	—	0.5	2.0	9.4	18.5
物資貸款（Program Loan）	—	—	—	—	—	—	—
非農業	24.2	29.3	27.4	19.4	32.3	18.8	6.4
防衛支持	19.3	14.1	10.2	10.2	19.5	18.3	6.4
直接軍協	4.9	15.2	17.2	9.2	12.8	0.5	—
物資貸款（Program Loan）	—	—	—	—	—	—	—
總計	100.0	100.0	100.0	100.0	100.0	100.0	100.0
小計　防衛支助	91.3	77.4	71.3	71.7	73.8	77.4	72.1
貸款	—	—	—	—	—	—	—

資料來源：根據表1製成。

　　那麼以表2來考查計畫型援助的變遷。相當於戰後台灣經濟復興期的1951至1952會計年度是相對地低，為15％左右。進入第一次四年計畫的1953會計年度慢慢升高，相當於第一次四年計畫期間的1953至1956會計年度（台灣與美國的會計年度之間多少有時間差距，在此姑且不管）的四年平均約25％左右，第二次四年計畫期的1957至1960會計年度期間比例更為提高，平均為38％，變成將近40％。1961會計年度以後相反地逐漸下降（1964會計年

表2（下）　　　　　　　　　　　　　　　　　　　　　　　　（％）

1958	1959	1960	1961	1962	1963	1964	1965	總計
36.4	44.5	31.1	25.1	12.2	2.4	41.5	1.5	27.3
32.6	17.7	9.9	5.8	—	—	—	—	14.9
—	—	—	—	—	—	—	—	1.1
3.8	2.1	2.3	2.1	—	—	—	—	1.9
—	—	—	—	4.4	2.4	1.5	1.4	0.5
—	24.7	18.9	17.2	7.7	—	40.0	—	8.9
63.6	55.5	68.9	74.9	87.8	97.6	58.5	98.5	72.7
63.6	47.4	40.7	61.8	87.8	75.3	48.4	98.5	55.7
40.8	29.2	28.4	30.5	—	—	—	—	28.6
2.0	—	—	—	—	—	—	—	3.1
20.9	18.2	12.3	31.2	87.8	74.3	47.9	—	23.8
—	—	—	—	—	0.9	0.5	—	0.1
—	8.1	28.2	13.2	—	22.3	10.1	—	17.0
—	8.1	28.2	13.2	—	—	—	—	10.5
—	—	—	—	—	—	—	—	4.2
—	—	—	—	—	22.3	10.1	—	2.3
100.0	100.0	100.0	100.0	100.0	100.0	100.0	100.0	100.0
73.4	55.0	66.5	49.5	—	—	—	—	54.0
—	24.7	18.9	17.2	7.7	23.2	50.6	—	11.3

度的41.5％毋寧是個例外）。這個原因若從李國鼎（當時任經濟部長）所寫的文章來推測的話，有：

（1）1959會計年度以後，設立DLF，計畫型援助從以前的防衛支助項目更改為向DLF申請。

（2）計畫型援助因為在許可前需要相當的天數和複雜的手續，利用不方便。

（3）因計畫型援助派生的台幣（相對基金）回收較遲。

因此我認為台灣方面毋寧是轉換到非計畫型援助（這個時期480號公法剩餘農產品尤其成為重點），充分利用相對基金之便，而且因開發計畫需要的外匯支出是使用政府的外匯，可想成是為避免計畫延遲和來自美國的干預而降低比重[11]。

台灣方面這種操作成為可能的原因是，第一、二次四年計畫下有相當的經濟成長，1960年度的輸出創下戰後的最高紀錄1億7,000萬美元，1961年度為2億1,000萬美元，1962年度是2億4,000萬美元，1963年度為3億6,000萬美元，1964年度竟超過1960年度的2.7倍，順利成長為4億6,000萬美元[12]的外匯好轉的內情是不能忘記的吧！

加上美國方面在1950年代末期黃金的外流、國際收支惡化下，貸款條件變成嚴苛，以民營企業為重點對象的開發貸款之申請，美國方面的干預相當激烈，同時DLF也不像《共同安全法》，不依國別決定分配總額，許可的可能性未必很高等等原因，也使台灣方面避免申請計畫型援助。

---

11 李國鼎，〈我們如何運用美國經援〉，《中國經濟》第112期（1960年1月10日），頁8。

12 *Taiwan Statistical Data Book, 1965*, p.114.

　　如之前所見的，15年間供給14億6,000萬美元中，相當於27.3％的4億美元是導入於開發計畫的，雖從援助總額來看，絕不能說占有很大的分量，但對開發計畫直接投資這件事對台灣戰後的經濟發展——尤其是第一、二次四年計畫——扮演的角色是不能忽視的。

　　以下想試著看其產業別分配。

3.計畫型援助的產業別分配

　　根據台灣的CIECD發表的資料，計畫型援助的產業別分配以15年合計來看的話，電力部門是1億1,800萬美元，占全體的34.4％，為第一位；第二位為工、礦業部門，8,600萬美元，占全體的25.4％；第三位的交通、運輸部門，4,900萬美元，占14.29％；第四位是接受3,400萬美元分配（10％）的農業部門。

　　限於篇幅，不能將歷年來的變遷呈現出來，但從上述，似乎可以知道美援一貫的目的在於基礎設施（infrastructure）的整備和擴充。

　　在電力部門，投資於水庫建設以及改善擴充送電及電信設備，交通、運輸部門主要是投資鐵路設施的擴張、港灣的擴充與

表3　計畫型援助的產業別分配（1951～1965會計年度）

	農業	工、礦業	電力	交通、運輸	公眾衛生	教育	公共行政	其他	合計
金額（百萬美元）	34.0	86.0	118.0	49.0	8.0	9.0	3.0	34.0	341.0[※]
比率（百分比）	10.0	25.4	34.4	14.2	2.5	2.8	0.8	9.9	100.0

註：※3億4,000萬美元的合計與賈克貝的統計4億美元之間雖約有6,000萬美元之差，但CIECD的統計到1964年12月31日止，賈克貝的則是至1965年4月15日止之故，可想作因此產生差距，然而差額似乎太大。

資料本源：*Taiwan Statistical Data Book*, 1965, p.129.

表4　美援派遣海外見習人員各部門歷年變遷表（1964年12月31日）單位：人

	農業	工、礦業	運輸、交通	公眾衛生	教育	公共行政	社會開發	軍事	其他	合計
1951	18	5	1	8	13	1	—	—	3	49
1952	6	9	2	—	—	—	—	—	—	14
1953	50	44	18	27	7	19	—	2	—	167
1954	60	51	10	36	24	45	1	—	4	231
1955	48	32	12	17	59	13	1	46	11	239
1956	55	39	14	32	45	34	6	—	22	247
1957	73	57	14	22	34	15	—	—	26	241
1958	63	55	14	11	46	—	—	—	33	222
1959	62	61	29	5	59	2	—	—	35	272
1960	64	96	17	19	50	13	6	—	5	270
1961	66	13	5	15	44	20	—	—	13	176
1962	64	80	12	10	52	16	14	—	11	259
1963	38	78	—	—	35	17	—	—	10	178
1964	29	28	—	—	10	17	—	—	22	106
合計	696	645	148	202	478	231	28	48	195	2671

資料來源：*Taiwan Statistical Data Book*, 1965, p.135.

改善。

　　《共同安全法》範圍內的計畫型援助主要是從防衛支助項目供應，從防衛支助的原本目的來說，其軍事性格很強。對電力、交通、運輸關係的重點投資，不能說沒有美國方面的所謂追求安全保障利益的意圖。台灣的情況，毋寧這個意圖與台灣方面的開發戰略一致，其效果影響到經濟開發，應該可以這樣理解。

4. 技術合作援助

　　計畫型援助的另一支柱是技術合作（1962會計年度以降是開發贈與）。15年間對此提供的金額是3,500多萬美元（其產業別分配的完整資料現在沒有）。使用於招聘外國專家的部分不問，在

表4可以看出花費掉技術合作援助大部分的海外派遣技術見習人員各部門歷年的變遷。

遺憾只有到1964會計年度止的資料，14年間實際上派遣了2,671人，部門別順位是農業的696人，為第一位，第二位是工、礦業的645人，第三位是教育的478人。

技術見習人員的派遣特別集中於前三位部門，這是台灣開發戰略的中心是農業生產的擴大和工業化（包含基礎設施的整備擴充）之故，這是當然的吧！

但是，在此問題是，在文盲率很低，普通教育相當普及的台灣教育，教育部門猶派遣478名人員，其背景為何？若是為了開發的勞動力的確保與培育為目的，則與大學畢業生大量流向美國一事似乎是矛盾的。

從教育部門的派遣，是以英語教育相關人士及學校經營者為中心，派遣到美國視察一事聽來，與其說是經濟目的，毋寧可認為是以文化交流為目的。

考慮海外派遣的效果，他們不只能將修得或交流得到的技術等活用於經濟開發，更重要的是，對於此時期在政治上鎖國狀態的台灣，扮演著雖極為緩慢但從外部吹進新風氣管道的角色，是值得注目的。

伴隨經濟開發的進展，因基層的壓力下促使政治部分的明朗化，這雖是當然的。在經濟界的合理主義想法（那些在舊中國是無緣的東西），這些見習者具有做為導入者或是支持者的機能，我想今後也將發揮作用下去。

按道理無法計量的效果，但派美見習生能夠見聞到往來美國

中繼站的日本，及1956年以後逐漸增加派遣以日本為目的的見習生，從日本經濟復興和日本農業得到的刺激和教訓，不難想像產生無形的力量，但因容易被忽視之故，所以在此特別指出。

以上試著概觀地觀察原初的美援，接著想就此敘述原初的美援所派生的當地通貨基金（Counterpart Fund，相對基金）的形成及其利用。

（二）派生的美援（美援台幣基金）

1. 基金的來源和其形成

對透過美援籌集的商品、技術及勞務，被供予國在規定期間內必須將相當的台幣積存於所定的特別會計裡。（例外的是DFS【1956年度以後】和經濟援助中無法產出台幣的計畫援助可以一部分【1955年以後】免除或允許延繳。）

積存的台幣依照規定，大致被用於贈與、貸款、其他（包括本金和利息的支付及其他特殊的用途）。

（1）直接產出的基金

a.相對基金：指除了《共同安全法》第550節和第402節剩餘農產品之外的農產品及各種器材和勞務所生產的東西。本基金的所有權雖然在中華民國政府，但關於運用必須得到美國方面的同意。

b.剩餘農產品再交付金：從《共同安全法》第550節和第402節剩餘農產品所產出的屬於美國政府所有基金的再交付金和第

505節貸款。由於《共同安全法》第550節和第402節剩餘農產品是賣掉，不是相對基金的寄存，而是將對價支付給美國政府的特別帳目。

　　c.其他

　　（a）因480號公法的貸款（包含方式一和方式四）

　　（b）AID（國際開發法）開發貸款（包括MSA的開發貸款）

　　（c）來自美國方面的匯兌率的退還金

　　（d）根據480號公法方式二的收入

（2）間接產出的基金

　　a.因美援物資輸入時支付的防衛稅、關稅及港口稅的收入[13]

　　b.貸款本金的回收

　　c.貸款的利息

　　d.包括其他剩餘農產品販賣的利潤、外匯交售證明的差額收入及其他雜收入。

　　接著在表5擬來看看上述來源形成的基金變成如何，來源別所占比例又是如何的情形。

　　1951至1964曆年度止，14年間積存的基金總額是296億元，直接產出部分占全部基金的77.28％，229億元；間接產出的約67

---

13 美國方面提議，中華民國對美援輸入物資課徵關稅、港灣稅之外，新加上防衛稅，這些稅因伴隨美援收入應存回相對基金。對此，中華民國方面在會影響財政收支下折衝的結果，決定如下：1.對1955會計年度以前美援輸入物資課徵部分做為中華民國國庫收入。2.剩餘農產品援助關係物資不是贈與，是出售之故，稅金同樣做為中華民國國庫收入。3.1955會計年度以後對剩餘農產品援助以外所課徵稅收，財政部每月將課徵額存入基金特別會計。（參照《中華民國年鑑》，1956年，頁579。）

表5　美援台幣基金形成來源　　　　　　　　　單位：100萬元

性質 來源別項目	贈與	貸款	其他	合計	比率（%）
相對基金	11,100	—	—	11,100	37.51
剩餘農產品再交付金	7,606 （73.10%）	2,799 （26.90%）	—	10,405 （100%）	35.16
其他					
PL480貸款	—	346	—	346	1.17
AID開發貸款	—	859	—	859	2.90
外匯匯差退還金	77	—	—	77	0.26
PL480方式二的收入	83	—	—	83	0.28
小計	160	1,205	—	1,365	4.61
中計（由美援直接產出的基金）	18,866	4,004	—	22,870	77.28
關稅防衛稅等稅收收入	—	—	1,710	1,710	5.78
貸款本金的回收	—	—	3,206	3,206	10.83
貸款的利息	—	—	1,669	1,669	5.64
其他					
剩餘農產品利潤結	—	—	137	137	0.26
匯證（外匯交售證明書）差額收入	—	—	45	45	0.15
雜收入	—	—	18	18	0.06
小計	—	—	141	141	0.47
中計（美援間接產出的基金）	—	—	6,726	6,726	22.72
合計	18,866	4,004	6,726	29,596	100.00

資料來源：〈米国対華経済援助の概況〉，《今日之中國》第3卷第5號（1965年5月
　　　　1日），頁11之表6修改而成。又數字是1951年6月26日（美援台幣基金制
　　　　度在台灣恢復）至1964年6月30日止。

億元（22.72％）。

　　占全部基金多數的直接產出基金中，約一半是由《共同安全

法》關係剩餘農產品援助，在後述的基金利用上，以四成支出軍
事合作項目的事實來看，很清楚剩餘農產品援助不愧是承擔美國
政府農產品市場的擴大和安全保障的一石二鳥角色。

剩餘農產品再交付金的贈與部分還可以，貸款部分是必須償
還的，這種償還也可以採資源回流的形式，這從其用途規定（使
用在當地採購〔籌措〕過程中）也是明白的。

就表5來看，台灣方面因剩餘農產品關係對美國背負的負債
額（貸款）約32億元，大約是8,000萬美元（1美元=40元，由於早
期外匯比率美元是優勢〔1952年的匯率是1美元=10.3元〕，實質
上可以推定遠遠超過1億美元）。

2. 基金的利用

原本所謂援助是資源的片面轉移，在此意義下，原初的美援
是為了接受國的經濟開發之故而追加可利用的資源，但伴隨此資
源追加所派生出相對基金就不意味著資源的再追加。基金的使用
是將獲得財力支撐的當地貨幣利用於經濟開發，凍結因物資的供
給使苦於慢性通貨膨脹的後進國家之貨幣（相對基金的積存），
以圖幣制的安定，同時令財政收支不是依賴印刷機的偽裝平衡，
而是利用財力的支撐確保當地貨幣的財政收支平衡，這樣的美援
特殊利用法而已，這不是援助，換句話是為了增大援助的效果之
利用。

接著來看1964年6月30日止美援台幣基金各部門別的利用情
形。

如已看過的，1964年6月30日止積存的基金是295億9,600萬元

表6　美援台幣基金各部門別利用情形
（1952～1964年）　　　　　單位：100萬元

	利用額	比率（百分比）
農業	4,326.1	16.2
工、礦業	2,246.6	9.1
電力	3,007.2	10.4
運輸、交通	1,687.9	6.7
公眾衛生	1,083.0	4.0
教育	764.7	3.0
公共行政	77.2	0.3
社會開發	424.5	1.7
直接軍事合作	9,076.8	34.4
其他	4,088.7	14.2
合計	26,782.7	100.0

資料來源：據 *Taiwan Statistical Data Book*, 1965, p.131製成。

（參照表5），其中90.49％的267億8,200萬元被應用於各部門[14]。

　　各部門別的分配順位如表6所示，直接軍事合作是第一位，使用全部基金約三成多的91億元，其次是包括JCRR關係的農業部門之43億元（16.2％），第三是其他——其大部分或許是用來填補財政收支的赤字——的41億元，占14.2％，第四位是電力，再來是工、礦業及運輸、交通。

　　以上是簡單地概觀美援的狀況。從這個素描（草圖）得到的是美國為了在台灣追求國家利益，除軍事援助以外，實際上15年

---

14 其他使用狀況是：1.貸款本金的償還約5,900萬元（0.2％）；2.支付利息4億6,400萬元（1.57％）；3.未使用餘額22億9,000萬元（7.74％）。（前引《米国対華経済援助の概況》，頁12，請參照表7。）

間給予15億美元的經濟援助，以圖反共基地台灣的要塞化。

其軍事、政治的目的，所謂確保美國的安全保障，經濟援助同樣以非常具有軍事色彩的防衛支持援助為中心，約8億美元，占全體的54%（若只是MSA期間，這個比例更高）。

伴隨著這個防衛支助，對於美國國內經濟矛盾之一的剩餘農產品的處理，也利用台灣做為有效的使用地，其處理所得的當地貨幣三成多，為了效勞於「安全保障」目的，也直接使用於軍事合作項目上。

原初的美援主要是投資於基礎設施。

特別是對第一及第二次四年計畫，計畫型援助可想是在配合這些計畫的情形下發揮作用。

又派生的美援34%轉到軍事合作的支出，剩下部分則以農業、電力、工、礦業、運輸、交通關係的順序來利用。

但是，美援主要目的徹底是台灣的要塞化，經濟開發毋寧是其副產品。因此，賈克貝（Neil H. Jacoby）感歎美國援助當局即使到了援助末期，對台灣仍不具清楚的經濟開發援助的目標[15]，甚至批評美援過分使用於防衛支持和直接軍事合作的援助[16]。

那麼，甘迺迪登場前後開始，軍事要求的內容，只是單純地限定在台灣防衛，因美元防衛取消贈與，開發貸款開始進入。

對台灣當局來說，這種開發貸款很難使用，毋寧是轉換政策向480號公法強力買進剩餘農產品，填補以往資源流入的空缺。

---

15 Neil H. Jacoby, *An Evaluation of U.S. Economic Aid to Free China,1951～1965,* Jan. 1966, p.69.

16 *Ibid.,* p.74.

　　雖然美援具有以上性格，但救了國民黨政權在台灣初期的窘境，後來也帶來經濟開發某種程度的效果。特別是大量剩餘農產品的供給支持政府的低米價政策，尤其原棉的初期贈與在輸入替代產業的育成上加分。

　　那麼，為何軍事色彩濃厚的援助支撐台灣的高度成長，剩餘農產品的大量供給未帶來台灣農業的疲弊（現在的時點可以這樣說，但將來是有疑問），究竟是否有助於國民黨政權的安定，這個課題在弄清楚美援和台灣經濟的關係後，應該可以回答。

第三節　台灣經濟和美援

　　如前所述，對一國來說，外來的經濟援助是表示該國經濟開發可以使用的追加資源。

　　美援的情況，如貸款等有回流可能性部分（不問現在、將來），目前不考慮名目移轉額與實質移轉額的差額（Buy American・Ship American，優先購買美國貨【美國政策保護美國產業，減少赤字的政策】；美船優先政策【與美國交易時優先使用美國船的政策】，以及由於商品估價較世界水準高等而回流的金額或差額），那麼與台灣經濟關係更為具體的呈現是美援的輸入資源型態及其數量和其用途。

　　尤其是在惡性通貨膨脹情況下的1940年代末期和1950年代初期，不只是投資的純追加，藉著抑制通貨膨脹，緩和商品的囤積和大陸系中國人上階層帶出的黃金和美元無意義的貯存，抑止無益的投資，我想帶有正常化被切斷的經濟循環之機能（雖然是非

常緩慢）。

　　那麼先來看看美援抵達物資和台灣經濟。

（一）美援剩餘農產品和台灣經濟

　　1950至1964曆年度為止的15年間，實際上抵達台灣的美援物資總額大約是11億7,000萬美元，年平均（1950年較少額除外，14年間的平均）大約8,500萬美元。

　　我們如表7將抵達物資的種類分為資本財、農工業原料及消費財三大部門來總計看看。

　　原本小麥、大豆、菸葉也和原棉一樣是加工原料，一部分的擴大僱用和其副產品——大豆粕、麩皮——做為飼料或是肥料，有能利用於農業生產的一面。但是，與原棉不同，沒有做為加工品再輸出的可能性（援助協定禁止再輸出），所以分類為消費財部門。

　　結果15年間送到的資本財3億4,000萬美元（約全體的29%），農工業原料3億7,000萬美元（約全體的32%），消費財是4億6,000萬美元（約全體的39%）。

　　又將15年間總計的種類別來看的話，其順序第一位是小麥‧小麥粉的2億1,000萬美元（18%），第二位是原棉的2億美元（17%），第三位是機械‧工具類的1億5,000萬美元（13%），第四位是大豆的1億2,000萬美元（11%）。

　　前四位中可知農產品竟占了三個。

　　農產品全部總計5億6,000萬美元，全部抵達物資大約一半

為農產品所占（幾乎全是剩餘農產品，從商品名稱大概就能想像）。

一般來說，剩餘農產品的援助反而會使被供給國農業疲憊。

台灣的情形，因幾乎不生產小麥，不只沒有競爭，1950年代初期是贈與，有效地做為調節大舉從大陸流入人口不足的主食類供需關係的機能（形式上供給軍隊、公務員關係之故，減輕原本附加在民需的壓力）。特別是大陸時代以來，將主要依賴印刷機來偽裝財政收支之平衡，透過相對基金的預存通貨回收與凍結兩方面，有效地抑制惡性通貨膨脹。

又初期因肥料的輸入和肥料工廠的建設等，恢復農業生產的同時，按道理，因流入人口，不得已需擴大主要穀物的栽培，但因小麥、大豆的輸入而得以迴避。結果可說是當時賺取外匯唯一手段的砂糖生產得以繼續，能夠確保一年1億美元左右的珍貴外匯[17]。

做為第三個效果是，從旁支持終戰以來強制農民儲蓄有效手段的肥料換穀。在供需關係不安定中，即使以糧食局的強權，無限制且長期地強制農民低米價是不可能，這是經濟學的常識吧！米價騰貴時將米釋出以圖市場安定，給予糧食局物質方面力量的，不外是美援的小麥，將小麥和大豆因應於政策的需要，軍隊、公務員為配給對象的體制我想也從旁給予支撐。低米價，甚至在某種限度內保持稻作競爭作物的蔗作相對具有利性，使農民繼續蔗作，尤其是彌補過去國際競爭力不利的一面一起來看，砂

---

17 當時的甘蔗生產、製糖業及砂糖貿易的情事，請參照戴國煇〈糖業在台灣經濟的地位〉，《今日之中國》第1卷第6號〔參見《全集》10〕。

糖輸出獲得的外匯帶給台灣經濟的好影響是很大的。

然而，這些對國民經濟雖然是正面的，但對農民則未必是有利的，尤其是近年來大量的480號公法小麥的輸入，加強低米價的不利，促使農民經營多角化。

脫離低米價的不利與為了確保現金收入，農民傾向於多角化經營——香蕉的水田栽培、蘆筍、洋菇、鳳梨及輸出用蔬菜類的擴大栽培——以日本為主的農產品和其加工品輸出的好景氣下，矛盾的暴露顯著有受阻之感。

這種好景氣也不會長期持續，去年以來日本抑制香蕉輸入和西德為主抑制蘆筍輸入等外在因素和盲目的擴大栽培，導致生產過剩的內在因素，台灣的報紙報導農民因此受到很大打擊。

可做為今後根據480號公法小麥的大量輸入，凶大於吉的警鐘吧！

其次來看僅次於小麥，金額很大的原棉之美援輸入。

台灣回歸祖國以前，布料主要是依賴日本的移入，終戰時棉紡錘是14,000錘（實際上操業的只有8,000錘），到了1954年3月，竟發展為179,000錘[18]。

這個發展棉紡織等的原料，主要是依賴美援的原棉（初期也輸入些許棉線）。原棉在初期的無償供應支持1950年代前半期的棉紡織等的發展。緩和布料衣服的窘迫與小麥、大豆，填補主穀類不足，皆對於安定台灣的民生效果很大。

然而，近年來美國棉紡織產品輸入限制和以小麥做為條件，

---

18 台灣銀行經濟研究室編，《台灣之紡織工業》（1956年4月），頁21，請參照表3。

表7（上）　美援物資抵達額累年表

商品 ＼ 曆年度	1950	1951	1952	1953	1954	1955	1956
資本財							
機械、工具	—	477	2,613	4,816	10,981	11,328	18,548
礦物、金屬	341	1,843	5,222	7,041	7,678	5,851	8,743
車輛	100	2,589	665	3,590	1,382	2,275	3,652
電氣材料	335	2,754	3,921	4,109	2,109	3,092	2,461
木材	491	380	495	691	1,750	3,240	902
小計(A)	1,267	8,043	12,916	20,247	23,900	25,786	34,306
$\frac{(A)}{(D)}$ (%)	(6.17)	(14.20)	(14.50)	(24.68)	(27.21)	(28.92)	(35.56)
農工業原料							
原棉	2,013	9,799	11,353	14,338	19,718	19,513	15,357
肥料	10,972	12,334	22,768	7,810	870	4	56
油、潤滑油蠟	340	963	2,853	1,538	2,528	4,386	5,630
化學製品	108	—	925	828	1,074	1,738	2,821
原料、燃料油	1,497	6,909	9,144	3,205	2,262	1,619	4,234
棉紗	160	1,280	5,334	1,444	—	—	—
紙、紙漿	69	—	675	963	1,142	1,041	884
小計(B)	15,159	31,285	53,032	30,126	27,594	28,301	28,982
$\frac{(B)}{(D)}$ (%)	(73.78)	(55.25)	(59.57)	(36.76)	(31.41)	(31.74)	(30.04)
消費財							
小麥、小麥粉	942	7,010	5,503	10,526	16,229	12,385	13,709
大豆	2,476	3,357	8,462	11,448	12,895	12,344	9,380
菸葉	302	701	—	—	98	—	—
藥品	—	329	1,830	1,346	807	3,248	3,031
棉製品	149	1,588	5,148	4,846	375	—	—
橡膠製品	—	—	382	639	975	1,260	939
乳製品	—	521	—	402	1,236	1,642	788
書物與實驗用器具	—	—	18	166	388	1,069	1,316
其他	250	3,787	1,751	2,293	3,343	3,143	4,035
小計(C)	4,119	17,293	23,094	31,666	36,346	35,091	33,198
$\frac{(C)}{(D)}$ (%)	(20.05)	(30.54)	(25.93)	(38.60)	(41.38)	(39.35)	(34.41)
合計(D)	20,545	56,621	89,062	82,039	87,840	89,178	96,486

資料來源：據*Taiwan Statistical Data Book*, 1965, pp.133～134作成。

表7（下）　　　　　　　　　　　　　　　　　　　　單位：1,000美元

1957	1958	1959	1960	1961	1962	1963	1964	合計	比率(%)
21,777	13,000	13,333	13,713	21,393	14,708	5,761	1,098	153,546	13.10
7,105	2,829	5,259	11,616	11,946	7,138	6,183	2,886	91,681	7.82
3,092	3,562	5,117	8,576	9,940	1,179	883	543	47,145	4.02
2,494	2,772	5,086	3,444	4,643	1,783	1,051	621	40,675	3.47
729	865	12	174	7	—	—	—	9,736	0.83
35,197	23,028	28,807	37,523	47,929	24,808	13,878	5,148	342,783	
(35.30)	(27.97)	(39.23)	(41.13)	(44.31)	(30.97)	(18.24)	(12.98)	(29.23)	
18,353	17,119	13,598	12,991	12,030	16,335	12,819	8,916	204,252	17.42
10	—	—	1,343	1,610	—	—	—	57,777	4.93
2,728	3,553	2,616	1,440	2,807	3,028	3,967	3,768	42,145	3.59
1,712	481	1,105	2,747	2,591	793	1,965	477	19,365	1.65
488	683	—	—	—	20	—	—	30,061	2.56
—	—	—	—	—	—	—	—	8,218	0.70
1,083	370	351	749	807	334	1,249	1,080	10,797	0.92
24,374	22,206	17,670	19,270	19,845	20,510	20,000	14,241	372,615	
(24.44)	(26.97)	(24.07)	(21.12)	(18.35)	(25.60)	(26.29)	(35.90)	(31.78)	
17,242	16,443	14,387	16,232	16,931	21,816	26,996	13,718	210,069	17.92
11,495	9,571	6,555	10,218	11,327	5,757	9,049	—	124,334	10.60
1,750	1,712	747	1,933	1,772	1,049	2,387	1,997	14,448	1.23
1,574	460	2,942	2,247	4,308	2,993	785	805	26,705	2.28
—	3	—	—	1	—	—	—	12,110	1.03
948	622	344	1,933	2,591	718	666	47	12,064	1.03
1,990	18	48	15	32	397	30	54	7,173	0.61
730	1,203	581	483	789	673	546	133	8,095	0.69
4,421	7,073	1,343	1,386	2,651	1,389	1,732	3,527	42,124	3.59
40,150	37,105	26,947	34,447	40,402	34,792	42,191	20,281	457,122	
(40.26)	(45.06)	(36.70)	(37.75)	(37.35)	(43.43)	(55.46)	(51.12)	(38.99)	
99,721	82,339	73,424	91,240	108,176	80,110	76,069	39,670	1,172,520	100.00

將比國際市場較高價的原棉強行輸入台灣，同時生產設備的過剩導致的投資浪費（即棉線和棉布的操業度在1960年的現在分別是76.1％和87.4％[19]）等等問題逐漸顯著。

　　不管如何，培育初期輸入替代產業優勝者的棉紡織產業，原棉扮演的角色是不能忽視的。

（二）抵達物資部門別比率之變遷

　　其次將部門別的比率之歷年變遷畫成曲線圖（圖2），來看

圖2　資本財、農工業原料、消費財抵達物資比率的變遷

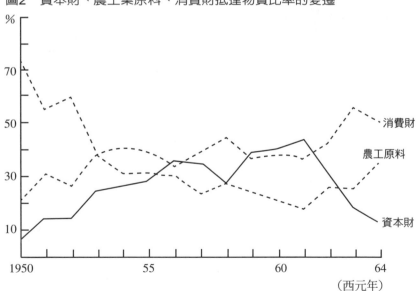

資料來源：根據表7作成。

---

19 台灣大學經濟學研究所編，《台灣工礦業生產能力之研究》，頁17。

看其間的動向和台灣經濟全體動向之對應。

　　以1961年為止的趨勢來考察的話，除了1958年之外[20]，資本財是向上攀升，農工業原料是降低，消費財自1953年以降則是持平狀態。

　　1961年以後前面的DLF及國際開發法的登場下，資本財的輸入如早已敘述的，在台灣方面政策被變更，必須依賴手邊的外匯，便急遽降低；相反地，消費財（主要是小麥的增加）向上彈起。

　　關於戰後初期的台灣經濟雖然已很少篇幅可談，但就台北市物價批發總指數來看，1949年比起1946年，三年間上升1,000倍，又比起前一年，事實上物價上升是34倍。1950年比前一年是3倍，1951較為緩和，但上升66％，1952年變成23％，1953年掉到8.7％，開始能夠人為調控的狀態[21]（參照圖3）。

　　由於尚未從戰災恢復，伴隨內戰敗退，大量人口移入，由於政府亡命至台灣，行政支出的增大等，激化了通貨膨脹。

　　為了抑制通貨膨脹，雖然藉著釋出政府所有黃金企圖通貨收縮，但是對先前所述的物資——尤其是食、衣——的欠缺導致的通貨膨脹要因的去除，美援物資——特別是初期的美援——扮演的角色很大。

　　在國民黨政權最困窮狼狽的1949至1952年的援助，猶如梅森

20　1959年剛好在MSA中設立DLF，取代贈與訂出貸款的政策。這個貸款主要適用於計畫型。我想也因為是政策的轉換期，申請相當困難，因此資本財的抵達很少。

21　尹仲容，〈十年來美國經濟援助與台灣經濟〉，《台灣銀行季刊》第12卷第1期（1961年3月），頁77。

（Edward S. Mason，美國經濟學家）所言，事實上若沒有這樣的援助，國民黨政權能否生存是有疑問[22]。即就1949年抵達物資的內容來看的話，肥料337萬美元，原棉105萬美元，小麥及小麥粉6萬美元，原油及燃料油446萬美元，合計有894萬美元[23]。

　　又就台灣三次四年計畫來考察的話，第一次計畫最初年度的1953年的資本財，比前一年大約躍增二倍。特別是第二次計畫期間，資本財平均占全抵達數額大約35％，可以看到這期間的美援，不只是在安定初期物價或是抑制通貨膨脹，也徐徐扮演著台灣經濟開發的角色。

　　美援物資的來到，終於緩和大陸時代以來的惡性通貨膨脹，農業生產也恢復到戰前的水準後，台灣經濟也有朝向基礎設施的整備擴充和產業擴大趨勢。其趨勢是與基礎設施關聯的物資電氣材料和車輛，以及工・礦業相關聯的物資。若是看機械、工具、礦物、金屬等的抵達額之歷年變遷（參照表7）將會很清楚。

　　然而，第三期前半期（1961～1962年度）還可以，之後資本財的比率逐漸降低。如先前所述，與其開發貸款，台灣當局方面開始轉換政策，利用剩餘農產品援助之故吧。值得注意的是其內容，過去占相當比重的基礎設施相關物資顯著地減退。基礎設施大致的基礎完成後，也是美國的個人資本開始積極進入的時期，可認為美國援助當局[24]為避免與美國個人資本的競爭所做的關照。

22　Edward S. Mason, *Foreign Aid and Foreign Policy*，日譯，《対外援助と外交政策》，鹿島研究所，頁46～47。

23　夏期岳，〈美國對台灣經濟援助的分析〉，《財政經濟月刊》第4卷第8期（1954年7月15日），頁18，表2。

24　根據Neil H. Jacoby, op.cit., p.27，外資（以美國人為主）的進入是1958年以後逐漸增加。

　　一方面凍結相當於2億美元相對基金的使用，一方面策動美國個人投資和貸款的導入，對有可能與美國競爭的石油精煉、重機械工業及鋼鐵業的創設及增設不僅不予援助，也可以看到反對的事例[25]，可見美國對台灣經濟援助在與國家利益有矛盾情況

圖3　1950年代初期台北市物價趨勢

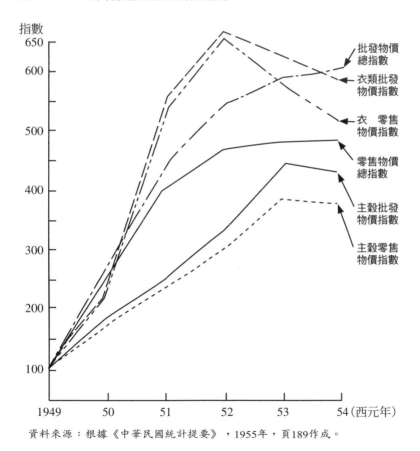

資料來源：根據《中華民國統計提要》，1955年，頁189作成。

25 《徵信新聞》的社論（1965年5月8日）〈美國對華政策〉。

表8　台灣各業種資本形成來源別比例
　　　（1952～1960年）　　　　　　　　　　單位：新台幣100萬元

資本提供來源	合計	農業	工業 合計	礦業	製造業	電力、瓦斯、水道	建築業	交通事業	商業	公共行政及公共服務	其他
民間	18,119.5	5,555.4	5,038.0	415.3	4,622.7	—	217.0	979.9	1,035.7	194.6	5,098.9
	(41.2)	(60.3)	(28.5)	(63.2)	(47.2)	(一)	(78.4)	(17.8)	(73.6)	(4.2)	(96.0)
政府	14,152.8	1,962.8	3,227.7	77.8	2,821.1	2,328.8	43.6	2,983.6	369.4	3,565.7	—
	(32.1)	(21.3)	(29.6)	(11.8)	(28.8)	(32.3)	(15.8)	(54.1)	(26.2)	(76.4)	(一)
美援	11,774.8	1,689.9	7,397.4	164.4	2,344.2	4,888.8	16.0	1,552.4	3.2	904.2	210.9
	(26.7)	(18.4)	(41.9)	(25.0)	(24.0)	(67.7)	(5.8)	(28.1)	(0.2)	(19.4)	(4.0)
合計	44,046.3	9,208.1	17,663.1	657.5	9,788.0	7,217.6	276.6	5,515.9	1,408.3	4,664.5	5,309.8
	(100.0)	(100.0)	(100.0)	(100.0)	(100.0)	(100.0)	(100.0)	(100.0)	(100.0)	(100.0)	(100.0)

註：括弧內是比率（％）
資料來源：前引《米国対華経済援助の概況》，頁16。

表9　國際收支的變遷　　　　　　　　　　　單位：100萬美元

	1952	1956	1957	1958	1959	1960	1961	1962	1963
貿易收支的平衡	-88.8	-98.0	-96.4	-117.7	-107.1	-122.5	-134.0	-109.8	11.4
國際收支的平衡	-92.0	-112.3	-91.5	-66.7	-84.5	-80.4	-106.6	-94.9	30.3
美援（贈與及貸款）	93.9	97.3	96.9	88.2	75.3	98.8	124.0	78.5	74.7

資料來源：Taiwan Statistical Data Book,1965, p.113.

時，會露骨呈顯已開發國家的利己主義。

（三）美援與資本形成

　　將其更具體顯現的是表8中，產業別資本形成中美援所占的比例。

　　1952至1960會計年度資本形成的總額大約440億元中，美援約118億元，竟占26.7％。由美援投下資本的重點如早已敘述的，可以說是放在基幹部門的電力關係、交通事業、礦業、製造業上。在產業別分類上可以說是在工業，但以對農業最基礎支柱的肥料工業這一項來看，總投資額美元部分3,500萬美元（其中2,700萬美元是美援），台幣部分9億元（其中2億8,500萬元是美援）之60％為美援[26]。

　　開發中國家的資本形成，由於一般民間的資本蓄積力弱，通常政府必須扮演很大的角色。

　　特別是在經濟開發的初期，做為必要的社會及經濟的外部條件之整備開發和基幹產業開發之投資，在金額上需要比較大，再者因為其收益率也低，一般會妨礙民間資本的投資。

　　這種條件從「反共基地台灣」背負的軍事負擔來說，若假定沒有美援接替軍事支出和減輕政府投資額（實質上政府只負擔三成）的話，對於經濟開發，結果政府不得不承擔下來。這在上述的投資中，更加擴大不利的條件，不用說必然須依賴更大的財政赤字。

　　一直挪用相對基金填補財政收支赤字，以敷衍的中華民國政府來說，就是將軍事援助除外不作考慮，負擔由美援資本形成額的118億元（1952～1960年）是不可能的事，這是洞如觀火吧！（即1951～1964年度中，轉帳做財政收支的相對基金有40億9,000萬元）（參照表6）

---

26 請參照《中華民國年鑑》，1962年，頁429。

（四）美援與國際收支平衡

如表9所示，至1962年度止，可說是持續不斷的，大約每年出現1億美元左右的貿易收支上的赤字（1963年度因糖價的暴漲，中華民國成立以來首次出現順差）。這基本上規定了國際收支的赤字。

這個赤字因美援資金的籌措輸入──形式上另當別論，實質上──填補此赤字。

這是1952至1962年度止為維持台灣經濟的規模，至少意味著該年間被供給的資源額度，若不被輸入的話，就無可能，因當時的外匯情況是無法支撐的。

做為1950至1963年度輸入資金來源，可換算出的美援是11億3,000萬美元（大約是全部資金的35％），這部分就是台灣節省的外匯吧！

結論

從以上的追溯和分析，我想美國的援助在台灣經濟中占有多大比重是很清楚的事。

如到目前所見的，美國對國府的援助從一開始重點就不放在經濟開發，毋寧是守護以台灣島為中心的地區不受中共的影響和滲透為主要的課題。

基於反共基地台灣的要塞化之最高命令，1950年以來供應22

億美元[27]以上的軍事援助，我們一直以來做為研究對象的經濟援助，是附隨軍事援助的防衛支助為中心的，這早已有所敘述。

　　儘管軍事色彩濃厚的經濟援助，能夠成為台灣經濟發展槓桿的原因有多種，試著列出其中幾個重大的原因：

　　1.初期的援助主要是藉由必需物資的輸入和通貨的回收凍結來抑制惡性通貨膨脹，恢復農業生產（肥料的大量輸入、肥料工廠的建設），為緩和布料情況為目的的棉紡織業（輸入替代產業的主導部門）的培育及有效利用於既存投資（主要是電力及既有工廠生產能力的戰災恢復）的整備利用。

　　2.從第一次四年計畫開始到第二次四年計畫期間，原初美援重點地投資於電力、交通‧運輸（道路的擴張與鋪修，港灣的整備與擴充）、電信設備（改善與擴充）等基礎設施上（不管是哪一項都是以軍事目的為主，但可以理解為民需效果大大地影響經濟開發）。

　　3.在相對基金的利用方面，透過通貨的回收和凍結，不只抑制通貨膨脹，且用有財力支撐的通貨填補財政收支的赤字（這與國民黨傳統利用亂發行通貨之填補是不同，具有重大的意義）。

　　4.美國方面積極的干預[28]，將來或許會對政權的主體性留下禍根，但就經濟政策面來說的話，避免來自保守的立法院團體的干預，藉助比較開明的經濟官僚，援助大致有獨立運作的空間，

---

27 這是1964年現在的金額，根據援助中止的國務院聲明（1964年5月28日）的數字因未有讀該聲明原文之機會，在此根據前引《米国対華経済援助の概況》，頁14。

28 Neil H. Jacoby前引論文，不單指出美國援助當局對台灣經濟政策的積極干預的事實，其還強調有附帶條件援助的必要性。

這毋寧是正面的事。這在相對基金運用的分配和利用的追蹤監督之嚴格面（本文沒有深入探究的餘裕）上也可以看到，國內資源的動員和其開發利用是有效果的。（往往因援助派生出的相對基金沒有利用在開發利用可能資源的動員上，成為高官們貪污的根源，化為美元再度流往外國。結果援助的效果大大地減少，或是拉回到零，甚至帶來負數也說不定。）

5.至1963年為止，對伴隨經濟開發所產生的有效需要的消費物資，剩餘農產品物資援助可以充足地供給，結果未引起通貨膨脹，反而經濟開發得以進展。

6.對長期的經濟發展計畫，雖然未必是能夠滿足的援助供給的決定（美國的對外援助每年度必須經過國會的審議），但相當長期且一定數額，以贈與為中心的供給，我想對經濟開發是有效的。

7.比起上述不管哪一項，軍事都為最優先，但是以無損耗的戰爭準備可維持至今，且其支出大多是由美國代行。與其說軍事費壓迫國民黨政權的財政，我想毋寧是這些對經濟成長帶來更多間接效果（在台灣水泥工業和鐵工業的繁榮與發展，排開金門、馬祖的要塞化是無法解釋）。

8.進而來看軍事援助和相對基金對軍事合作的利用，諷刺的是，本來國民經濟應該負擔的邊際勞動生產力低位的勞動者（包括農民）以低薪在軍隊中實現擬似完全僱用的實現，這在經濟開發上變成正面（至少到1963年階段止）。所以這樣說是農村深刻的潛在失業（農村家庭平均由八人構成，農村人口和農家戶數戰後以來一直有漸增傾向），就是使一部分青壯年層從生產活動中

脫離，在現體制下應不會馬上變成經濟開發的負數吧[29]！尤其是將青壯年層關閉在軍隊，避免暴發對政治的不滿，在政治效果上也不能忽視。

然而，發揮上述效果的是，台灣方面的接受體制比起其他開發中國家都完備。以下想就此來探討。

（1）台灣在接受援助以前就存在相當的既存投資——糖業、電力、產業道路、具高生產性的農業及一般教育的普及。

（2）與其他開發中國家相比，從大陸大量移住的官僚層、高級技術者、具有高度知識的經濟官僚群及教育技術者的存在（即使是玉石混淆），容易填補殖民地母國的統治經營集團撤退留下來的空缺。

（3）台灣農業的韌性（農地改革的效果和先進的農民）直到最近都能充分忍受（美國）剩餘農產品的衝擊，更進而將具高價值的農產品輸出，在開發初期的砂糖，近年來的香蕉、鳳梨、蘆筍及洋菇等來賺取外匯，對產業擴大有所貢獻。

幾乎沒有民族、宗教、階級等對立的均質社會和握有絕對權力，安定度比較高的政府（與東南亞政情相比較）的存在，提供經濟開發在政治、社會上的好條件。（僅容許不平等的行使公民權利，造成地域主義的政治感情對立，與傳說的民族對立根本是不同的東西。這種矛盾在經濟活動上未成為負面因素，近年來毋寧有朝向新興本地資本與官僚資本癒合化傾向顯著進行的事實。另一方面，因美援培育的本地資本家之新興勢力在政治上逐漸確

---

29 尹仲容，《台灣經濟十年來的發展之檢討與展望》，1960年9月，頁29。

保發言權,也是事實吧!今後這股新興勢力如何與美國的動向結合,影響政治變動,在台灣引起動盪有十分的可能。)

然而,所有美援並沒有妥當地被運用。

援助的供應徹底是從美國本身的利害關係來計算,在台灣也是一樣。

援助者的利己主義之例除了1962年援助拖延抵達的政治動向[30]另當別論外,基於經濟上的利害之例子也不少。

例如,前年(1964)發生小麥粉輸出上所見的干涉[31](並非基於480號公法輸入小麥,而是對用手中外匯輸入小麥以加工品輸出的干涉),一面凍結相當於2億美元的相對基金的使用,一方面策動美國個人投資和貸款的導入的作法[32],對於可能和美國有競爭的石油精煉、重機械工業、國際航空(CAT是美系資本)及鋼鐵業的創設與增設,不僅不援助而且反對等之事例[33],進而也有對利用剩餘棉花培育成的棉製品的限制輸入等之趨勢,受到台灣輿論的批評。

也可以看到因對剩餘農產品導入條件和對「小型工業貸給資

---

30 童調查員,〈外国援助と企業進出の実体——台湾——〉(《海外市場》,1962年9月),頁66云:「但有一說,台灣今年開始附加徵收國防臨時特別稅,積極開始反攻大陸的準備,美國當局不高興,為牽制此,故意將援助資金的分派延遲,又據說最近美華兩國關係變得微妙之故,對資金援助的發表也有不良影響。」筆者認為甘迺迪就職以來,美蘇關係發生變化,對訂出台灣情勢固定化政策(即禁止反攻大陸和只限定防衛來自中華人民共和國對解放台灣的台灣援助政策)反彈的國府所做的警告。

31 《徵信新聞報》社論,1965年9月11日,〈美援何以『買』不到朋友〉。

32 《徵信新聞報》社論,1965年5月8日,〈美國對華政策〉。

33 同上。

金」限制嚴格，因而沒有要申請的企業等之報導[34]。

上述之外，在運作面上之失策例，可以舉出因尿素工廠的設計失敗而成本過高[35]和過度獎勵自由企業和限制原料及成品的輸出，在棉紡織業、製粉業、榨油業發生過剩投資。

即各類操業率，製粉是41.5％、榨油（大豆）是8.0％、棉紗是76.1％，棉布是87.4％[36]（1960年當時）。

又今後可想接受援助的負面因素，即使不問軍事及經濟過度依賴美國，恐怕使得政治的主體性有形無形上有所損傷。但為了填補停止美援的損失，無限制的使用480號公法導入剩餘農產品破壞島內農業生產的危懼是十分有的。

又貧富差距的加劇傾向[37]和農民負債額（特別是現在與好景況的經濟作物栽培無緣的北部農民）的漸增傾向（可清楚證實的資料未公布）也有聽說。

最後試做簡單展望以為結語。

被認為已有自立能力，僅留軍事援助和480號公法的適用，美國對台灣援助在1965年6月30日停止。

---

34 《徵信新聞報》社論，1965年7月1日，〈我們的感謝、遺憾和期望──經援停止後的感想〉。

35 外務省亞洲局東南亞課譯編，《アメリカの極東及び東南アジア地域にたいする経済援助の実態》（アメリカ下議院外務委員会特別調査団，*Report of the Special Study Mission to Asia Western Pacific, Middle East, Southern Europe and North Africa*,11 March, 1960, p.11，以及日本ECAFE協会〔譯註：Economic Commission for Asia and Far East, 聯合國亞洲及遠東經濟委員會〕譯，《アジア経済年報1965》，頁247）。

36 台灣大學經濟學研究所編，《台灣工礦業生產能力之研究》，頁17。

37 安本宜雄，〈安定成長の台湾経済〉，《世界週報》第47卷第16號，1966年4月19日，頁54。

　　預告停止當時，驚慌失措的國府當局因三年來農產品及其加工出口品的好景氣（雖然去年稍稍有挫折感，但就外匯的獲得數量來說，毋寧是被強化，即就農產品及其加工品對日輸出額的變遷來看的話，從1963年的1億1,000萬美元，1964年的1億2,000萬美元，到1965年更增加為1億4,000萬美元。這些不論哪一年都是1962年5,000萬美元的二倍以上[38]）和越南軍事特需[39]（合計的話，到目前為止獲得美援供應1億美元以上的外匯），似乎得以保持小康。

　　援助的結束對台灣帶來的原本意義是失去可以利用於經濟開發的追加資源。

　　失去支撐經濟成長重要部分的追加資源，又意味著不能維持一直以來的經濟成長率。

　　台灣若要追求一直以來的經濟成長的話，首先必須考慮填補每年從援助額中扣除剩餘農產品的約6,000萬美元。

　　做為這個填補的來源可以考慮三點：一、從世銀等國際金融機關的貸款；二、導入外資及華僑資本；三、國內資本有效的動員和透過此獲得外匯。

　　上述的農產品輸出的好景氣和越南軍事特別需求的二根支柱

---

38 〈好調統ける台湾農產物および農產加工物の対日輸出〉，《今日之中國》第4卷第10號，1966年10月，頁23，表3。

39 台灣對越南的輸出，從1962年的2,100萬美元到1963年的3,200萬美元，1964年3,400萬美元，1965年是4,300萬美元，1966年一躍大增為8,600萬美元。（財政部統計處編印，《中華民國台灣區進出口貿易統計》第10期〈中華民國56年1月、2月〉將頁19的越南的數字以40元等於1美元算出其概數）輸出之外值得注意的是，這二年來從越南來台灣休假的美軍花費的美元吧！

可以說充分填補了被中止的美援欠損，台灣的好景氣現在仍維持著。

　　但是，可以預測的，越戰的結束及農產品和其加工品輸出的競爭激烈化（可預測東南亞各國和中國的進入），台灣經濟的矛盾在美援中止後顯露的可能性是相當大吧！又持續過去相對基金為目的的480號公法方式四的無選擇輸入[40]，若伴隨著過去對台灣有利的農產品及其加工品輸出市場的惡化，這將使台灣農業疲憊地落入無底深淵。

　　由以上所見，知道台灣的成功，不一定能馬上適用於所有的開發中地區。換言之，不僅不容易具備與台灣同樣特殊、有利的條件，且實際上具備的地區也幾乎沒有。即使就台灣來說，1950年代各種各樣條件和力量的組合，才能以成功的事例體現。1960年代後半，是否真正活用其效果，真正確立和繼續自立經濟的可能，不能不說是令人相當懷疑。特別是到了現在，由於財政收支的平衡不容易得到，為了獲得相對基金，而要採取480號公法剩餘農產品的積極輸入，從國府當局的姿態來看，問題應是不容易的。（本文因篇幅關係，不能詳細討論援助和產業部門的關係，留待別的機會來嘗試。）

　　按：本文據《アジア経済》1966年11月所登載〈台湾の経済發展とアメリカ援助〉修改而成。又脫稿後，有相關文章的發

40　無選擇輸入是「美援」或是「援美」的質疑在台灣內部的有力者早就有提出。（程烈，〈美國經援政策改變對我財經之影響〉，《今日財經》4號，1962年3月1日，頁2。）

表：Neil H. Jacoby的U.S. Aid to Taiwan──A Study of Foreign Aid, Self-Help, and Development,1966, N.Y.，提供讀者，一併參考附記於此。

本文原刊於《アジア経済》第7卷第11號，東京：アジア経済研究所，頁15～39。此處係據笹本武治、川野重任編＊，《台湾経済総合研究》上（東京：アジア経済研究所，1968年3月30日，頁289～330）之版本錄入。本文初次的書面報告係刊於亞洲經濟研究所的所內資料笹本研究會第7號（台湾総合研究7），1966年6月

＊ 本書由財團法人東京大學出版會編製，實際上為戴國煇所編。

【附錄】

美援相關名詞中英文對照表

英文簡稱	英文全稱	中文譯名
——	Act For International Development	國際開發法
AID	Agency for International Development	國際開發署
——	Agricultural Trade Development and Assistance Act of 1954	農業貿易發展與援助法（480號公法）
CCC	Commodity Credit Cooperation	商品信用公司
CIECD	The Council for International Economic Cooperation and Development	國際經濟合作與發展委員會
——	Counterpart Fund	相對基金
——	China Aid Act of 1948	1948年援華法案
DAC	Development Assistance Committee	開發援助委員會
DFS	Direct Force Support	直接軍協
DLF	Development Loan Fund	開發貸款基金
——	Development Grant	開發贈與
DL	Development Loan	開發貸款
DS	Defense Support	防衛支助
ECA	Economic Cooperation Administration	經濟合作署
——	Economic Cooperation Act of 1948	經濟合作法
ICA	International Cooperation Administration	國際合作署
——	International Development Act of 1950	國際開發法
——	Military Assistance	軍事援助
——	Mutual Defense Assistance Act	共同防衛援助法
——	Mutual Security Act of 1951	共同安全法
MSA	Mutual Security Agency	共同安全署
——	Non-project Type Assistance	非計畫型援助

OECD	Organization for Economic Cooperation and Development	經濟合作發展組織
——	Program Loan	物資貸款
——	Project Loan	計畫貸款
——	Project Type Assistance	計畫型援助
SAC	Surplus Agricultural Commodity	剩餘農產品
TCA	Technical Cooperation Administration	技術合作署
TC	Technical Cooperation	技術合作

台灣（中國）農地改革與農地問題

◎ 何鳳嬌譯

前言

做為戰後非社會主義的農地改革，台灣的農地改革是少數成功的例子之一，受到很高的評價[1]。

實際上，比起日本的改革，台灣並不徹底，依然留下現在台灣佃耕問題的根源。但是，連那樣不徹底的農地改革，在當前的新興各國中能否和平地實現，看來已幾乎沒希望才是現況吧。（社會主義的農地改革暫且排除不考慮）現在農地改革的原動力逐漸消失，因為非社會主義的農地改革「正在結束中」[2]。台灣的農地改革，如後述般，可以說是各方勢力妥協的產物，換言之，也是「趕上了第二次大戰後資產階級的農地改革」之一的例子。

---

1 W. Ladejinsky, *Agralian Reforms in Asia, Foreign Affairs*, April 1964。日譯：〈アジアの土地改革〉，《世界》，昭和39年11月。

2 齋藤一夫，〈東南アジアの土地改革〉，《アジア経済》第4卷第4號（昭和38年4月），頁14。

　　農地價款支付結束（1963年）與之後的台灣經濟的成長發展──工業化過程──的偏頗、歪斜等事糾葛在一起，過去隱藏的矛盾開始呈顯。

　　雖然隨著日本貿易自由化，台灣農產品市場的擴大及越南特殊軍需等顯著掩蓋了矛盾，但今後狀況發展如何，我認為台灣農地問題的嚴重性，將會更加明顯。

　　以農業為中心的台日關係，與其說是互補，不如說更帶有濃厚的競爭色彩。以下重新評估台灣的農地改革與農地問題，並介紹給讀者。

一、改革前的佃耕情形

　　台灣農業因其所占的地理位置和氣候條件，在作物的種類上可以看到許多熱帶生產的甘蔗、香蕉、鳳梨等。因日照時間長，土地的高度利用是可能的，與日本農業雖然也有不同的面向，但以稻作為中心的零星家族勞動經營及改革前的土地所有狀況等是極類似於日本。

　　1939年的經營規模每戶也有1.9公頃多，戰後更為零星化，1949年變成1.1公頃多。戰前10公頃以上僅8,000戶，占全部耕地的36％的這種狀況（這種統計只1921年有）隨著日本人地主的消失多少有改變，如表1所見，儘管大、中地主的比重減少，農民中的佃農及自佃農的比例仍然不低於65％左右的水準，全部耕地的過半是佃耕地。農民對土地的欲望之強烈，可以說與殖民地時代沒有差別。

表1　耕地所有廣狹別地主數

	1939年		1949年	
	人	%	人	%
0.5未滿	186,423	43.22	165,570	41.44
0.5以上	90,024	20.87	91,640	22.93
1.0以上	74,151	17.19	73,914	18.50
2.0以上	32,114	7.44	29,217	7.31
3.0以上	24,238	5.62	21,947	5.49
5.0以上	9,801	2.27	7,844	1.96
7.0以上	6,210	1.44	4,692	1.18
10.0以上	5,416	1.26	3,477	0.87
20.0以上	1,489	0.35	704	0.18
30.0以上	845	0.19	374	0.09
50.0以上	383	0.09	154	0.04
100.0以上	272	0.06	52	0.01
合計	431,366	100.0	399,585	100.0

資料來源：1939年是依照台灣總督府殖產局《台灣農業年報》，昭和16年版，頁18～19；1949年是依照台灣省政府農林廳《台灣農業年報》，1950年版，頁20～21。1939年的調查依據甲（＝0.9699公頃）而作，以下為敘述方便起見，以1甲步＝1公頃來闡述。

　　然而，佃耕權是不安定的，佃租是高率的。

　　佃耕契約普通都是口頭約定，且不定期，或是短期的。

　　佃租率從殖民地時代開始是高額的，且年年有提高的傾向，只有在第二次大戰中暫時降低（沒有資料），根據中國地政研究所1949年10月至1950年1月的調查，全島平均是56.80％的高額[3]。

　　此外，在佃耕契約時，有徵收權利金、保證金（押金）的習

---

3 王益滔，〈農地減租與佃農經濟〉（中國地政研究所研究報告《台灣農地減租研究報告》，頁31）。

慣，即使歉收也不能減免，副產物也徵收佃租，或者又有徵收佃租承包者的中間榨取等，實在無法忽視種種折磨佃耕農家的事。

　　所以回歸祖國後，對日合作者，尤其是警察在各地受到民眾的彈劾和報復的狀況中，可以看到戰前農民運動復活的徵兆，逐漸在各地以抗租（不繳納）、欠租（滯納）的方式蔓延開來[4]。

二、農地改革的契機及實際情形

　　台灣的農地改革分成減低佃租（1949年4月）、公地放領（1951年6月）及佃租地的收買和出售（1953年5月）三個階段。

改革的契機及其原動力（motive power）

　　減低佃租政策開始前，台灣與大陸的情勢正值風雲告急之時。贏得農民壓倒性支持的中國共產黨席捲全中國大陸，在東北（舊滿洲）作戰吃了大敗仗的陳誠為避免立法院的糾彈，受蔣介石的命令擔任台灣省主席（1949年1月5日）。蔣政權這時已逐漸地將包括中央銀行所藏的金塊等政府資產、軍隊及武器大舉移至台灣，這時一部分已經移過去了[5]。

---

4 黃在賢、蔡實鼎合編，《新生的自由中國》，頁97。又本書記載宜蘭縣壯圍鄉（鄉是比日本的町較大的行政單位）1948年的佃耕爭議件數是162件，其中119件是欠租（滯納佃租）所導致的案件。

5 關於黃金移轉台灣，見高蔭祖主編，《中華民國大事記》（1957年版），頁594。其他參照 *United States Relations with China*，日譯：《中国白書》（朝日新聞社版），頁364。

　　從大陸大約有40萬的平民和超過30萬的軍人大舉流入台灣內部，激化通貨膨脹，經濟混亂也更加顯著。陳誠一語道破當時狀態：「大陸的局勢日益惡化，台灣的人心動搖，經濟混亂，社會陷入不安，好像要發生什麼的情勢。」[6]

　　一方面台灣的地主階級，特別是中小地主階層，雖然在二二八事件（1947年2月28日）[7]中嘗到相當大的挫折。而農民除台灣共產黨指導權很強的台中一帶之外，幾乎沒有直接參加暴動，毋寧是以欠租、抗租的形式來強化其力量，這可以說是實際的狀況。

　　這種情勢使美國和國府慌張起來。例如美國政府將同是日本農地改革的美國方面實際指導者雷正琪（W. L. Ladejinsky）在1951年4至6月間派遣到台灣，基於日本的經驗進行勸告。在此同時，又例如透過中國農村復興委員會（JCRR），在1949年9月至1954年3月間，因為農地改革的關係支出二千萬餘元（當時的幣值約相當於5億日圓）等，進行財政的援助[8]。

　　1950年左右國民黨政權因未與台灣內部的本地資產階級和地主階級間勾結，吸引農民到執政陣營，以排除中共的影響力是當前的課題。而以韓戰為契機，想確保太平洋沿岸反共防波堤最前線「台灣」的美國，與欲使「反攻大陸基地‧台灣」的社會經濟的安定及必須推進以台灣農民為中心，收攬台灣人心政策的國民

6　Chen Cheng , *Land Reform in Taiwan*, p.x.中文本《台灣土地改革紀要》，頁2。

7　所謂二二八事件是對陳儀的政治與經濟破綻抱持不滿的台灣省民，因香煙黑市買賣的取締而發生的突發事件為契機（1947年2月28日）而爆發，經過一週而鎮壓。

8　Hui-Sun Tang, *Land Reform in Free China*，pp.59～65.

黨政權利害一致，於是成為來自當權者方由上的改革契機。

改革的第一階段 —— 三七五減租

　　首先第一階段的佃租減低，讓台灣繼承大陸時代已有的紙上計畫（paper plan）的二五減租運動（雖然1927年在廣東進行試驗，但因地主勢力的反對幾乎沒有成效），將佃租減低到全主要作物收穫量的37.5％以下之外，並將從前實際效果極小的口頭契約變為書面契約，將短期或是不定期的契約期間變成最少六年等做為主要內容。一方面政府得到農民的歡心，以解除抗租、欠租等稅收（地主當然滯納）的阻礙為主要因素，確保農村秩序。

　　陳誠敘述減少佃租政策實施後的效果有：一、農業生產與農民收入的增加；二、佃農生活的改善；三、耕地地價的跌落；四、佃農買入土地的激增；五、安定農村社會[9]。湯惠蓀（原任JCRR土地組組長，也是政策推動的主要制定方案者及合作者）給的評價也與此幾乎沒有不同[10]。

　　這些評價除了農民的收入和生活不像宣傳程度那樣的改善，大致是妥當的，比此更值得注意的效果是，大致安定了伴隨著抗租、欠租混亂的佃耕關係，政府主要稅源的土地稅收想必大大地增加。中華民國的特殊稅體系中，由於地租是徵收實物（水田）或是繳納現金（旱田是換算成當年主要作物的價格來徵收），不受通貨膨脹的影響。政府更在土地稅上附徵地租附加稅、防衛

9　同註6，pp.42～48.

10　同註8，pp.59～65.

稅，以及強制收買稻穀等，即使現在（1966年）仍在施行。換言之，將戰後混亂的稅收透過三七五減租政策，重新加予強化。其效果是更進一步有效地控制糧食，比上述的任何效果都來得大。可以視為拯救當時國府財政窘境和60萬大軍的軍糧危機。

另值得注意的一點是，因三七五減租的影響耕地權轉移的意義。耕地價格的下滑是好現象，伴隨此大量的耕地轉移（比起1949年的佃耕地面積（參照表2）水田減少10.6％，旱田減少14.08％）可以說預先告知地主農地改革（第三階段）的到來，並提供了一個漏洞。這個漏洞在法制面上也可以看到，1949年4月14日公布施行的是行政命令──《台灣省私有耕地租用辦法》，在執行佃租減低政策給予法律的支撐的法例──「耕地三七五減租條例」，是在被收回佃耕權以及耕地權的移動進行相當一段時間後的1951年6月7日才開始公布實施，這可說明此中玄機[11]。

被批評為不徹底的第一個理由，是資產階級農地改革的局限自第一階段就清楚看到。無法準備耕地買賣價款的佃耕貧農，眼睜睜地看著優先購買權喪失，由於佃耕地被沒收，所以對此強力抵抗。

結果保安司令部（在台灣的保安軍事機關）不得不提出可以說是最後王牌的通告──違反三七五減租條例重大者提交軍法辦理[12]（1951年8月23日）。就所謂重大違反的通告來看，由於主要指涉的是佃人對收回佃耕地的抵抗事件（1950～1952年6月發生

11　陳誠，《台灣土地改革紀要》，頁20～21。
12　《土地改革》復刊第1期（1951年9月），頁20。

表2　三七五減租後購地的佃耕農家戶數和耕地面積的變遷

	1949	1950	1951	1952	1953	合計
戶數	1,722	6,989	11,018	17,639	28,960	66,328
面積（甲）水田	595	2,715	4,777	8,244	12,771	29,102
旱田※	178	641	1,108	1,618	2,875	6,420
合計	773	3,356	5,885	9,862	15,646	35,522

※：包含非農地258甲。

資料來源：Hui-Sun Tang, *Land Reform in Free China*, p.64.

沒收佃耕的件數是11,525件[13]），所以三七五減租無論如何不能說是在完全和平中被推動。

如陳誠在立法院的報告（1950年10月3日）——從今年一月到七月間，保安司令部在台灣發覺的共產黨地下活動事件是300件，逮捕人員100名[14]——所顯示的，1949至1950年是共產主義活動最激烈的時期。

又雖然不清楚上述的抗租、欠租及反對沒收佃地的活動與共產主義者的地下活動如何的結合，但官方認為共產主義者的農村活動從三七五減租開始時即相當的積極[15]。

陳誠將當時台灣農村的不穩狀態形容為「大有『一夫夜呼亂者四應之勢』」[16]，不就是某種程度證實了前述的動靜嗎？

13　同註8，p.52.

14　Fred W. Riggs, *Formosa under Chinese Nationalist Rule*, New York, 1952, p.161.

15　孔昭，〈匪諜對三七五減租的陰謀破壞〉，《中國內政》第4卷特大號（1952年12月20日），頁35。

16　陳誠，《台灣土地改革紀要》，頁42。

第二階段──公地放領

　　第二階段是公地放領。所謂的公地包括舊總督府所有地、日本軍用地、日本公司和個人的私有地、舊地方官廳的所有地等。以上的大部分是殖民地統治初期藉由強制收買（原始積累）、戰時的強制徵用或是收買（軍事用地）及受強權支援來擴大土地所有（製糖公司、台灣拓殖等的舊所有地）而取得的土地。

　　面積是十八萬餘公頃（1952年6月），其中約十萬公頃是旱田，約八萬公頃是水田，實際上占總耕地面積的20％多。

　　公地放領施行前，一部分是出租做為大規模農場經營──「合作農場」──的實驗用地，但進行不順，甚至出現荒廢地。

　　占有這些公有地大部分的製糖公司關係地之相關農民，與其說是分散的農民，毋寧說是共有被強制收買的被害者意識、近於農業勞動者的農民，也是支撐台灣過去農民運動的主要勢力。一方面前述的公有地約六成集中在南部，在理解台灣南部農民的動向時，是不能忽略的要點。

　　與保安司令部的通告同時開始的公地放領政策是「現在將公地拿出做為創設自耕農政策，個人所有的出租地也不例外」[17]這或許有向地主明示的效果吧。

　　1951年6月15日迎接雷正琪，當時台灣省主席主持的土地改革座談會中做出以下結論，在舉行第三階段創設自耕農以前務必

─────────────────
17　林詩旦，〈台灣公地放領的檢討〉，《土地改革》第2卷第15期（1952年11月21日），頁12。

做兩件事：公有地放領和地籍總歸戶[18]（詳後述）。

　　放領的財政收入撥為第三階段的事業費，減輕了財政負擔。

　　財政收入不止是籌措了事業費，公地放領的結果，使自耕農化的過去的佃農在未來十年間須付土地稅（田賦）及其附加稅（公學糧、防衛稅分別是以土地稅的30％附加課徵的）並且平均償還地價。對耕地權取得直接課徵的稅金有契稅，對契稅同樣地也附加30％的防衛稅，在五年平均繳納。

　　結果在官方的調查報告中也承認，農民的負擔遠遠超過佃耕公地時的佃租——全年主要作物收穫量的25％——負擔很重，前五年負擔每年主要作物收穫量的31.7％～37.4％，後五年負擔每年主要作物收穫量的30.8％～36.5％[19]。

表3　公地放領情況

	放領筆數	承購農戶數	放領面積（甲）				放領地價MT（公噸）	
			水田	旱田	其他※	合計	穀	甘藷
1948	11,335	7,572	2,293	1,090	—	3,383	23,201	24,983
1951	116,688	61,782	13,302	16,060	8	29,370	110,103	259,166
1952	59,225	29,814	8,872	8,993	4	17,869	64,875	168,803
1953前期	16,014	7,857	2,286	1,369	—	3,655	20,905	26,367
後期	35,577	14,928	4,618	4,117	9	8,744	35,590	81,161
1958	39,764	19,398	3,563	6,220	—	9,783	22,209	103,945
1961前期	107,845	56,729	6,535	17,715	—	24,250	43,092	200,458
後期	12,871	5,451	1,108	820	—	1,928	10,279	17,048
合計	399,319	203,531	42,577	56,384	21	98,982	330,254	881,931

資料來源：1953年以前以Hui-Sun Tang前引書，頁80～84。1953年以後以王益滔，
　　　　《台灣之土地制度與土地政策》，頁67之數字製成。
※其他為非耕地部分。

18 湯惠蓀，〈台灣省扶植自耕農條例草案上幾個重大的問題〉，《土地改革》第2卷第11
　　期（1952年7月21日），頁2。
19 中國地政研究所編，《台灣省公地放領調查研究》，頁27。

經過這些歷程之後，國民黨政權在所謂的和平中始能邁出資產階級農地改革的第一步。

將公地放領的具體狀況之說明割愛，但如表3所見，1948年試驗放領以來到1961年止共八次，將約10萬公頃放領給20萬戶的農家。藉此政府單是地價收入（其他還有稅收）就達穀33萬噸、甘藷88萬噸。

然而，1953年以後放領趨勢遲緩，與此相反的是，糖業公司強烈要求擴張自營農場有關，還有公地約10萬公頃未放領。這與農地改革中幾乎不是讓渡或是放領對象的雇農（農業勞動力）之存在並列，應是值得注意的問題。（1951年雇農戶數是4,500戶，占全部農家戶數的5％）在經濟面上值得注意的是，公地放領雖然滿足了農民的土地要求，但對農業經營來講，毋寧是帶來破壞

表4　購買公地農家規模別統計（1948～1952年）

甲	承購土地農家戶數	％
0.5以下	64,279	66.33
0.5～1.0	19,462	20.08
1.0～1.5	7,525	7.77
1.5～2.0	3,225	3.33
2.0～3.0	1,782	1.84
3.0～4.0	477	0.49
4.0～5.0	107	0.11
5.0～10.0	48	0.05
10.0以上	—	—
合計	96,906	100.00

資料來源：Hui-Sun Tang前引書，頁85。又1953年以後統計，目前未發現。

大規模經營優勢性的倒退結果。如表4所示，近七成是0.5公頃以下的極零星農戶中，事實上94％的買進土地的農家是屬於1.5公頃以下屬於零星農的範圍。不料，這成為資產階級農地改革的局限且將其性格明顯地暴露出來。

第三階段——耕者有其田

第三階段是以佃耕地的收買及讓渡來創設自耕農——耕者有其田。其要點是將地主（不論在地或不在地）的農地所有最高限定在水田三公頃（屬於7至12等則的水田），政府將其超過的部分以等則別為基準之主要作物收穫量的2.5倍價格收買後（形式上）讓渡給佃農。支付給地主的是，價格的70％以土地證券（實物支付），剩下30％以政府企業的四大公司（農林、工礦、製紙、水泥）的股票支付。

佃農則以收買價格同額的價錢在十年間以本利平均實物償還，做為讓渡的價錢。

收買與讓渡的工作在1953年5月1日到同年12月間進行。這項改革的基礎工作是「地籍總歸戶」。即從過去的土地台帳（殖民地時代）和土地登記簿（回歸祖國以後）整理各個所有者的所有土地於一張卡片的工作。若像日本一樣，將不在村地主一舉消滅的話，這種工作應是簡單的。在台灣，由於保留不在村地主之故，工作變得複雜，從1951年1月開始到翌年7月才完成。

這個作業成果可由合計所得數字製成的表5來考察。

如表5所示，耕地所有者數比三七五減租開始那年（1949

年）的總數實際上增加將近一倍。這個現象與耕地廣狹分布比例的零星化傾向占優勢一起來看，很有意思。雖說是有伴隨公地購買的增加，表示出三七五減租以來的耕地所有權的移轉、分配之激烈最好的證據。

　　真正的農地改革在開始前早已可以看到相當的妥協，這由自耕兼佃耕面積的實數及其比例的變動中也大致看得出。1949年的自耕面積是315,000公頃（總耕地面積的46％多），到了1952年6月時增大為427,000公頃（總耕地面積的63％弱）。即使扣除1952年6月以前放領的公地33,000公頃，仍有78,000公頃的增加。也就是自耕化早已進行後，才開始改革。

　　台灣的農地改革一貫的是不徹底的，在所謂非急進的「實施耕

表5　耕地所有廣狹別地主數（1952年6月）

甲	自耕戶數	出租戶數	自耕・出租戶數	合計	％
0.5以下	242,280	31,547	15,128	288,955	47.28
0.5以上	101,293	20,349	21,017	142,659	23.34
1.0以上	60,899	15,213	27,304	103,416	16.92
2.0以上	16,140	5,043	13,579	34,762	5.69
3.0以上	5,683	2,123	7,655	15,461	2.53
4.0～6.0未滿	3,898	1,630	7,650	13,178	2.16
6.0～10.0未滿	1,552	699	5,460	7,711	1.26
10.0～20.0未滿	430	219	3,036	3,685	0.60
20.0～50.0未滿	97	26	981	1,104	0.18
50.0～100.0未滿	14	1	181	196	0.03
100.0以上	6	—	60	66	0.01
合計	432,292	76,850	102,051	611,193	100

資料來源：據Hui-Sun,Tang, *Land Reform in Free China*, p.103製成。

者有其田條例」之立法過程中比之前所敘述的更清楚地呈現出來。

　　台灣人地主階層的最高民意機關台灣省臨時省議會，對立法手續展開意見答辯，採取拖拉戰術來延遲法案的實施（省政府回避此，不待省議會的答覆，早一步向行政院提出，經其審議後送立法院。這件事最後的立法權在中央，不在省議會，政府為了妥協，採取將意見呈報台灣人地主階層的最高民意機關的手續僅循形式而已）——台灣省政府修正案——極力刪除此法案的主要內容來嘗試抵抗。在此雖然沒有討論具體交鋒的充裕空間[20]，但有意思的是，最大的修正不是省議會的意見，而是在行政院到立法院階段，對不在村地主允許保留地及將保留地面積擴大到中等則（7等則至12等則）的水田三公頃、旱田六公頃。在立法院後退的理由是考量到：第一，保守的老人層很厚；第二，立法院與陳誠（改革的最高推進者）的對立；第三，韓戰產生反攻大陸的幻想，企圖刪除主要內容為未來條例適用於大陸做準備。

　　對地主的妥協具體地表現的數字是各次草案預定收買面積與實際收買面積的差距吧。如表6所見，比起第一次草案，實際上只有不到50％被收買而已。

三、被閹割的政治背景

　　為合理說明應是學習日本農地改革的原草案（台灣省地政局提出的第一次案）而有這種大後退要從闡明當時的台灣情勢即可

---

20 詳見〈台灣省扶植自耕農條例兩種草案之對照〉，《土地改革》第2卷第12期（1952年8月21日）。

表6　預定收買與實際收買之耕地面積

所有者別	個人所有	％	共有	％	團體所有	％	其他	％	合計
台灣省地政局原草案（A）	77,665	36.2	119,071	55.4	17,199	8.0	898	0.4	214,833
行政院修正草案（B）	42,489	23.6	119,071	66.3	17,199	9.6	898	0.5	179,657
法案的實施（C）	32,063	22.33	99,796	69.51	11,709	8.16	—	—	143,568

資料來源：據Hui-Sun,Tang, *Land Reform in Free China*,（A）是頁109、（B）是頁113、（C）是頁140，各別引用製成。

做到。

　　1948至1950年末期為止台灣情勢的不穩，外有韓戰的爆發，伴隨而來的是第七艦隊派遣台灣海峽，在地理上切斷新中國的影響，內部則是以鎮壓共產黨為主的民主勢力來恢復治安（1949～1950年）。農業生產力的復興和美國援助的恢復（韓戰爆發以後）慢慢有效地壓抑通貨膨脹，經濟活動也漸漸活潑化。

　　自此到1951年末期的狀況正如上述，國民黨以其藉由農民的合作（因三七五減租和公地放領而某種程度獲得），這次更將大地主階級（不在村地主階級）拉到自己權力的一方——當時正是美國託管台灣論正盛的時候——也是進入使台灣島的統治更為安定，而在拚命（積極）的時期。

　　其具體的表現是1950年3月12日的內閣改組中將曾是台灣本地資產階級右派聯盟輿論領導人的蔡培火首次起用為閒差的無任所部長；同年4月5日行政院閣議決定在台灣試驗地實施地方自

治；9月22日到翌年4月15日實施縣市長的民選；隔年的1951年1
月28日完成縣市議會議員的普選；同年11月17日在前述的縣市議
會中選出台灣省臨時省議員55人（間接選舉），接著在12月11日
成立省臨時議會。

　　進行這些政治過程中的1951年4月，迎接雷正琪農地改革最
後階段的準備則急迫地加快速度進行。

　　1952年以後對地方所謂的名流透過社會輿論、議會，或是從
私下由國民黨直接進行說服。

　　對早在1950年因不容於台灣政治遠居日本的大地主階層巨
頭，也是元老的林獻堂，受前往日本視察農地改革的國府使節
團，即JCRR土地組副組長黃通、台灣土地銀行總經理陳勉修、
台灣省地政局局長沈時可（第一次草案的主要起草者），可以說
是台灣農地改革三傑的訪問懇談[21]，是頗有意思的。

　　從以上我們似乎可以容易地掌握妥協的背景。

　　實施的結果，不僅收購了106,000戶地主所有的143,000公頃
土地讓給195,000戶的農家，還剩下總耕地面積的15.2％的103,000
公頃的租耕地，佃耕農家還存在將近15萬戶。其中特別值得注意的
是完全沒有受到農地改革恩惠的佃耕農家占了過半數的88,000戶[22]。

21　參考《土地改革》第2卷第11期（1952年7月21日），頁21。又訪問的確實日期從《土
　　地改革》雜誌其他記事來推測，大概是1952年的春天。

22　Hui-Sun, Tang, *Land Reform in Free China*, p.138.

結論與展望

　　到現在所敘述的台灣農地改革，是從1949年4月到1953年底依順序進行。其原動力是受美國支持、指導的國民黨政權。國民黨政權是保守勢力，但立法者之99％對台灣地區而言是外來的大陸系中國人，這件事毋寧是僥倖的，恐成為永遠紙上談兵的國民黨傳統的土地改革案中不用自掏腰包就可實施之一例。本地的台灣地主階層因先前的二二八事件的挫折和之後世界局勢的緊繃——中國大陸和日本兩者農地改革的心理效果——也幫了忙，進行過程緩慢且長期之下，有充裕的時間偷工減料，同時又與國民黨政權的局限相糾葛、抗衡，做為姑且妥協的產物，同時也取得相當的讓步。

　　國民黨政權因此獲得的是，第一，農村社會秩序的恢復、安定。這個政治效果與美國的遠東政策的最大目標，在太平洋構築反共防波堤的希望也是一致的。

　　第二，讓滯塞的稅收管道復活，以實物徵收的土地稅為主的稅收課徵，不只有助於財政收入，也使得軍糧的控管成為可能，這個效果更影響到經濟的相對安定。

　　第三，搶先農民對土地要求的形式下進行一連串的改革政策，引出農民對農業生產的積極性，我想是支撐農業生產在戰後成長的重要因素之一。

　　然而改革是妥協之下不徹底性的產物，創設了無法與農業改革相連結的零星自耕農置之不理。如1961年農業普查資料所顯示的，農家戶數約增加24萬戶，其中事實上20萬戶是屬於未滿二公

表7 經營規模別農家數：改革前後的比較

公頃	1949年	%	1960年	%
0.5以下	163,521	28.88	274,314	33.97
0.5以上	158,518	27.99	218,215	27.02
1.0以上	157,446	27.81	195,183	24.17
2.0以上	54,197	9.57	65,916	8.16
3.0以上	25,641	4.53	36,695	4.53
5.0以上	4,657	0.82	9,565	1.18
7.0以上	1,636	0.29	4,558	0.57
10.0以上	561	0.09	3,154	0.39
20.0以上	93	0.02		
合計	566,270	100.00	807,600	100.00

資料來源：*General Report on the 1961 Census of Agriculture*, Taiwan , Republic of China.

表8 經營規模別專業、兼業別農家數

公頃	專業%	第一種兼業%[※1]	第二種兼業%[※2]	合計
0.5以下	70,218（25.60）	64,289（23.44）	139,807（50.97）	274,314
0.5以上	115,994（53.16）	76,736（35.17）	25,485（11.68）	218,215
1.0以上	122,052（62.53）	62,587（32.07）	10,544（5.40）	195,183
2.0以上	42,769（64.88）	20,194（30.64）	2,953（4.48）	65,916
3.0以上	23,346（63.62）	11,466（31.25）	1,883（5.13）	36,695
5.0以上	5,840（61.06）	3,132（32.74）	593（6.20）	9,565
7.0以上	2,630（57.70）	1,563（34.29）	365（8.01）	4,558
10.0以上	1,652（52.38）	1,093（34.65）	409（12.97）	3,154
合計	384,501（47.61）	241,060（29.85）	182,039（22.54）	807,600

※1：以農業為主。

※2：以農業為從。

資料來源：*General Report on the 1961 Census of Agriculture*, Taiwan , Republic of China.

頃的階層。

　　灌溉設施的擴大，同時因農民的積極創意，多方投入肥料及勞動力，每公頃收量的增加和佃租的降低，雖然勉勉強強地在某些程度上將這種零星化的矛盾掩蓋過來，但近年來因農業人口以及教育費用的負擔增加、示範〔譯註：都市消費生活〕效果影響農村，支出費用增加，使得農民為克服零星經營而兼業化（表8）和傾向於高度利用土地。

　　的確，近年來的台灣農業因蘆筍、洋菇、水田香蕉、鳳梨及洋蔥等一部分蔬菜輸出的好景氣，令人感到有把耕地零星化的矛盾掩蓋過來之感。儘管如此，輸出市場的不安定和伴隨輸出競爭激烈化的混亂，除了身為創業者獲利而受惠的一部分農家和因適地栽培成為有利的農家外，隨著地價支付結束的增稅——尤其是土地稅的增加——現金支出的增加無奈地已浮現過去被掩蓋的矛盾。

　　尤其在台灣的工業化幾乎不能吸收農村人口的狀況持續下——事實上農業戶數和農業人口的絕對數有逐漸增加傾向——加上均分繼承的影響零星化也會持續。

　　進而使農地問題激化的是在文章開始的時候也有指出的「佃耕問題的根源」之存在，根據上述農業普查資料，耕地中租借地仍近14萬公頃，純佃農109,000戶，佃耕兼自耕6萬戶，自耕兼佃耕超過106,000戶。

　　1958年一年比較重要的佃耕爭議件數在部分地區就有329件

（18個鄉鎮的調查中17鄉鎮的件數，其三分之二是不繳佃租或是遲繳為原因的爭議[23]）。應可確認佃耕問題根源之所在。尤其是隨著1963年地價支付結束購買農地的農家負擔只剩下以土地稅為中心的稅金之後（政府在考慮種種新稅目，例如可視為農業綜合所得稅等，過去受國民的反對而未實現）所帶來的農民間收入懸殊感將更惹起不滿，十分有可能產生新的農民抗租、欠租，及農地解放之新要求。

本文原收錄於近藤康男等編，《土地問題——農政の焦点——日本農業年報ＸⅤ》，東京：御茶の水書房，1966年11月20日，頁172～192

23　E. Stuart Kirby, *Rural Progress in Taiwan*, p.96.

台灣的產業與經濟

◎ 李毓昭譯

資源

農業資源

　　台灣是常夏之島，生產木瓜、鳳梨，以及有獨特風味的香蕉，日本人從戰前就很熟悉。

　　從其所處的緯度可知，北半部是屬於溫帶，南半部是屬於熱帶，正是陽光、太陽能豐富的島嶼。

　　面積約為36,000平方公里，比日本的九州稍微窄小。總面積三分之二以上是丘陵和山地，因此有利於農耕的平原很少，主要分布在西南部。做為台灣農業資源中心的耕地面積約88萬公頃，只占總面積的四分之一。其中有灌溉設施的二期作水田約33萬公頃，其餘約55萬公頃稱為「看天田」，是一部分有灌溉可能的單期作水田和旱田。

　　其他可以利用的農地中，有名的台中香蕉或烏龍茶生產地的山腳地（亦即山麓地帶）與可以開發的牧草地（共約10萬公

頃），以及在西海岸正在開發的海埔新生地（約5萬公頃）。

由於是多山之島，所以接著要提到的重要農業資源是森林資源。林野面積有215萬公頃，約為耕地的2.5倍，立木量估計有2億4,000萬立方公尺。其中占45％相當約1億立方公尺是針葉樹，其餘是闊葉樹。除了森林之外，台灣竹也很有名。根據估計，竹林約有4億6,000萬株，成為竹藝品的豐富原料源。

台灣本島四面環海，70多種大小不等的漁業資源也值得注目。海岸線雖然只有1,600公里，但因海流的影響，魚的種類極多，尤其以烏魚子的原魚，亦即以鯔魚的寶庫而聞名。

礦產資源

與日本一樣，台灣也是缺乏礦物資源的島嶼。雖然貧乏，但還是有以下幾項比較重要的資源：

1. 煤炭：估計蘊藏量約有5億3,000萬噸，已經開採1億2,000萬噸，剩下4億1,000萬噸，但據說其中只有約占一半的2億噸具開採可能性。主要分布在北部的台北、基隆和中北部的南庄。

2. 天然瓦斯：向來台灣的礦業資源所生產能源大部分是依賴煤炭，但近年來已加快腳步開發天然瓦斯。已確認的蘊藏量約有188億立方公尺，加上可能的蘊藏量80億立方公尺，總共達到約268億立方公尺。而隨著工業化的腳步，為了補充煤炭發電的不足，火力發電上天然瓦斯的開發使用也在進展。其分布集中位於中北部苗栗縣的錦水、出礦坑一帶。又此一地帶也是台灣少許的石油產地。

　　3. 鹽：貧乏的礦產資源中，大半產量皆輸出日本的鹽是不能忽視的。鹽田集中在南部，面積約有5,000公頃，年產量多達約60萬噸。

水資源

　　台灣是亞熱帶性氣候，且位於亞洲季節風的範圍內，一年平均降雨量為2,000公釐左右，多雨地帶的基隆周邊或山區則經常多達7,000公釐。台灣的水資源極為豐富。

　　據估計，台灣全年的降雨量約為869億立方公尺，蒸發量是270億立方公尺，河川流量為534億立方公尺，作物吸收量為35億立方公尺，漏出滲透量為30億立方公尺。

　　相較於東南亞的開發中國家，農業的水資源使用率相當高。有名的農業用水路是嘉南大圳、桃園大圳等。近年來正急速推動地下水的開發利用。另一方面，由於受台灣本島的地形影響，河川的傾斜度大，流速很快，颱風期或雨季時河川氾濫，水的利用率也明顯降低。

　　台灣利用河川傾斜度形成的落差，進行水利發電的開發利用。1966年，水力發電的設備容量約是63萬千瓦，占所有發電設備容量的50％。而在1959年，估計可開發的水力約為515萬千瓦，反過來推算可以知道，發電用的水資源還有相當大的開發空間。

勞動力

現今流行的用語「人力資源」約有1,300萬人口，增加率是3％，在世界上也是名列前茅的高比率。近年來，由於政府改變人口政策，展開節育運動，自然增加率有降到3％以下的趨勢。除了人口增加率之外，人口密度在1965年為1平方公里351人，僅次於荷蘭，高居世界第二位。

對於台灣經濟的瓶頸，有許多人指出是中央財政過高的軍費負擔，以及人口壓力（高人口密度與人口增加率）。撇開軍費不談，從西方兩大高度經濟成長國西德和日本逐漸感覺到勞動力不足的情況來看，只要今後的經濟能夠順利發展，過剩的人口大有可能成為有利的因素。

順便一提，1965年的勞動人口（15～59歲）是639萬人，只占總人口的一半左右。換句話說，非生產年齡的人口中，有相當高的比率是幼齡人口。

目前台灣農村中的絕對人口和農家戶數，不僅仍呈增加的趨勢，每戶仍保持平均8名的高家庭人口數。此外，經濟活動人口中有約5％的失業人口，大約是20萬人。

從上述情況可以推知，台灣的隱性和顯性失業相當嚴重。反過來說，還有大量未利用的勞動力。在亞洲國家中，台灣教育相當普及是眾所皆知。學齡兒童的就學率達到97％，目前實施6年的小學義務教育，但據說不久的將來將會和日本一樣延長為9年。

就人口的教育程度別比率觀之，高等教育占2.3％，中等教

育（含高中）15.2％，普通教育55.4％，其他4.0％，文盲則有23.1％。高等教育的升學率與已開發國家一樣或更高。由此可知，台灣的人力資源質量皆高，可說是台灣經濟發展潛在的最大資源。

經濟發展與經濟計畫

戰後台灣的經濟突飛猛進，但高度的成長並非戰爭結束後立即開始。

在1952年之前，台灣毋寧是受到戰災和國共內戰的波及，而受到極大的通膨威脅。

1949年底，在內戰中敗退的國府將中央政府遷到台灣，以國府自身的最後反共基地「建設台灣」為口號，努力抑制通貨膨脹，從戰災中復興。

以1950年6月爆發的韓戰為契機，美國重啟對國府的援助。由於這方面也產生效果，1952年底惡性通膨的壓力減輕，島內的治安也透過破壞和鎮壓共產黨的地下組織而確立。

而在經濟的復興工作，則進行農地改革，順利推動屬於其前期階段的「三七五減租」和「公地放領」。

國府在美國援助當局強有力的支持下，從1953年至今連續實施四個四年經濟建設計畫，而在開發中國家中達到卓越的經濟成長。

從其足跡來看，1952年實質國民總生產額（1963年的價格）為379億3,300萬元（約9億4,800萬美元），1964年為906億4,500萬

元（約22億6,600萬美元），12年之間成長139％，達到平均超過7％的高度成長。

又，國民所得在同樣的12年間，實質增加了134.9％，年平均成長7.4％。國民平均所得雖然明顯的被高人口增加率所拉低，但也從1952年的3,618元（約90美元）增加到1964年的5,753元（約169美元），增加約59％。

只看成長率的話，國民總生產僅次於日本，位居世界第二位，而國民所得也僅次於日本和義大利，位居世界第三位，確實是世界性的高度成長。包括生活水準提升在內的國民平均所得成長率為3.5％，雖然相當高，但如上所述的絕對值還在150美元的階段，與已開發國家還差了一大截。不過，一般低開發國家都是在150美元以下，台灣可望在不久之後邁入200美元大關，而躋身已開發國家之列似乎也不是夢想。

能達到上述高度成長的直接原因，不用說也知道是高度投資率，以及隨之而來的生產和輸出的大幅成長。

然而，讓台灣有此高度投資率的是美國的經濟援助。

美國對國府的經濟援助（大部分使用在台灣地區）從1950年到1965年6月30日終止援助為止，總額高達14億6,000萬美元，平均1年1億美元。

台灣第一次到第三次經濟建設四年計畫的資金來源，有大半是仰賴美國援助，因此必須說，美國援助對台灣戰後經濟的發展扮演極大的角色。對台灣經濟發展有如此巨大貢獻的美援，也以「台灣經濟已經可以自立」的理由，而於1965年6月底畫上休止符，只留下軍事援助和480號公法的農產品援助。

　　台灣的國府當局以早日達成經濟獨立為主要目標，於1965～
1968年的四年間經濟成長率達到年平均7％，而1964年的國民總
生產1,034億7,000萬元（約25億8,700萬美元）也於1968年擴大到
1,322億8,000萬元（約33億7,000萬美元），並為了將國民平均所
得於同一期間從168美元提高為192美元，而擬定第四次四年經濟
計畫，目前正在實施。

　　至於資金來源，根據公布的報告，目前藉著農產品及其加工
品的暢旺出口，以及從越南特需取得的外匯收入，就能充分彌補
因美援終止而導致的外匯不足。在第一年，亦即1965年，經濟成
長率為9.98％（工業15％，農業8.7％），第二年也就是去年，雖
比前年度減少，只有8.1％（工業13.7％，農業5.9％），但超過計
畫目標的7％，國民平均所得也達到189美元，創下新紀錄。

主要產業

　　自戰前以來，說到台灣的物產就是蓬萊米、砂糖和香蕉。在
此一印象的延長下，一般人很容易認為台灣就是農業之島，但由
於1953年以來經濟建設計畫的推動，工業生產的快速成長，1965
年時實際上已增加了386％，達到年率12.9％的高度成長。相較之
下，農業生產於同一期間增加114％，年率停留在6.4％，因此產
業結構與戰前相比有很大的不同。

　　1965年各產業占國內純生產的比率是工業29％、農業28％、
其他43％。從產業的結構來看，台灣已經不是單純以農業為主，
而應該說是工農兼產的島嶼。

農業

　　前面提到，農業生產占國內純生產的比率降低，被工業追趕過，但農業人口占總人口的45.4％，農產品及其加工品的輸出總額目前仍占總輸出量的46％，而且高農業生產力也足以解決人口壓力引發的糧食問題，可見農業依然是台灣經濟的基礎。

　　台灣從以前就被視為稻米與砂糖之島，近年來由於在國際市場的後退及糧食作物的發展，甘蔗產量大幅減少，1964年生產額的項目別結構比依序為稻米35.1％、豬17.6％、甘蔗10.1％、甘薯7.7％、香蕉3.0％、雞2.8％、花生2.7％。

　　從以上的結構比率來看，已經從殖民地型農業的偏重稻米和砂糖變得相當多樣化，尤其是近年來國內的低米價政策，以及配合島外輸出市場的新需要，藉以獲取外匯的農作物，亦即香蕉、鳳梨、洋菇、蘆筍等商品作物的生產也大幅成長。

　　如上所述，台灣的農業生產年增率為6.4％，不僅成長幅度極高，單位面積的總生產量也因土地的高度利用和充足的日照時間等因素，而僅次於阿拉伯聯合大公國和荷蘭，位居世界第三位。

　　除了位於亞熱帶和亞洲季節風的良好自然條件，還有先進的農民、相當進步的農業技術與輪作系統，加上肥料的高自給率和多施肥灌溉設施的完備，以及因係戰後少數農地改革成功的地區之一，使農民有強大的生產意願等要素所致。

工業

如上所述，台灣的工業已經趕過農業生產，占國內純生產的29％，成長比農業顯著，年增率高達12.9％。

國府在台灣的工業化政策大致上是直到1952年的戰災復興、完成三次的四年計畫，以及正在進行的第四次四年計畫具體的成果，目前仍在進行中。

從具體的足跡來看，在戰災復興期間，台灣將重點放在既有工業設備的復原，其中，強力推動所謂工業之母的電力，以及製造當時唯一的輸出品砂糖，恢復製糖業的生產。

另一方面，針對近代農業不可或缺的肥料力求擴充或新設製造工廠，藉著提高肥料的高度自給率，恢復或增大以稻米、甘蔗為主的農產品每單位面積的產量。經過以上的努力，終於能夠緩和緊迫的糧食問題，填補貿易赤字到一定的程度，加上美援資金，而確保四年計畫的資金來源。

另一個值得注意的是，在此一期間，美國的過剩棉花與從上海一帶逃避內亂過來的紡織資本巧妙地結合，戰前接近於零的紡織業因此大規模出現。紡織業的發展與棉布的大量自給，有助於緩和也是惡性通膨另一個因素的衣料問題。在糧食問題也同時有所緩和之下，有效抑制了惡性通膨，為下一個四年計畫鋪路。

繼戰災復興之後，接著進行第一次和第二次經濟建設計畫（1953～1960年），目標是更進一步整備、擴充電力與肥料等農業基礎，新設以紡織業為主的多種輕工業，並將培養輸入替代農業做為施行重點。此一期間，快速促進為數眾多的商品輸入替

代，以纖維製品、水泥等為首的部分工業產品甚至還能夠輸出。

從1961年開始推動第三次經濟計畫期迄今，在維持台灣經濟穩定中，常見的難題之一是通貨膨脹，但是此一時期前不久已大約結束。銀行的存款即漸漸增加，可見民間恢復了對貨幣的信任。至於台灣海峽的緊張也在美、蘇的和平共存政策下緩和許多。美國對台灣的援助也開始出現減少或停止的徵兆，之前實施輸入管制和高關稅，在國內市場犧牲消費者，藉以培養或保護的輸入替代農業也差不多達到飽和點。

基於上述諸多情況，經濟建設的發展除了要使之前國內的工業基礎更加穩固之外，開闢輸出市場，培養足以因應的輸出產業，以及讓輸入替代產業轉為輸出產業都是要處理的課題。從本期開始把重點放在輸出加工業的發展上，不僅以勞務輸出以解決低就業問題，也同時在高雄設立保稅輸出加工區。

1965年6月底，美援終止，迫使從該年度展開的第四次經濟建設計畫必須達到真正的經濟自立。為了因應這種情勢，國府抱著「透過農業和工業的發展以增加輸出而達到經濟自立」的目標，研擬第四次經濟建設計畫。

尤其在工業方面，期望達到年均11％的成長率，並在此一期間促進工業的近代化和合理化，尤其重視輸出產業的發展，重新為近代一貫作業的煉鋼廠建設和石油化學工業，以及上述的高雄保稅輸出加工區引進大量外匯，使輸出產業更加發展成為本階段工業化的支柱。

前面主要是以經濟政策的展開為主，說明台灣工業的發展，其次介紹其主要項目的生產動向。

　　1. 食品加工業：砂糖依然是重要的輸出品，但由於國際市場疲軟，外匯取得力相對降低。年間輸出約90萬噸（粗糖），占產量的80％。而戰後開發的有洋菇和蘆筍罐頭、麵粉業。在戰前就很有名的鳳梨罐頭業依然在國際市場上活躍。此外，麩胺酸鈉（味精）工業在國際市場是日本強勁的競爭對手。

　　2. 紡織業：是從輸入替代轉為輸出產業的典型。雖然因美國的輸入限制等因素，開工率低落，但這兩三年因越戰的影響和印尼的委託加工，而有不錯的景況。

　　3. 合板：由於山地多，森林資源豐富，而成長為輸出產業，目前甚至能夠在美國市場與日本產品競爭。

　　4. 化學肥料：雖然成本還很高，但1964年自給率已達到79％，如果今後能擴大生產規模，擺脫低水準的生產性，在便宜電價的配合下，將有可能轉為輸出產業。

　　5. 窯業、水泥、平板玻璃等：已從輸入替代產業轉為輸出產業，尤其是輸出東南亞的水泥，由於運輸成本的因素，已對日本造成威脅。

　　6. 金屬：鋁生產在戰前已有基礎，戰後又因為是軍需產業，而給予更大的生產獎勵。豐富、低廉的電力也增強其輸出的競爭力。煉鋼工業還在培育階段，在日本的協助下，預定在高雄地區建設一貫作業的大規模煉鋼廠。

　　7. 電機業：家庭用的弱電達到相當的水準，有電風扇等電器輸出。由於有大量手巧廉價的婦女勞動力、高雄保稅輸出加工區，以及外資與島內資本合作開設的企業，有相當部分集中在電子工業。

8. 石油：除了中北部的苗栗縣生產的天然瓦斯和石油，大半的原料仍仰賴進口。石油化學工業建設對開發中國家的工業化來說較為便利，已在近年展開。

9. 能源產業：據說煤炭的可開採量是2億噸，但炭質不佳，生產成本也高。1965年的開採量為505萬噸，主要是做為火力發電的燃料源，但近來經常短缺。電力的發展在開發中國家中名列前茅，以1965年的發電設備容量來說，水火合計約119萬千瓦，發電總量是64億5,000萬千瓦時，其中，水力發電占40％，火力占60％。之前的「水主火從」逐漸變為「水火並用」。由於近年工業化的進展快速，已將成為「火主水從」。

貿易與日台關係

1966年度的輸出額為5億6,900萬美元，輸入額為6億100萬美元，合計11億7,000萬美元，創下新紀錄。

輸出的工業產品躍增為54％，農產加工品25％，農產品21％，可看出已因產業結構的變化而有所改變。

以前三名的輸出對象來說，第一名日本是1億4,170萬美元，第二名美國是1億1,190萬美元。第三名南越為8,970萬美元，值得注意的是比前一年的輸出量加倍，增加了4,520萬美元。

輸入對象至1964年為止，由於美援的關係，美國一直位居第一，但是從1965年開始，日本變成居於首位。

日本與台灣的經濟關係，除了貿易之外，日本之前決定提供1億5,000萬美元的貸款，用來建設曾文水庫、煉鋼廠等。今後兩

國經濟關係可能會更加緊密吧！

本文原刊於《台湾付香港・マカオ》，東京：国際情報社，1967年7月
1日，頁91～94

台灣的農業

◎ 何鳳嬌譯

台灣是中國的一省，由台灣本島、澎湖群島及其他附屬島嶼組成，位於東經119度18分至122度6分，北緯21度45分至25度38分間。總面積35,961平方公里（比九州稍微小些），人口11,884,000人，人口密度約每平方公里330人（1963年）。

台灣農業的自然條件

（一）地形——台灣本島東西約140公里，南北約380公里，其形狀接近紡錘狀。中央山脈3,000公尺以上的高峰相連，由北北東走向南南西，將本島分為西部二、東部一的比例。其西有玉山山脈、阿里山山脈，沿著東部海岸有台東山脈〔譯註：即海岸山脈〕，標高3,000公尺以上的高山多達62座之多，本島的面積三分之二是山地。中央山脈又成為台灣主要河川的分水嶺。這個分水嶺位於中央偏東，因此在西部展開廣大的平原，水系發達於西斜坡，大多河川注入西岸（台灣海峽）。在西部展開台地、平原、盆地，台北盆地、台中盆地、嘉義平原、台南平原、屏東盆地

等，不只是台灣農業的中心，也形成台灣經濟的中心。

　　（二）土壤——其所由來的母岩（脈石）主要是屬於水成岩（沉積岩）及由此演化的變成岩（變質岩），火成岩等比較少。就主要的農業生產地來看，台北盆地是黏質土壤多（台北盆地一般為灰黑色粉砂質黏土），台中盆地內大甲溪以南、大肚溪以北的土地為黏質土（黏土占50％以上）或是壤土；大肚溪的兩岸則是第三紀系頁岩質的黏質土較多。由濁水溪主流以北分歧出來的八堡圳灌溉區域是黝黑重黏的黏質土（粉砂或黏土）；介於北斗溪與濁水溪之間的是黏板岩質的砂土，為頁岩質的黏質土或是風成砂土的發達之物。嘉義平原全部是砂岩或是頁岩質，屬於古老的海成沖積地，做為看天田來加以利用。台南平原中接近山腳地帶的地方因為是第三紀系砂岩及頁岩類的分解土壤的沖積物，靠近海岸，變為所謂的海成沖積地的黏質土，地下水位很高，排水不良，不少地方存積鹼鹽類。屏東盆地幾乎是由黏板岩質所形成，混合著砂岩、頁岩質的土壤。

　　（三）氣象——北回歸線貫穿本島的中部，高溫多溼，夏季長、冬季短，在平地不降雪，降霜也極為稀少。年平均氣溫台北是攝氏21.7度到24.4度。雨量一年2,000毫米左右，南北的降雨期有所不同。即10至3月，冬季的6個月，北部受北東季風的影響，成為雨期，南部5至9月是雨期，冬天則顯著地乾燥。特別是6至10月的颱風季裡全省雨量增加。

　　由於上述的自然條件，除澎湖島外，稻作幾乎普遍分布於全省，特別是西部台中盆地是其主要產地，在水利設施齊備的地方，每年可以有二期作。甘蔗、落花生以台南為主產地，甘蔗、

香蕉、鳳梨、菸草集中在中南部，茶、柑橘類集中在北部地方。又在山地雨量達到4,000毫米的地方不少，因此蘊含豐富的森林資源，特別是檜木、樟腦（世界第一的產量）是有名的。

（四）土地利用與土地所有——台灣全部的總面積是3,596,100公頃，其中一般農家（除去公民營農場的農家）的耕地面積占737,800公頃（20.5％），這些耕地面積中，水田面積是62.8％，旱田面積占37.2％，每戶農家（農家總戶數是807,600戶）平均耕地面積是0.9公頃多。在全省農家中，經營農業，耕作土地的耕種農家是776,002戶（96.1％），非耕種農家是31,598戶（3.9％）。又耕種農中自耕農最多，占64.5％，自耕兼佃耕占21.5％，佃耕占14.1％。（《1963年度農業普查》）

台灣農業的特色

（一）農業生產——根據1960年度的統計，農業總生產額達到206億5,900萬元（1元相當於日本的8圓），占國民總生產額599億2,900萬元的34.5％，其中米是第一位，45.5％；豬第二位，17.2％；甘薯第三位，8.9％；砂糖第四位，5.5％；落花生第五位，占3.2％。又香蕉雖然占不到1％，近年因日本貿易自由化而急遽增加，與米、砂糖、蔬菜類一同輸出日本，甚至對獲得外匯分擔重要的一部分任務。畜產約占農業生產的20.2％，其中豬占17.2％，成為所有農家的副業。酪農剛開始起步尚無可看的成果。

（二）農業技術——是東南亞諸國中僅次於日本的高水準。

化肥的使用相當普遍，農業機械化雖說不充分，動力噴霧機6,264台，人力噴霧機104,150台，抽水機8,378台，人力脫穀機177,338台，耕耘機3,239台（馬力不詳），可以看出相當地朝機械化在進行中。從米的收穫量平均一公頃第一期作2,719公斤，第二期作2,324公斤可以知道，比起日本是相當低的，這就是被要求增加每10公頃平均收穫量的技術之理由。

（三）經營規模——未滿0.5公頃的是34％，0.5至1.0公頃是27％，換言之，即未滿一公頃的零星（小）農家占全部農戶的61％，這在土地改革後佃農的比例停留在14.1％（日本是2.9％），一起留下了問題。

又農地改革自1949年開始，以維持治安和增進糧食生產為主要目的，分三階段來進行。首先從佃租減免運動（三七五減租）開始，將最高佃租限制在主要作物收穫量的37.5％。其結果僅從數字上所見，比從前高額的佃租（1948年平均是56.8％）約降低19.3％。緊接著這個減免運動之後的，在1951年「耕者有其田」的口號下，開始真正的改革。第二階段將官、公有地放領給農民，1951年開始第三階段的「耕者有其田條例」是自1953年開始實施。

專業、兼業農家的比例，專業是47.6％，兼業是52.4％（第一種兼業是29.9％，第二種兼業是22.5％）。比起日本可以說是比例低，但兼業化傾向是不能忽視的。就農家經濟來說，雖沒有適當的統計，但農家每戶平均的農業生產額是26,298元，平均一人（一戶平均7.3人）是3,622元。附帶一提的是同年每人的國民所得是4,237元。全省農家人口5,863,381人，占總人口的比例是

54.3％。（《1963年度農業普查》）

　　農家人口的相對數目雖然有漸減傾向，但絕對數依然有逐漸增加趨勢。此事與農業生產占國民總生產地位的減低趨勢纏在一起是不能樂觀的。將勞動力從農業部門轉移到非農業部門以改善勞動生產性這件事，如前述增加每10公頃平均收穫量技術的要求，經營規模的擴大（均分繼承下農家戶數也呈漸增趨勢），與土地改革的徹底化等，同是今後台灣農業的重要課題。

本文原收錄於農政調查委員会編，《体系農業百科事典：農業社会経済》，東京：農政調查委員会，1967年，頁254～255

自吹自擂

◎ **謝明如譯**

　　日語中有「大風呂敷」〔譯註：意指大吹大擂〕一詞，在此我擬探討的是「小風呂敷」（小吹牛）。姑且不論大小，自吹自擂是快樂的，因為不須負責任亦無妨。

　　然而，我敢於公開自吹，相反的毋寧是因為意志薄弱、膽小怯懦的懶惰者自套枷鎖，想他律地推進研究活動，完全以創造依靠外力的手法為目的。

　　對我而言，因想要書寫的「場域」極其有限，容許我做這種操作的出版物只有《暖流》。我透過《暖流》「自吹」有兩次左右。最初是刊載在第四號（1963年6月）上的〈我與《日本帝國主義下之台灣》〉一文〔參見《全集》17〕；在此「吹牛」的是《日本帝國主義下之台灣》研究筆記的發表，那「牛」迄今仍未完成。雖然未直接履行公約，但因其間接的效果——對於思考的控制力極大——之持續刺激，最近〈晚清期台灣的社會經濟〉一文已脫稿〔參見《全集》6〕，將於明春排印，屆時請不吝賜教。（唯恐有遭退稿之虞，暫時隱匿收錄書名）

　　第二次「吹牛」的作品非以直接法，而是以間接的意志表

示。此乃在《暖流》連載二回的小論文（第7號〈記載早期甘蔗的文獻〉、第8號〈南北朝中期至唐代的甘蔗栽培〉），連載的過程中，因負責編輯的幹事校對上太過麻煩，印刷費亦相當可觀，後續遂中止，改由亞洲經濟研究所以調查研究叢書第129集《中國甘蔗糖業之發展》出版（1967年5月），變更預定計畫。

為何這是自吹呢？因不太容易獲得他人理解，要之，因膽怯又無自信，故拋出此一「觀測氣球」，使其反作用力巧妙地內攻，俾以獲得自信。再繼續自白下去，恐怕無人想閱讀了，因此暫且打住，嘗試第三次吹牛。

我自從嘗試縱橫地、總體地理解自己所愛的鄉土及其人民、風土以來，有一個在心中深藏許久的題目：「台灣人知識分子的思想與行動——以日據時期為限」。

雖因思想史的學養不足，現無法直接動筆，唯長年以來一直留心製作卡片、蒐集資料等。

上述的題目何時脫稿，我尚無頭緒，公約就到此為止。本文擬嘗試概述資料蒐集過程中注意所及之事，並兼作資料介紹。

在資料蒐集或整理問題意識的過程中，我首先遇到三個問題。第一，所謂「台灣人」的範疇為何？以及其如何定義之問題；第二，「知識分子」所指為何之定義問題；第三，題目限定日據時期，則應如何處理「台灣民主國」之成立及其保衛戰〔譯註：即乙未戰役〕時期之問題，其中，第三個問題與第一、第二個問題相關聯，益使其複雜性倍增。

問題暫不做結論，我決定先盡可能廣泛地注意相關領域之資料，如今正以此方式進行中。

　　關於「台灣民主國」時代的人物，我擬先介紹所發現的有趣史實，其後再逐次介紹各種人物。

　　1. 陳季同（台灣民主國的外務大臣）與羅曼‧羅蘭（Romain Rolland）的關係。羅曼‧羅蘭在1889年2月18日的日記中記載其聆聽陳季同在法國索邦大學（譯註：Sorbonne，為巴黎大學文、理學部之別稱）大圓形教室演說之情景和感想。（《羅曼‧羅蘭全集》第32卷，みすず書房，頁270～271。）

　　2. 林本源家當時的家長林維源與竹越三叉（《台湾政治志》〔譯註：應為《台湾統治志》〕之作者）之對談，竹越受後藤新平之託前往廈門拜訪林維源，說服林維源將龐大的資金（香上銀行林本源家的存款總額計2,300萬圓，但台糖株式會社當時的資金100萬元卻未能湊齊，請加以比較）導入台灣。未成熟的日本資本主義，其資本積累相對不足，故統治當局實際上將林維源、其後的陳中和（新興製糖株式會社）、王雪農（鹽水港製糖株式會社創設者之一）等人的資金巧為納入其支配下重編，在其框架內振興糖業。（請閱讀竹越與三郎《談書樓隨筆》，頁95～99所收錄與林維源之商酌。）

　　3. 前述陳中和、王雪農兩人均係台灣割讓以前即與日本人有商貿往來，且在日本設置分店、從事工作者。（參照台灣總督府編，《台灣列紳傳》。）

　　4. 關於丘逢甲的評價有各種「個人經驗」，很抱歉。我的家族和丘逢甲等人都是從中壢到新化激烈抵抗的客家集團的一部分。我曾經從乙未戰後存活的祖父那兒聽聞丘先生之事，亦曾多次與其子念台在東京會見，但從未有確認傳聞真偽之想法。因為

我只相信丘先生的鄉土愛，且祖父之言畢竟也只是傳聞。即使如此，我仍希望使丘先生的相關研究更加微觀而深化。宜科學地、客觀地在當時的整個歷史狀況中賦予其位置後再做評價（尤其應避免為一時的政治利用所做的偽論）。

5. 容我遲言，為處理人物所做的時期區分，擬大致分為兩期：第一期是包含台灣民主國保衛戰在內的日據初期20年間之武裝抗日期（年代大體自台灣民主國成立〔1895年〕至西來庵事件〔1915年〕為止）；第二期是從台灣同化會成立（1914年）至終戰（1945年）期間。當然，依據人物之不同，亦有橫跨此二期者。

6. 是關於被評價為最早導入近代革命組織之羅福星。向來文獻似較偏重介紹羅先生曾為中國國民黨黨員一事，姑且不論文獻如何，最近台灣省文獻會將往年羅福星事件相關調查文件之譯文以「羅福星抗日革命案全檔」為名彙集出版，令人欣喜。雖係翻譯，但提供了從日方資料究明苗栗事件之可能性，誠屬可貴。特別是對於連台灣民間都深受統治者史觀「土匪觀」影響之情形，此若能成為澄清一般誤解之契機，以羅福星為首的志士們地下有知，也會含笑九泉吧！

故張深切先生為調查羅福星事蹟而前往苗栗時的反應：「『有一次』我到苗栗去採訪羅福星的事蹟時，被當地人竊笑，說我徒費精神和時間，為這騙子效勞，太沒有價值……」（《里程碑》第1卷，頁3）正是這樣的反應，我對於澄清誤解一事抱有相當大的期待。

7. 無論好壞，自台灣同化會以來身為本地中產階級、民族主

義運動右派首領之林獻堂，其年譜、追思錄遺著以「林獻堂先生紀念集」為名出版了。對於此事，在日媽祖研究者李獻璋先生雖已做出反應（與〈台灣社會運動中的林獻堂——參照史實戳破獻媚「年譜」〉，〔〈台湾の社会運動における林献堂——史実に照しながら献媚「年譜」を衝く〉〕《華僑生活》第3卷，春季號，1964年3月25日）一文相同，參見〈□□背叛行為與騷動不安的八駿會□□〉（〈裏切行為と騒がれた八駿会□□〉，《華僑生活》第3卷夏季號，1964年6月25日），但應有更多方面的評論吧！我對於重新評論和林先生共同行動的蔡培火、楊肇嘉等人尤感期待。

8. 關於蔡培火，蔡先生係可以在較合法的（？）規制內從事著述者。眾所周知，蔡先生著有《與日本國民書：解決殖民地問題的基本方針》〔《日本々国民に与ふ——植民地問題解決の基調》〕與《東亞之子如是想》〔《東亜の子かく思ふ》〕等較為人知的著作。筆者在收集資料的過程中還發現半冊《與基督教友之檄文》〔《基督教の友に檄す》〕（另半冊為日本人田川大吉郎所撰《皇天上帝の說》）。推測或許因為該書係田川大吉郎所編著而不甚為人所知（我的臆測）。《東亞之子如是想》亦是如此，此書存在很多問題：究竟蔡先生是以奴隸的語言書寫？抑或變身為奴隸（不！或許已經完全變成奴隸亦未可知？）書寫？茲收錄一小部分如下，以供參考：

帝國日本對內本有自給自足、堅忍持久的準備；對外則持續加強日滿一體的機構，以及日益強化與中國新政權（按：汪精衛

政權）之聯繫，舉國一致，無些許動搖，但不可否認所謂「非常時期性」的嚴重化。國民大眾的覺悟應日趨徹底，每個人的奉公活動亦應日漸敏活強盛，無論如何，如苟且偷安之存在，既非國民之義務感所能容許，何況有信仰者，有超過國民義務感的靈魂的義務感者，更是要如此。（該書頁80）

　　請各位同學前輩先進慢慢精讀，賜知究竟蔡先生是以奴隸的語言書寫？抑或完全化身為奴隸？筆者擬再稍做檢討後提出結論。

　　9. 眾所周知，林獻堂還有一位著名的夥伴楊肇嘉。楊先生最近以口述方式，由其子整理出版《楊肇嘉回憶錄》第一、二冊。做為台灣特有的筆禍之一種，由關係者且為楊家嫡子（順帶一提，楊肇嘉為養子）出來找碴，真令人有「儒教倫理亦病入膏肓也」之慨歎。姑且不論此事，該書的〈附錄：台灣新民報小史〉等值得一讀，由該文可知最後都不得不後退到自治聯盟之原因，並辨明實際上後退的右派民族資產階級運動，我們也應該要知道吧。

　　10. 世所共認為林獻堂追隨者之葉榮鐘，亦於1965年1月出版半壁書齋隨筆第一輯之《半路出家集》。如林先生的祕書般存在之葉先生，希望他書寫更多各式各樣的作品以留諸後世。該書為隨筆集，書末收錄之〈一段暴風雨時期的生活紀錄〉為我們提供各種難得的「家內話」。

　　11. 依我所見，現台灣國語日報社社長、台灣大學中文系教授洪炎秋是現存最好的台灣人散文作家。洪先生為《瀛海偕亡

記》作者洪棄生之子，著有《閑人閑話》及其增訂後之《廢人廢話》、《雲遊雜記》、《又來廢話》等著作。雖係散文，但讓我得知許多關於光復前北京集團（筆者擅自命名）之事。特別是《又來廢話》一書之代序與〈悼張深切兄〉等頗為珍貴。正因其友人張我軍、張深切都已成為故人，不只筆者一人期待洪先生留下更多紀錄。話說回來，我想起的是張我軍。張我軍早年即赴北京留學，並加入舊《台灣青年》陣營，乃係從北京向台灣鼓吹以北京官話推展白話文運動的核心人物。其後轉向（？），而以華北代表之身分參加第一、二次大東亞文學者大會，之所以以「？」附諸轉向，乃係從思考洪炎秋之例而來（洪先生在國民黨的指令下奉命監督占領下的北京大學農學院〔請參照前引《又來廢話》代序，頁5〕）。總之，我想收集洪先生光復前和光復後之作品。

12. 張深切先生，或許讀者已經注意到，本文唯一未省略敬稱之人物即為張先生。蓋因我讀張先生著作有所共鳴，且其是我最對味的前輩之一。我雖未曾與其交談，卻屢為其所經營之「音樂喫茶」〔譯註：台中〕之顧客，享受於其中。直到拜讀張先生的《里程碑——又名：黑色的太陽》，始感覺他是獨樹一格的歐吉桑。迄今我仍對其喫茶店俄國音樂遭受取締時的些許驚愕記憶猶新。可惜若有自由的氣氛，而張先生又更長壽一些，他的大著《台灣社會運動史》或許能夠做為留給後世的遺產，只因張先生可說是在台灣唯一的「自由台灣人」思想家、實踐家之故。惋惜無用，必須要有人繼承張先生的事業，我非常期待其人（複數）出現。

13. 丘念台的《嶺海微飆》，丘先生生前對於「著述」非常注意，台灣當局以本書向留學生宣傳，筆者因沒有歸台的機會，未成為直接的宣傳對象之一，但得在東京承蒙其親自寄贈該書之光榮，毋寧頗為幸運。丘先生在亞洲會館一室內一邊簽寫：「國輝賢弟存覽，5、4、7、11　丘念台贈　於日本東京」；一邊向我解釋「述著」而非「著」之意義。我無意在此公開當時談話之內容，然而，聽其話語，使我不只一次認識到中國知識分子在近代百年中生存的困難性。丘先生的情形可以成為了解未在台灣紮根的台籍中國人其抵抗經緯的一種手段，今後宜更加強化包括此一面向在內的研究形式。

14. 還有一不可忘記的人物，即吳濁流。據聞吳先生尚健在並主導《台灣文藝》雜誌。不知吳先生日文版《亞細亞的孤兒》一書之年輕諸君，或許熟知中文版的《孤帆》、《孤帆小影》、《亞細亞的孤兒》等作品。他是筆者所知的光復以來最活躍且持續不懈寫作的台灣人作家之一。最近其刊行《吳濁流選集》（小說）與《漢詩隨筆》兩冊書籍。因書中附有其個人年譜，對研究者非常便利。其透過一系列的作品，以優美的筆調描繪殖民統治下的知識分子、從殖民統治解放（光復後）的知識分子，以及滿懷苦澀開始再出發後，尚在輕浮的時流中呻吟的知識分子。若以日本式說法，他是艱苦度過明治、大正、昭和時期的文人；若以台灣式說法，或許可以說他是熬過殖民統治、光復、二二八等的「本地作家」、「鄉土文學開拓者」，閱讀《台灣文藝》後，則有令人覺得害怕的時候。因為十年以上未返鄉的遊子，村人都將不理他了。他能與逐漸成長的年輕世代對話嗎？不踏上台灣乃至

於全中國的土地，就隨便當上「評論家」，難道不會成為「浦島太郎」嗎？這些問題令我擔心害怕。

台灣文藝第三卷第十期（1966年1月）末欄刊載張深切先生與王白淵去世之報導，對我們而言，此乃是告知一個世代即將結束的消息。下一個世代是「苦惱的世代」，筆者稱之為「山澗的世代」（參見《暖流》第5號〈某副教授之死與再出發的苦惱〉〔參見《全集》1〕）。「山澗的世代」的再出發是無意識的、只膚淺地漂流，問題頗多。接棒的我們這個世代應在「思想的層次」當為「山澗的世代」打「上楔子」。

其他可提出的人物，還有諸如吳三連、謝春木、劉明電、劉啟光、陳逢源、漢人（黃玉齋）及包含左派在內的作家、政治家等，限於篇幅，本次暫到此為止。

「偉大的歷史研究需諸多資料的收集、考證與正確的理論統合，方為可能。」土屋喬雄這段可說常識性的話語，於今之際，特別有好好咀嚼之必要。一知半解的政治主義的、自稱歷史家者輩出，目前此輩橫行之際，無論如何強調此言亦不為過吧！

我們台灣出身者對於自己國家的歷史太過無知。就只台灣過去70年的歷史也好，筆者以為，我們台籍知識分子比任何人都更有究明之義務，本稿若在某些意義上有所貢獻，則筆者欣喜之至。

1967年12月6日

本文原刊於《暖流》第10號，東京：東大中国同学会，1968年4月，頁19～24

日本人的台灣研究
──關於台灣的舊慣調查[*]

◎ 林彩美譯

一、前言

　　有志於學術研究者，不但不能遺漏關於研究對象到目前為止的研究積蓄，也要積極站在今日的觀點，搞清楚如何從中學習或不學習，確立如何批判性地繼承的方法。在這個基礎上，更要有自明（當然）的社會使命，也就是必定要超越過去的研究成果。

　　近來日本學界依靠傳統的研究史常招致諸多批評，連曾被公認為日本人所做、紮實的東亞研究成就，也被評為其所謂的研究史，至今都只不過是片斷記述的中國學而已，此為在這裡必須指

---

[*] 日籍台灣研究者春山明哲對本文的評價很高，認為是戰後日本的台灣研究中的一個里程碑，是研究會從「東寧會」轉化為「台灣近現代史研究會」研究活動的出發點，也是立足於社會使命感在日本展開台灣研究的一個宣言，對若林正丈、松永正義、宇野利玄及春山本人的鼓舞及引發的共鳴很大。後來春山明哲在台灣舊慣調查及岡松參太郎上有深入的研究。參見春山明哲〈戰後日本的台灣史研究〉──回顧「台湾近現代史研究会」，收入若林正丈、吳密察主編，《跨界的台灣史研究──與東亞史的交錯》，台北：播種者文化，2004年4月，頁23～61。

出的實情。

　　儘管如此，早在12年前〔1956年〕，日本學界就出版《東洋史料集成》[1]之類出色的研究入門書。至今全然未變的，一直遺漏「台灣」研究是為什麼呢？

　　連日本學界依靠傳統的台灣研究史，在殖民統治落幕即將達四分之一世紀的現在，也好像還沒有準備要從事這一方面研究的動靜。

　　《東洋史料集成》出版後不久，筆者適於1955年底來日留學，因此未幾即得見該書。當時筆者慨歎日人東南亞研究之深厚，同時驚覺「台灣」列於該書第二篇考古學中的東南亞之末尾，處理很不適切。迄今已逾十餘年，不僅該書如此，中國學界也同樣遺漏「台灣」研究，忽視的狀況依然不變。日本民族曾在不算短的半世紀間，在台灣實施殖民統治，該民族的中國學界做出這種姿態的理由到底是什麼？而在前述《東洋史料集成》裡，「南京政府」項下不明顯地附上「滿洲國」（當然在目錄中並沒有顯示出來），對於這種處理方式（筆者認為根本不適當，近年學界動向中對「滿洲國」研究的遺漏有逐漸補上的情形，我樂觀其成）確具象徵性，相較之下，當今日本為宣傳紀念明治百年而有空前的歷史書出版熱潮。然而因為中日甲午戰爭結束而成為日本殖民地，受到半世紀統治的台灣，日本對其完全擱置而不當成一個問題，這究竟是怎麼一回事？筆者對於日本的近代史研究者

1　《東洋史料集成》全1卷，平凡社，昭和31年1月31日初版第1刷。〔譯註：《東洋史料集成》中分朝鮮、中國、東南亞、印度、中亞、西亞等區，解說各區相關之概說著作、研究文獻、史料，並刊載部分史料。〕

和中國研究者實在有許多疑惑。

　　我因為看不到台灣研究瓜熟蒂落的跡象，因此免不了也試從依靠傳統作法的研究史入手。雖然我明白學力有限，自認僭越，而做此嘗試。（本文初稿以日文寫成，在日本發表，做為中國人研究者的自己，也感到問題不小；筆者至今內心深處仍縈迴，自己是不是多事了？）

二、問題界定

　　日本人在台灣所施行的調查、研究，除有濃淡之別外，廣泛存在於各領域。就拿舊慣調查來說，包括與土地制度有關的、與所謂「番族」〔譯註：學界通常將日治時期的原住民寫為草字頭之「蕃」族，與此處之用法有些微區別〕、漢族（即「本島人」）相關的法制，以及有關農工商經濟之舊慣等，範圍廣泛。本文限於篇幅，僅提出後者來加以討論。

三、關於舊慣調查、研究組織成立的緣起

（一）喚起（舊慣）調查所必要之輿論與成立民間研究團體

　　一般在日本談及台灣的舊慣調查，多數研究者大概都會依序想起後藤新平、《清國行政法》〔《清国行政法》〕、《台灣私法》、「臨時台灣舊慣調查會」。

　　傳統上談論歷史的方法中，英雄是必要的，為此，說歷史的
人在講解過程裡，自己常刻意地製造超英雄，然後常對有關英雄
功績的評價，採其結果而輕忽過程，對於產生歷史結果的實質承
擔者和使之變成可能的諸種社會條件則常將其忽略，這好像是一
貫的手法。

　　關於台灣舊慣調查的情形也不例外。戰前，中國史專家青木
富太郎教授對於《清國行政法》所下的評論是：「不只是清國
研究而已，也是中國歷代制度研究中的傑作。」並認為《台灣
舊慣調查報告書》（後文會談及，此書之表現非常含糊不清）
「對當時已漸瀕臨消失的台灣民間舊慣傳給後世，具有不朽的價
值。」[2]但他卻只是舉出後藤新平之名[3]，而不知為何未列岡松參
太郎（民法學者、京都帝國大學教授，《台灣私法》之編述者）
及織田萬（《清國行政法》之編述者）兩博士之名。

　　福島正夫教授也感歎：「岡松博士只是因《無過失損害賠償
責任論》（大正5年之巨著，而被記住，而《法學論叢》、《法
學志林》中對博士的追悼文裡，並未提及《台灣私法》或《番族
慣習研究》之名。」[4]帶來這種風潮者不是別的，不正是日本人
的中國研究者的姿態嗎？

　　筆者認為，此種現象真正的原因，在於明治末年以降至日本
戰敗，日本的中國研究主流多被日本帝國的大陸政策所擺弄。當

2 青木富太郎，《東洋学の成立とその發展》（昭和15年，螢雪書院版），頁187。很遺
　憾的是，該作者對於以「台灣舊慣調查報告書」為名的範圍不很明確。
3 同註2書，頁152。
4 福島正夫，〈岡松參太郎博士の台湾旧慣調査と華北農村慣行調査における末弘嚴太
　郎博士〉（《東洋文化》第25號，1958年3月20日），頁26，註4。

《台灣私法》、《清國行政法》完成之際，東洋史學者關心的已不是台灣到華南的路線，而是被趕著搭上朝鮮、滿洲的路線。這是把前述兩大著作僅當壁龕的裝飾品，而未當成學術研究的第一手材料加以利用的真正理由。

順隨潮流的研究者諸公，較熱心蒐集的史實，與其說是同儕學者的名字或其業績，還不如說是日本帝國內的獨立王國「台灣」的實質王者、當時勢如旭日東升般的滿鐵總裁後藤新平，以及關注於日本帝國推展大陸政策的主要路線的各地域才像是史實。

暫且不論這些，首位尊重台灣舊慣而且也必然主張舊慣調查之必要者，並不是以後藤新平為嚆矢。在後藤自己的〈台灣經營談〉[5]中，也似乎承認，在他就任台灣民政長官（明治31年〔1898〕3月）之前，台灣已施行過舊慣調查。事實上，尊重台灣舊慣且最早提起舊慣調查者是首任學務部長伊澤修二，早在明治28年8月23日，伊澤就把調查列為「教育相關事項當務之急」之中的一項，向當時的樺山資紀總督提出報告：「應視察人情風俗。教育若是醇化人心之根本者，因涉及各種社會，宜深入考察其人情風俗，設置適應此一方向之教育法。故於當初之時，當局者即非特予注意此一方面之視察不可。」[6]此外，行政當局為實際施政的絕對要求，而於明治28年9月，十萬火急地刊行了澤村

---

5 參照〈台湾経営談──後藤民政長官の談話〉（《東京日日新聞》，明治34年1月1日及同報1月6日）。

6 梅陰子，〈台湾旧慣調查事業沿革資料（一）〉（收於《台湾旧慣習記事》第4卷第1號），頁53～54。此外，信濃教育会編，《伊沢修二選集》（昭和33年7月25日出版）中，未明確註明伊澤的報告確實於何時提出，盼他日再行考證。

繁太郎編纂的《台灣制度考》〔《台湾制度考》〕，該書因應當局的建議所謂「放任自然改良台灣島民之風俗習慣，政府對其不加干涉，法律亦隨島民之狀況而定」[7]。

　　日本占領台灣之初，或因客觀之情勢而不得不尊重台灣之舊慣，因此後藤新平也很確切地提及幾點：「中國這個國家之司法制度大致為五級審制度……，因此不可視為野蠻未開之民而予以輕蔑。擁有相當發達之人民二百五十萬餘。」[8]與日本人民生活水準差別不大的異民族，要使之滅絕、可說更是絕望的250萬人，因此日本要統治這麼龐大的人口，自然有必要思考尊重舊慣並進行舊慣調查。這種思考毋寧是當然的要求。

　　我等今後若要評價後藤新平的識見，與其思考他想起做舊慣調查，不如考量下列幾點來下評價：

　　第一，主張有必要進行舊慣調查，是以確立法律制度（日本國內法與此不同）為目標，而此法律制度之長期展望是以永久統治為目標。（但對被統治者而言，這是非常麻煩的事。）[9]

　　第二，不以後藤就任以前的所做舊慣調查為滿足，而將此事提升至學術層次，以台灣經營立基於確實的學術基礎之上為抱負，而推動調查研究。

　　對此，後藤曾說道：

　　領台已歷六年，慣習大體似已甚為明晰，對此若非實際有系統

---

7 上引〈台灣舊慣調查事業沿革資料（一）〉，頁55。

8 〈台湾経営談──後藤民政長官の談話〉（《東京日日新聞》，明治34年1月1日）。

9 請參考上引〈台湾経営談──後藤民政長官の談話〉。

地從學術上分析綜合，絕不能僅藉集合屬吏之觀察之一時性慣習以此稱謂完成，因此有必要一定專家參與調查研究。經過此一鑽研，始能使任何人均易懂，愈深入分析，則必要愈縝密綜合、系統分明之故。在此主要把台灣舊慣調查，做得比過去世人所認可之更加慎重，以期完成確立台灣統治之基礎。[10]

第三，日本制定國內法典時（曾無視於封建社會以來的法及舊有慣習之型態，而直接輸入資本主義西歐法），產生諸多摩擦。後藤汲取這些教訓，借鑑在台灣擬避免類似的事端。因此後藤展現其廣博之知識而說道：

一部分人以所謂內地（指日本國內）之法律，統治居住於台灣之內地人；經過數年，台灣人亦似稍能適應，是否統一採行內地通行之刑事、商事、民事相關法律……如帝國之經驗，此等法典之制定如何使多數人感到困難？……再者，不僅在帝國之內已感困難，卻又擬（在台灣）重複其事，即所謂再次犯過。……[11]

第四，故矢內原博士認為，日本初領台時，其資本主義之階段「可說尚未見發達之獨占資本主義。甲午戰爭之結果，日本取得台灣等地，此戰不得視為單純的國民戰爭，應可視為具有早熟之……帝國主義時代之開展的特質。可說為非帝國主義之帝國主

10 同上註。
11 同上註。

義實踐，先踏上實踐之路的一步，而後實質隨之而至」[12]。其經
濟行動追隨於政治、軍事行動之後，因此後藤疾呼：「獎勵台灣
砂糖、食鹽之生產，應先輸入砂糖於帝國，禁絕外國砂糖，因此
有必要講求悉數由台灣輸送之法。此非必然費時長年累月之事，
若能竟其全力，數年即可期其成。雖然如今只產出四、五百萬斤
之砂糖，再過一、二年，不難增長為三、四倍，各位熟悉台灣之
人咸信之。」[13]為圖順利開發殖民地經濟，也用心進行經濟關係
的慣行調查。

　　第五，透過巧妙的輿論操作與宣傳，當時尚存在棘手的抗日
游擊隊之武裝抵抗，放棄及出賣台灣之說不斷。後來更排除日本
評論家稱為「短見」、「俗論」等等議論（當年台灣因無法提供
日本當局相應於台灣行政費支出之收入，因此視台灣為麻煩之地
之議論甚囂塵上）[14]，予舊慣調查以預算之支持，並設立特設機
關「臨時台灣舊慣調查會」等。其經過介紹如下。

　　後藤就任次年（1899）12月，委以當時尚為新露頭角朝氣蓬
勃之岡松參太郎臨時台灣土地調查局囑託之職（在臨時台灣舊慣
調查會成立之前，於臨時台灣土地調查費之歲出項目下，進行籌
備該調查會之創設事宜）。翌年年底，該調查局在台北縣蒐集證
據公文書，利用參考台灣復審法院及台北縣廳調查之公文書、總
督府殖產課刊行《台北縣下農家經濟調查書》以及同府文書課刊
行《台灣蕃人事情》，並且透過對住民的訪問，而由岡松博士編

12 矢內原忠雄，《帝国主義下の台湾》（昭和13年第4刷），頁13。
13 〈台湾経営談──後藤民政長官の談話〉，1月6日所刊載之部分。
14 參考鶴見祐輔，《後藤新平》卷2（勁草書房出版），頁23～24。

纂刊行《台灣舊慣制度調查一斑》[15]。

　　本書不只是為了實施舊慣調查之預備調查書而已，後藤本人也自認其有為宣傳而發行之意味[16]。其後岡松博士又記載其成效並為之證明如次：「依明治33年2月直接採風問俗之成效，於同年11月編成《台灣舊慣制度調查一斑》，出版公諸於世，因此咸認舊慣調查不應匆促結束，而於明治34年4月組成舊慣調查會。」[17]

　　對於上述《台灣舊慣制度調查一斑》之編纂刊行，不愧為「科學政治家」的後藤也不忘利用報刊以做宣傳。本文已數度引用的〈台灣經營談──後藤民政長官的談話〉，即在《東京日日新聞》於明治34年元旦及同年第一個星期日6日版中，用了相當多的篇幅陳述其台灣經營之意見。其經營談之重點徹底強調舊慣調查之必要。（事實上，後面也會提到，在他的政治指導下的台灣慣習研究會機關報《台灣慣習記事》，改題為「台灣經營上舊慣制度調查之必要之意見」而全文轉載[18]，再次致力宣傳。）

---

15 參考臨時台灣土地調查局，《台湾旧慣制度調查一斑》（雖然本書發行時間僅記明治34年而不記年月，但因序文所附日期為明治33年11月，從後藤1月6日之〈台湾経営談──後藤民政長官の談話〉之文脈看來，可見該書是在明治34年初發行）。

16 後藤新平在前引之〈台湾経営談──後藤民政長官の談話〉（1月6日部分）中說：「《台湾旧慣制度調査一斑》一書之編纂……附印，須分發幾位必要的人……，亦即舊慣調查只是有其必要的說法，沒有什麼利益，為使其知悉如何必要，而調查其一斑並予附印……，分發。」

17 臨時台灣舊慣調查會，《台湾私法》（最終報告書）第1卷上卷（明治43年3月11日發行）序文，頁2。

18 參考《台湾慣習記事》（以下簡稱《記事》）第1卷第5號（明治34年5月20日）、同刊物第1卷第6號（明治34年6月22日）。

　　在此之前，後藤在訴諸國內輿論之前，已在台灣島內，由下開始，在總督府、法院與地方各官衙長官等相當之範圍內進行動員，創立民間研究團體「台灣慣習研究會」（因此該研究會在明治33年從夏到秋發起籌備，同年10月3日後藤本人親自加入發起委員會，同日該委員會正式成立）。到今天為止，很意外地學者幾乎不介紹此一研究會，其實如前述，不難想像該會在形成輿論上扮演恰如其分的角色。該會在實施舊慣調查事業上所具有之決定性重要意義，容後述之。

　　台灣慣習研究會首任會長推由當時之兒玉源太郎總督擔任，副會長則由後藤自任，委員長為石塚英藏（時任總督府參事官），幹事長為復審法院院長鈴木宗言，幹事則選定數年後完成《台灣文化志》等三大冊巨著的伊能嘉矩等，同時岡松參太郎（後來之臨時台灣舊慣調查會第一部部長）、愛久澤直哉（上述該調查會第二部部長）、中村是公（臨時台灣土地調查局局長）等也列名委員名簿上。應予注意的是該會不只是官僚自創的研究會而已，相關發起人也捐款創立費用[19]。其後藉會員會費之實質營運，在其機關報中，也顯示其像是一個具有活力的研究會（根據報告，該會最盛時會員數達二千三百餘人）[補註]。營運費依賴會員之捐款，因此中途產生鬆懶的情形，也可能才有「吹牛大王」後藤斥責鼓勵[20]之一幕的發生。

---

19 參考《記事》創刊號（明治34年1月25日）會報欄，頁65～70。
補註 亦請參考《台灣慣習記事》第3卷第3號（明治36年〔1903〕3月23日），頁77，
　　〈鈴木幹事長の総会における報告〉。
20 參考《記事》第4卷第7號（明治37年7月23日），頁76～78。

另一方面，在司法行政實務之必要上，也或許是被舊慣調查熱煽起，從明治34年6月起在各地方法院內召集通曉台灣舊制度，或熟悉農工商務之漢族住民有識者，與地方法院法官、檢察官及通譯官等組成「法院有志慣習研究會」（該會名稱為有志慣習研究會，後又變成有志慣習諮問會，變化不定，為了易於區別，因此本文一律使用上記之名稱）[21]。

所謂民間團體只有上述二種，以下再談論知名的臨時台灣舊慣調查會之成立。

（二）臨時台灣舊慣調查會之成立

為在日本國內、台灣島內等地重新推動舊慣調查事業，輿論形成及準備工作在逐步進行的過程中，台灣總督府也於明治34年度的預算編列中，要求新設臨時部事業費及舊慣調查費項目。當初舊慣調查費包含於南清貿易擴張費中的一部分，但因南清貿易擴張費被全額刪除，調查費也因之被削減。其後台灣總督府以追加預算之一項，提出要求追加舊慣調查費84,163日圓，最後獲得通過[22]，因此臨時台灣舊慣調查會於同年4月正式出發。

又已由關係者起草的「臨時舊慣調查會規則」，於同年（1901）10月25日獲得批准，並以敕令第196號公布。以下揭示全文以茲參考：

---

21 參考《記事》第1卷第6號（明治34年6月22日），頁78、《記事》第1卷第7號（明治34年7月22日）），頁81。

22 《記事》第1卷第4號（明治34年4月22日），頁72。

第一條　臨時台灣舊慣調查會隸屬於台灣總督之監督，調查法制及農工商經濟相關舊慣。

第二條　臨時台灣舊慣調查會由會長一人、委員15人以內組織之。

第三條　會長由台灣總督府民政長官充任之。

第四條　委員依內務大臣之奏請由內閣任命之。

第五條　臨時台灣舊慣調查會調查有關規則由台灣總督定之。

第六條　會長整理調查事務，將其事項向台灣總督報告之。

第七條　臨時台灣舊慣調查會置部長二人，由台灣總督就委員中任命之。

第八條　委員給予每年2,500圓以內之津貼。部長可特別於1,500圓以內增加給付。

第九條　臨時台灣舊慣調查會置補助委員20人以內，受指揮輔助調查事務。

第十條　臨時台灣舊慣調查會置書記、通譯若干人，書記從事庶務、會計，通譯從事翻譯、口譯。

第十一條　補助委員給予每年1,500圓以內之津貼。

第十二條　書記及通譯每年給予1,000圓以內之津貼。

第十三條　台灣總督府職員兼任委員、補助委員、書記或通譯者不給予津貼。

本會之宗旨如上之會則第一條，僅極為簡要地宣示從事包括法制及農工商經濟相關舊慣之調查，筆者前述關於後藤新平識見評價之部分中，已略為觸及。本會設立之目的，則是服務於台灣

殖民統治而做舊慣調查，為順利進行緊迫之行政、司法、經濟諸
對策，而蒐集資料，並解明舊慣之實際狀況，更進一步提供台灣
獨自（異於日本國內法）殖民地立法之適當資料。

　　其創設當初會之組織，係規定隸屬於台灣總督之監督，基本
上由會長及15名以內之委員組成，會長由民政長官擔任，委員依
內務大臣之奏請由內閣任命，台灣總督並從委員中任命二人為
部長，委員之下有補助委員（20名以內）、書記、通譯（若干
名），以輔助從事種種調查事務、擔任庶務會計及通譯等事宜。

　　以明治33年之台灣總督府歲入（決算額）約2,230萬圓之規
模，次年之預算編列舊慣調查費84,000日圓（請參照表1，以明
治34年與現在消費者物價指數約一千倍來換算，約為8,400萬日
圓）。若僅以上述人數擬消化此一預算，對現今日本社會科學系
研究者而言，大概彷如夢一般吧。

四、研究會、調查會之工作與成果

（一）台灣慣習研究會

　　該會會則第二條規定本會之目的為「本會之目的為調查台灣
之風俗習慣、稽查行政司法之實務、舉溫故知新之實」[23]，其後
實際進行施政，以慣習為基礎所規定之律令漸增，因此非從慣習
上研究律令，無法徹底明白其精神而形成問題，因此對於迄今為

---

23 《記事》創刊號，頁66。

止僅以調查研究「風俗習慣」為直接對象，在上開會則第二條增列「本島律令」而變成「本會之目的為調查台灣之風俗習慣及本島律令……」，此係於明治37年4月15日幹事會中諮詢提議改正，於次月正式通過[24]。

　　本會原為台灣總督府、法院等「居住於台灣之有志者相謀，從事官方職務之外另行慣習研究，各自於業餘從事調查研究」[25]做為研究會目的之故，因此研究會本身與其說推行研究事業，不如說提供本會機關刊物《台灣慣習記事》做為會員個別調查研究之發表場所，委員並對於會員在實際執行實務過程中發生問題之質疑予以答覆，同時，各會員亦從自身之立場，輔助推行台灣舊慣調查會範圍所不及之調查研究等，均為本會之主要工作。

　　事實上，本會從明治34年元月（創刊號）至明治40年8月（終刊號），共發行多達7卷80冊之月刊機關誌《台灣慣習記事》，留下實為多采多姿、豐富厚實之論文及記事，包括：1.調查事項之法制及經濟慣習等相關論說；2.歷史、地理；3.動、植物；4.教育、文化；5.宗教；6.風俗；7.高山族相關事宜；8.關於舊慣之研究會或調查會之動態；9.人口、戶口、國勢調查相關事宜；10.古文書及印譜（如台灣民主國之寶印等）；11.出版消息

24　參考《記事》第4卷第4號（明治37年4月23日），頁68、《記事》第4卷第5號（明治37年5月23日），頁88。

25　《記事》創刊號，頁2。當初限定會員為居住於台灣者，但因為考量原來居住台灣之會員返回日本國內居住，例如穗積陳遠博士等法學者入會之便，始於次年4月幹事會中提案，刪除會則第一條中「本會由居住於台灣之有志者組織……」居住於台灣等字（參考《記事》第1卷第7號，頁82、《記事》第1卷第9號，頁73）。又雖有台灣人會員應係少數（參考《記事》第1卷第6號附錄「会員名簿」）。

及書評；12.本會會員之動態等類目。

　　鑑於類似今天的《中國農村慣行調查》〔《中国農村慣行調查》〕（全六卷）以調查之問答紀錄為主體之資料集，台灣舊慣調查並無公開出版，前述《台灣慣習記事》有多方面之慣習問答錄、舊慣調查隨錄、臨時台灣舊慣調查會之動靜及關於該會舊慣調查報告書有關書評等，應是貴重之資料。《台灣慣習記事》終刊號中有〈本會解散之辭〉，可見到連臨時台灣舊慣調查會也常利用該誌報導。然而這份包含大量貴重文獻、資料之刊物，在日本國內幾乎未被介紹而束之高閣，除了說是不可思議外無他了[26]。此外，該會間接之業績如《台灣年表》〔《台湾年表》〕、《台灣新年表》〔《台湾新年表》〕、《殖民地統治策》等出版品，或培育出後來著有《台灣文化志》〔《台湾文化志》〕之伊能嘉矩等之事實，也均未為人所知。

　　該會的發展並非一帆風順，因此創會的第四年，明治37年6月21日舉行該會委員總會上，後藤新平做了嚴屬的演說，提出該會會勢日益衰弱的警告。接著該會鈴木幹事長上台進行會務報告，也隱然提出關於未加入之官吏（約有70%）的批評，或許由

26 戰前的部分，我無餘裕詳細查證，但戰後處理台灣舊慣調查之各種記述中（包括《アジア歷史事典》中，松本善海教授所撰〈臨時台湾旧慣調查会〉、故仁井田陞博士所撰《台湾私法》、同時中山八郎教授所撰《清国行政法》中均有介紹），以及各種論文（包括：福島正夫教授，《岡松参太郎博士の台湾旧慣調查と華北農村慣行調查における末弘厳太郎博士》，〈東洋文化〉第25號，1958年3月20日；坂野正高教授，〈日本人の中国観──織田万博士之《清国行政法をめぐって》〉上、下，《思想》第452號，1962年2月及第456號，1962年6月；山根幸夫教授，〈清国行政法解說〉，收於其所編，《清国行政法索引》，1967年11月，大安書店版），上述著作均未觸及，令人不解。

此也可見該會不順之一斑。即使如此，之後三年，該會堅持下來，但幹事長鈴木宗言趁轉任大審院檢事之機（明治40年8月，後藤早其一年已轉任滿鐵總裁），於該會機關刊物最後一期上發表格調極高之解散之辭：

> ……古言：退於功成名遂之時，天之道也。關於台灣廣義之慣習，若欲嘗試涉及細目討究穿鑿，就緒之今日，我人當知尚存多大之餘地。……大綱及要目均大體具列，咸認吾人初期目標之階段已近終了，特別是法制經濟相關之專門系統之調查編修，官設之舊慣調查會報告已陸續公開刊行，有如特地告知本會事業之終了，抄錄本會之報導以為參照，每見幾多引用。於茲可認識本會調查事業之一斑，亦藉他者之概括，而達成幾分目的，不禁生起諸多感謝之念。相信本會之責任，大體業已解除……

此後《台灣慣習記事》與《法院月報》合併，長達七年之該會被強制落幕。

（二）法院志願者慣習研究會

前述有關鈴木幹事長在委員總會中會務報告之報導中，明白地提及參加台灣慣習研究會會員之比例較高者為法院方面人員

（相關人員57人中，未加入者僅36人）[27]。司法方面之官吏較其他官吏更熱心於研究舊慣，我認為是因為他們在司法職務上不得不回應強烈之舊慣研究需求。反映於此的是，不只表現在參加台灣慣習研究會的人數上，連各地方法院也積極召開志願者慣習研究會。當初這種研究會以諮問會為主，專門號召各地台灣耆老與學者，由司法方面官吏詢問並作成紀錄，以「慣習問答錄」、「舊慣研究會問答筆記」以及「舊慣調查諮問筆記」之形式，在《台灣慣習記事》中發表，採取公諸於世的形式。其後不僅諮問而已，也舉行已發表的諮問紀錄或臨時台灣舊慣調查會報告書等個人研究之發表及檢討會，其成果也在《台灣慣習記事》中刊載。從上述事情，幾乎可在前述《台灣慣習記事》中詳見法院志願者慣習研究會之主要成果。尤其前面已指出，現在該研究會的問答錄已成為寶貴的資料。

但因為這些問答錄的種類及其製作於抗日游擊隊頻頻活動之時期[28]，例如古島敏雄教授對於《中國農村慣行調查》提出的批判[29]，此二調查雖有部分差異，但在台灣的調查與華北有類似的狀況存在，使用該資料時也應了解其存在的局限。同時諮問對象並非一般庶民，多數是來自買辦、與日本合作者階層中的墮落士

---

27 參考《記事》第4卷第7號（明治37年7月23日），頁83。

28 可見福島正夫教授對當時台灣抗日運動之史實不清楚，因而認為岡松博士等之台灣舊慣調查實施於「領台後島民之抵抗完全終止之後」，這並非正確。參考福島正夫教授，《岡松參太郎博士の台湾旧慣調査と華北農村慣行調査における末弘厳太郎博士》，頁36。

29 古島敏雄教授於「中国農村慣行調査第一卷を読んで」（〈書評〉，《歴史学研究》第166號，並收錄於中國農村慣行調查刊行會編，《中国農村慣行調査》第4卷）中，批判關於做為受權力（軍力）支持的占領者之一員所做之調查的局限。

紳群，其諮問結果無法直接而正確、全面地反映一般台灣漢族系
住民之法意識，或許也是我等研究者應予注意之點。

（三）臨時台灣舊慣調查會

　　台灣舊慣調查工作中關於該會的部分介紹比較多，特別是戰
後與中國農村慣行調查的評價相關聯的方式被並提。其中多仰賴
福島正夫、坂野正高、山根幸夫三位教授之功勞，因為筆者實未
具有深入分析、談論該會各報告書之充分資格，因篇幅所限，且
在上述三位教授的成果下，畫蛇添足地略事補充，試介紹如次。

　　一般視為該會之成果者包括：

　　1.《台灣私法》本文3卷6冊，附錄參考書3卷7冊（最早於明
治43年2月11日發行第1卷上冊，至明治44年9月5日出版第2卷附
錄參考書下冊而完結）。

　　2.《清國行政法》（總論1卷、上下2冊、分論5卷各1冊、索
引1冊）本文6卷7冊、索引1冊，共計8冊（明治38年5月1開始發
行第1卷，大正3年2月刊行第1卷之修訂增補本上下2冊，至大正4
年刊行索引而完結）。

　　3.《臨時台灣舊慣調查會第二部調查經濟資料報告》上下2卷
各1冊，共計2冊（從明治38年3月至同年5月完結）。

　　4.《台灣糖業舊慣一斑》（明治43年11月）1冊。

　　5.雖有關於所謂「蕃族」之調查報告書，但在前面已說過本
稿不予論及。

　　該會事業推展產生以上成果，本文擬先觀察其財政面。吾人

僅在台灣總督府統計書（第4～18號統計書）中，可見到台灣總
督府歲出中關於台灣舊慣調查事業者，共在三種歲出項目下編預
算支出：（1）「舊慣調查費」（明治34年度至明治41年度）；
（2）「舊慣及法案調查費」（明治42年度至大正4年度）；
（3）「諸調查費」（大正5年度以降，本項目與本文並無直接關
係，因此表中省略）（參見表1）。

　　最初該會從第一部法制及第二部農工商經濟擔任工作出發。

　　第一部由岡松博士任部長進行指導，第一期之調查於明治34
年以北部台灣之調查為始，至明治36年3月結束，《臨時台灣舊
慣調查會第一部調查第一回報告書本文》上下卷各一冊、同上附
錄參考書一冊共三冊於明治36年3月15日一起刊行。其次為第二
期調查，自明治36年9月實施南台灣之調查，於明治39年3月接近
結束，也開始刊行第二回報告書，包括本文第一卷一冊、第二卷
（上、下冊）二冊，以及附錄參考書二冊[30]，共計五冊，於明治
40年3月完結。第三期調查於上述第二回報告書刊行之際，並行
於明治39年4月開始在中台灣進行調查，次年全部完成。其後進
行編纂最終報告書（第三回報告書），但在此之前，於明治38年
6月10日，依敕令第141號改組臨時台灣舊慣調查會[31]，或有明瞭
此事之必要。

　　第一部部長岡松博士從大學在學時期，早就在日本本國之法

30　因編輯之誤，第二回報告書之附錄參考書之書名為「第二回報告書第一卷附錄參考
　　書」及「第二回報告書附錄參考書」，後者之書名應為「第二回報告書第二卷附錄參
　　考書」，因為易於混淆，故特別指出此項錯誤。

31　參考《記事》第5卷第7號（明治38年7月13日），頁87。

表1　台灣舊慣調查事業相關預算、決算表

項目 \ 年度	預算決算額	預算額（日圓）	決算額（日圓）
舊慣調查費	明治34年度	84,163	45,679
	明治35年度	84,163	73,964
	明治36年度	84,163	78,667
	明治37年度	84,163	79,624
	明治38年度	84,163	80,152
	明治39年度	84,163	73,071
	明治40年度	64,163	56,162
	明治41年度	64,163	60,747
舊慣及法案調查費	明治42年度	64,163	61,848
	明治43年度	64,163	62,302
	明治44年度	64,163	60,108
	大正1年度	64,163	62,859
	大正2年度	58,616	52,872
	大正3年度	56,662	54,107
	大正4年度	49,863	40,517
合計		1,055,097	942,679

資料來源：台灣總督府統計書（第4～18號），但其中第7號不知何故歲出科目別遺
　　　　　漏，因此從前後關係補入預算額。
備註：明治33年度之歲入決算額為2,227萬日圓（見台灣總督府統計書第4號）。

典調查會同會委員，日本法學先驅穗積、梅、富井諸位博士之下
擔任助理委員，從事法制調查立案，日積月累受了訓練。其後更
於明治29年起約三年間，為研究民法及國際私法而留學德、法、
義三國，是個才俊[32]。他不僅是指導者，或許當時學術研究水準
法學超越經濟吧。與此相較，第二部部長則較不得其人，明治35
年8月3日首任部長愛久澤直哉因赴廈門從事樟腦事業而辭職，

32　參考片山秀太郎，《岡松博士と台湾の立法》（《台湾時報》，大正11年2月號收
　　錄），頁19～20。

由宮尾舜治繼任，並兼任淡水稅關關長[33]。宮尾不但不是專任此職，而且到任才半載，即明治36年2月時，就赴歐美出差。其後第三任部長持地六三郎（總督府參事官）就任，由於是初次嘗試此種經濟慣行調查，或因經濟學之學術水準尚低，而蹉跎難行，終於在明治37年4月中止第二部調查事業。持地等與其說是調查，不如說是清理過去的調查資料，整理編纂至明治38年2月為止，發行了前述《經濟資料報告》上下兩卷共二冊，第二部調查工作也大致完結。

依循以上的經緯，至明治38年6月10日，第二部所管的調查事務已被第一部吸收，第一部新設法政、行政及經濟三科，而第二部則重新分掌「與南清有聯絡之農工商經濟有關調查事項」[34]，然而也看不到什麼成果。

調查的說明前後顛倒，為了此事，岡松博士帶領之第一部，在第二部調查工作已中止，從明治37年4月開始，此部分之補救課題已上日程，實際上南台灣調查之末期，因為經濟關係舊慣也合併擔當。迄今在第一回、第二回報告書中，僅局限於土地及人事調查，又增加了商事及債權之調查，此部分由石坂音四郎博士擔任，而第三回報告書《台灣私法》本文第三編上、下卷二冊及附錄參考書第三編上、下卷二冊共四冊，自明治42年3月25日至同年11月25日編纂發行，而預定做為最終報告。但是因為調查不周，認為關於動產之調查，有進行再調查之必要，而於同年6月開始進行補充調查及動產之再調查。基於以上成果，編纂發行做

33 參考《記事》第2卷第8號（明治35年8月23日），頁84。
34 同註31。

為調查結果之集大成，包括第一回、第二回及第三回報告書《台灣私法》第三編之本文、附錄參考書，共計14冊；之外重新有第三回報告書《台灣私法》共13冊。另外，比此更早的是在明治42年11月，被納入在第一部的第二部調查事項中，關於「糖廍及糖之交易」有關舊慣，由該調查委員會的眇田熊右衛門以「台灣糖業舊慣一斑」[35]為名整理發行。

於第一部調查中，相當於第一部行政科的事業，在該會改組以前（明治38年6月10日進行第一次改組），織田博士因為岡松部長的推薦，他自明治36年以來以文獻調查為中心，編纂了《清國行政法》。關於《清國行政法》，已有相當廣泛的介紹[36]，此處就不再重複。

再者，第一部之法制、經濟兩科之實地調查，大體於明治42年結束。因此同年4月之後新設蕃族科，著手「生蕃」之風俗習

---

35 前述松本善海教授在《アジア歷史事典》中執筆之「臨時台湾旧慣調査会」一項，寫為「台湾糖業一斑」，並不正確。臨時台灣糖務局在明治41年10月18日發行該書名之書。松本氏另一錯誤為，該調查之最終報告書《台湾私法》之發行年寫為1909年（實為1910年）到1911年，並稱同報告書為「迄今為止全台灣之私法慣習調查結果之集大成」，據筆者之調查，《台湾私法》並無以東台灣為對象之調查及山地住民之舊慣調查，並非集大成，顯然是松本教授過譽之詞。並非筆者有意挑剔，而是上述事典為權威之作，因此擬提出指正。

36 關於《清国行政法》之論文，有前引之坂野、山根兩篇論文，另有介紹性之報導如前引之中山先生之介紹報導。而編者自己較重要的發言則有：（1）織田万、加藤繁的《清国行政法編述に関する講話》（油印本，於昭和15年6月3日東大法學部長室，福島正夫後記）；（2）織田万，〈清国行政法についての苦心〉（《法と人》昭和18年4月20日所收）；（3）加藤繁，《中国経済史の開拓》（昭和23年2月），加藤繁，〈故浅井虎夫君の業績〉（《史学雑誌》第40編第5號，昭和4年5月號所收）等。

慣相關調查。另在同年4月，終於利用一直以來之調查資料，嘗試殖民地立法，而以敕令第105號設立第三部，分掌法案之起草及審議相關事項。從明治42年度開始，歲出預算項目更名為「舊慣及法案調查費」，並不是沒有理由。可惜的是，本文並無餘裕觸及殖民地立法的問題。

五、代結論

以上以台灣舊慣調查事業——尤其是關於漢族系台灣人——的成立緣由、展開及其成果，就迄今尚未被知曉之部分嘗試追溯其沿革。在文獻調查之過程中，15個會計年度裡，台灣總督府實際上投資了大約94萬日圓（換算成現在的金額，約值9億4,000萬日圓）之巨資，推展舊慣調查事業。而與推行者主觀意圖無關，如今應再次承認該項事業確為我輩留下龐大學術遺產之事實。但是不能因此而說，殖民地統治為我輩留下如此豐厚學術遺產同時，我們當然也不能贊同其對台灣在此部分的貢獻的看法。本文擬對此再次指出，對我輩中國人而言，此等成果與日本帝國之政治意圖無涉時，我等才能由衷地將此做為學術遺產而予以接受。設若沒有台灣人勤勞的結晶形成的「豐富的台灣財政」[37]，卻僅強調後藤新平識見的企畫力，以及岡松、織田二位博士為首的調

---

37 北山富久二郎，〈「豐かな」台湾の財政〉（台北帝國大學文政學部，《政学科研究年報》第1輯所收）。在缺乏支持事業之豐富財政的情形，而以追求殖民地利潤為最終目標之日本當局，到底能否繼續支持被非難為浪費國帑之伏魔殿的調查委員會的各位（後藤新平之後繼者。關於伏魔殿的等等批評，請一併參見註32片山秀太郎之論文以及註26福島正夫之論文），因有朝鮮之事例，筆者懷有疑問。

查研究者等在學術上的貢獻，則調查事業是否可以持續？筆者對此甚感疑問。

　　歷史往往帶來諷刺性之結果。殖民地統治已成史實。我認為，我輩中日兩民族出身之研究者，必須相互從殖民統治之亡靈中自由，不能忽略留存的遺產，也不能僅將此遺產做為壁龕的裝飾品而已，而是要將其放在正確的位置，把它活用在學問上，使其具有生產性。

　　特別是岡松博士之問題意識為：「僅闡明台灣全島之舊慣制度為不足，不可不期於上溯其根據淵源，示現中國本土法制之一斑，大體辨明南清一帶之慣習。」[38]如果去除政治意圖而將之延伸，則可說要理解台灣，實有溯源中國本土之必要；相反地，為對華南有進一步的理解，則台灣之資料亦可視為有效之手段。不管這種解釋是否適當，至少筆者相信，善用這些資料，將能藉以進一步從事華南（也可包括台灣）一帶的社會經濟史研究。迄今為止，採用台灣舊慣調查工作有關成果之學者多為法學家或歷史家，這也是本文書寫過程中所發現的盲點之一。

　　按：此篇短文為筆者「日本人之台灣研究──研究史之嘗試」的最初作品，今後也想俟機再一步步嘗試書寫，若得方家指教，則為萬幸。

本文原刊於《季刊東亞》第4集，東京：財団法人霞山会‧東亞学院，1968年8月，頁67～80

---

38 〈敘言〉，《台湾私法》（最終報告書），頁1～2。

輯二

戰後台灣經濟

如何擺脫特需經濟

◎ 何鳳嬌譯

真的安定成長嗎？

越南和平對台灣經濟有何影響？為回答這個問題，首先第一，如何概括地思考第二次世界大戰後到今天的台灣經濟？第二，整理在越南戰爭中，台灣經濟如何顯示其發展狀況，據此，筆者想預測和平後台灣經濟的動向。

台灣的經濟發展在日本成為話題是這幾年來的事。所謂亞洲經濟開發的優等生，實現安定的經濟發展少數存在的一例，又說進入1960年代經濟發展開始起飛，從輕工業階段進入重工業過程等，一般都給予肯定。相對地，就所見來說，台灣確實是優等生，若就國民總生產的實質成長率統計之表現來看的話，可以說是安定成長吧。1953至1966年的年平均是8.1％，與越南戰爭關聯很深的1964年是14.2％，現在實施中的第四次四年計畫（1965～1968年）的目標，雖然實質上定為年成長率7％，但1965是8.7％、1966年8.3％、1967年9.1％，都分別超過目標，達成經濟成長。

　　台灣經濟的動向容易受左右，處於特殊的國際地位，而附隨於此的經濟對外依賴度和軍事費負擔的過重，加上後進經濟特有的脆弱性，在經濟發展過程中帶來不少的風波。這些風波在1950年代尤其顯著，1956年的颱風、1959年有名的八七大水災、1954年的金門砲戰、1958年的台灣海峽危機等引起的通貨膨脹以及倒閉的連鎖反應是顯著的例子。

　　由上，我們與其用安定成長來評價，不如說其內部經常有不安定因素，而乘著世界潮流，幸運地得以實現經濟擴大。這樣的理解方式說不定是較正確的。

　　對於政治、經濟安定性敏感的外資對台灣的動向，如實地反映在前記不安定的因素。據1966年底的統計，導入的外資金額，

圖1　農工業生產的歷年變遷

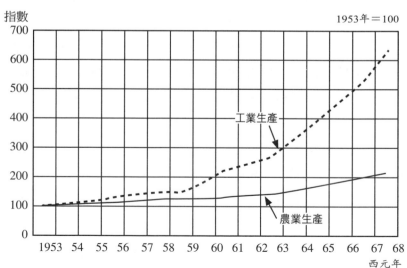

資料來源：據*Industry of Free China*, Oct. 1968, p.58製成。

1952至1966年合計僅有2,600萬美元（包含貸款也只有7,800萬美元），其中1952至1961年間沒有一年達到年度100萬美元以上，同時期導入的金額，事實上只有177萬美元的少額而已，這相當富有啟示。

　　由於諸種情事和資本形成上過度依賴美國援助等，因此初期的經濟計畫只是設定生產目標而已。又經濟政策大多是1967年6月在台北召開的台灣經濟發展會議（Conference on Economic Development of Taiwan）中如顧志耐（Simon Kuznets, 1901～1985，美經濟學者，出生於俄國）教授等所指出的，並沒有經濟理論根據的政策，其大多只是基於客觀的經濟情勢的變化和針對一時課題的應變措施。

圖2　實質國民所得與人口的變遷

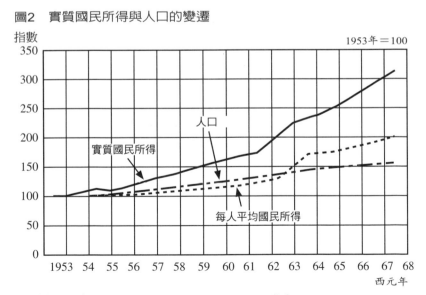

資料來源：據*Industry of Free China*, Oct. 1968, p.58製成。

　　與其無視1950年代諸多曲折，只提出1960年代的好景氣，誇大台灣經濟的安定成長，筆者認為不如站在全面地正視1950年代的明暗，來關注今後動向的立場。甚至在惡劣條件下，台灣農民一邊掙扎於低米價，一邊擔負強制儲蓄，貢獻於農業生產的擴大鞏固工業化的基礎，在相當改善大陸時代惡劣作風的情形下，以故尹仲容為首的開明經濟官僚，盡了恰如其分的努力是應肯定的。

工業生產的上升

　　進入1960年代開始，基礎工程大致完成，紡織、肥料、水泥等為中心的輸入替代產業的培育完成，通貨膨脹的收縮及外資、投資獎勵法的整備，加上伴隨著甘迺迪與赫魯雪夫和平共存路線的登場，由於台灣海峽相對地安定等，外資進入台灣驟然興盛。以強力的農業體制為基礎（不單是確保食糧自給而已，擁有砂糖、米、香蕉、鳳梨等有力的輸出品），也有上述經濟情勢的好轉，就如所見的一樣，經濟規模急速地擴大（圖1、圖2）。

　　1961年的GNP從16.6億美元到了1967年真是增加二倍多的35.4億美元，又每人平均國民所得也從1961年的124美元急增到1967年的209美元，這樣的具體數字。這樣急速的經濟擴大雖然是包括故尹仲容先生在內，國內外任何人都無法預測的，卻是1960年代初期真實的情形。1961年初開始相當明確的美國援助中止的決定（1965年7月1日實行）使當時執經濟大權的尹先生悲歎，進而訪問池田首相，奔走獲得日圓信貸的供給，這也不是很

久以前的事。

　　國府幸運地在1964年因國際糖價的暴漲，帶來有史以來（國府政權成立以來）首次貿易收支有盈餘。1964年以後，加上後述的越南軍事特需，香蕉對日輸出的急增（從1963年的870萬美元，一躍為1964年的3,300萬美元，翌年更飛躍為5,500萬美元左右）和其他農產品及加工品輸出的好景氣，伴隨著農地改革地價（相當於主產物的37.5％）十年平均支付的結束等，也展開了以農民為中心的國內市場，有助於經濟規模的擴大。

　　這樣的國內市場的開展和九三〇事件（印尼的排華暴動）餘波下一部分的美棉的委託加工，進而越南軍事特需，不只對漸趨停頓的輸入替代產業注入活力，也誘發新設備的投資。

　　在此也有提及這期間產業結構轉變和貿易振興策略的必要。1952年當時，占國民總生產額35％的農業生產在1966年時降為26％，相反地，工業生產從23％逆轉上升到28％。結果，工業生產不只是站在首位，而且在1952年當時，工業製品占輸出總額的比例只有5％，但到了1965年，竟造成54％的激增。不只是工業製品的輸出增加，也相當積極地進行輸出國的開拓。1956年時僅有48個對象國，1966年一躍倍增為106個國家。又貿易額占GNP的比例，從1961年的28％提高到1966年的37％。

越南軍事特需的驟增

　　世界史的展開往往是諷刺、冷酷的。一方見到激烈流血的慘事時，另一方，在其犧牲下，展開新的市場，形成所謂軍事特需。

　　台灣的情形，如先前述及，結束地價的繳納以及香蕉為首的農產品及加工品輸出的好景氣，進而因糖價急漲的經濟好景況等，雖然提供台灣經濟規模擴大的好條件，但使效果更加擴大的，不外是越南的軍事特需。

　　原本台灣對越南輸出金額很少。1956至1960年間雖然充其量是200至500萬美元左右，如表1所示，東京灣事件＊以來一躍達到4,000萬美元，1966年接近9,000萬美元大關。由越南的輸入，1950年代以來相當於數十萬美元左右，不能不強調越南軍事特需具有極重大意義。其金額為接受正式外幣支付部分的統計，另外美國積存的相對基金和利用基於480號公法剩餘農產品賣出積存金，在當地調集物資的軍事特需和歸休後備軍人和其家族在台灣休假所花費，貿易以外所收的軍事特需的外幣也有。根據一種說法，流入台灣的軍事特需，1966年是1億美元，1967年據說變成1億5,000萬美元，詳細並不清楚。若將間接軍事特需加入考慮，1964年以來越南戰爭可以說給台灣經濟帶來相當大的影響。

　　這段期間國府當局當然並非只依賴越南軍事特需。如先前所述，開始積極的貿易振興政策和以勞力輸出為目標的「高雄加工出口區」於1966年12月啟動。1968年6月所許可的工廠數115個，其中已操作（運轉）的工廠有60間，投資額1,800萬美元，僱用員工數目13,000名，加工輸出額1967年和1968年上半期合計達到1,700萬美元。在這種好景氣下，聽說國府要在高雄的北邊，自

＊　1964年8月，美國與北越在東京灣（Tonkin Gulf）發生武力衝突，導致美國國會通過決議，授權總統約翰遜（Lyndon B. Johnson）對北越採取措施，開啟對北越大規模轟炸之契機。

表1　對越南輸出品種類及金額　　　　　　　單位：1,000美元

	1960年	1964年	1965年	1966年
金屬及其製品	246	11,749	18,790	36,337
紡織品	1,939	6,504	8,932	11,529
化學及藥品	122	4,114	6,520	9,511
水泥、建築材料	401	8,071	5,160	16,753
紙、紙漿	239	1,377	2,048	5,312
砂糖	5	5,131	1,456	6,078
木材	－	115	238	1,172
其他	289	1,171	1,387	3,018
合計	3,241	38,232	44,531	89,710

資料來源：據Bank of Taiwan, *Foreign Exchange Statistics*製成。.

表2　從越南輸入品種類及金額　　　　　　　單位：1,000美元

	1960年	1964年	1965年	1966年
米	963	－	－	－
橡膠及其製品	－	688	500	493
金屬及其製品	－	－	26	64
蓆及藤製品	－	30	12	15
化學原料	－	－	7	26
其他	－	－	1	31
合計	963	718	546	629

資料來源：同表1。.

1969年度開始建設第二加工出口區。貿易振興的結果，1967年度的貿易額達到國府史上的最高紀錄14億9,500萬美元，實質上比前一年增加26％，金額激增3億1,000萬美元。一方面雖因砂糖、米輸出的不振減少2,900萬美元，但總輸出額6億6,900萬美元，比起前一年增加15％、8,500萬美元（參照表3），令人一驚。

　　其中對越南，比起前一年增加930萬美元，寫下接近1億美元

的9,900萬美元的紀錄，仍保持對台灣有利的單方貿易，加上之前
所敘述的直接、間接軍事特需，可以說是支撐台灣經濟高度成長
的重大因素。

日本企業的進入姿態

國府以相當信心發表有關本年度貿易額中間報告，大致預估
超過17億美元，輸出總額企圖突破8億美元。

關於越南戰爭以來的經濟規模之擴大和貿易額的急速成長雖
如以上所述，但想介紹這期間的另一特徵，即關於外資的進入台
灣（表4）。

如先前所提及的，1950年代外資對台灣的進入，並不像一般
所言那麼興盛。但進入1960年代開始，1961年第一次達到400萬
美元左右。特別是1964年以後急遽增加。1967年、1968年文化大
革命的影響和香港騷動，進而因高雄出口加工區開始活動，大致
可以看作增加是不會錯的。以國別來看的話，1966年底之時，美
國被認可的71件，約1,590萬美元，日本被認可的是87件，890萬
美元，其他國家是16件，135萬美元，可知道是相當地零星。尤
其是如眾所知的，日本企業的進入是特別零星的。

這些進入與越南戰爭有何關係雖然不很清楚，至少越南軍事
特需的好景氣，可以說間接貢獻了一部分。進入額的零星之外，
日本進入的企業大多是附加價值低的業種，單純以進入島內市場
為目的的加工包裝（製藥）、組合（小家電、汽車）等，集中在
一旦有事的話，隨時都可撤資的業種是其特徵。

表3　1967年度主要輸出品
　　　種類及金額　　　單位：100萬美元

	1967年	與前一年比
紡織品	118.1	＋28.7
金屬及其製品	76.8	＋8.1
木材、合板	63.4	＋5.2
香蕉	63.0	＋10.4
化學製品	54.8	＋15.0
砂糖	46.0	－15.7
洋菇罐頭	31.1	＋5.8
水泥、建築材料	30.0	＋7.5
蘆筍罐頭	24.0	＋9.8
米	19.0	－13.4
其他	142.6	＋23.8
合計	669.4	＋85.2

資料來源：行政院外匯貿易審議委員會，〈民國56年
　　　　　外匯貿易業務概況檢討及展望〉，《國際
　　　　　貿易月刊》第13卷第1期。

努力鞏固體制

　　以上所見顯著的經濟發展，筆者認為，與其說是靠著自己的
力量，不如說是搭上幸運之潮而達成之一面來得更大。這樣的台
灣經濟，現在仍為有識之士所指出的，生產規模的零星性、技術
水準與生產性之低、經營組織和分工體制近代化的落後和未整
備、理論和政策的落差，也欠缺實行有效實施經濟政策充分的金
融制度和稅收制度。滯留與隱藏在農村的潛在失業人口（第二次
世界大戰後以來，不論是農家戶數或是農村人口的絕對數一直有

表4　外資導入情況　　　　　　　　　　　　　　　　單位：1,000美元

年	華僑	外國人	小計	貸款（僅限於外國人）	合計	許可件數
1961	2,073	2,012	4,084	200	4,284	5
1962	576	4,556	5,132	352	5,484	23
1963	1,682	2,872	4,554	10,677	15,230	14
1964	7,439	4,793	12,232	6,177	18,408	10
1965	1,594	5,598	7,193	518	7,711	25
1966	1,817	4,591	6,408	407	6,816	14

微增傾向）和400萬勞動人口相對，完全失業人口占20萬，種種情事透露出的脆弱性，依然存在。

　　對經濟發展踩煞車的原因，在台灣最大的民營報紙《聯合報》最近的社論中也屢屢指出是政治的落後。這種政治的落後，又與企業家們未確具近代精神相糾纏的情形，被認為是經濟發展的腳鐐手銬。我們想提醒的是，國府具有的特殊國際地位和圍繞於此的不安定國際關係，給台灣經濟帶來不可衡量的外力現在仍然存在。

　　據傳蔣經國國防部長就任行政院院長（總理大臣）的動向，預定1969年3月29日的國民黨十全大會開會計畫，急速地進行著的統治層的世代交替，起用大同鋼鐵公司社長、台灣人林挺生為國民黨台北市黨部負責人和年輕一輩、37歲的台灣人、青年研究者陳水逢為台灣省台灣人黨部書記長，並改選1967年度的省議員和縣市長，推出多數的年輕台灣青年國民黨員等，可以看出以蔣部長為頂點，組成和強化新的國府體制似乎正在急速地展開。

　　又對現在傳聞比較弱的經濟界，取代CAT航空的CAL航空，向國際航空界顯著地踏出第一步，輔導委員會也參與一貫鋼鐵製

造工廠建設計畫的製作等，可以說在經濟界鞏固體制也相當明顯的事。1968年9月開始的九年義務教育制，在某種意義上，也可以說是針對唯一資源的勞動力（特別是14歲以下的人口占全體的44％），透過教育而提升品質為目的。這些即便不全是如此，但相當大部分是考慮越南戰後和文革後的新世界情勢之新布局，大致不會錯。

　　暫且不提這些，再回到經濟問題。越南和平達成前，我想仍有相當曲折。隨和平將以何種形式出現，和平會給台灣經濟帶來不同的影響。雖然是相當大膽地預測，但我想所謂越南的復興特需，將會與台灣無關。可預想以美日兩國的主導權來施行，會與越南周邊形成反共防波堤的經濟開發投資需要相結合。

　　無論如何，揚棄貿易結構的脆弱性——偏重於紡織品、香蕉、蘆筍、洋菇等——正因為無法避開後續的韓國和其他後進國家的追趕，會成為緊急的課題。又以越南戰爭為契機，擴充製造業設備所帶來的追加生產品的銷路開拓，也成為重要的課題。

　　國府當局局部性發表的第五次四年計畫（1969～1972年）預定總投資額44.98億美元（1,799億元）中，期待外資的金額是3.6億美元（144億元），年平均預估約9,000萬美元，以高雄第二出口加工區的增設計畫等也可以知道，今後還是要積極謀求外資的導入。

民族資本的反撲

　　嘗試促進同業間自由競爭的門戶開放政策，可預想日本的製

藥、汽車、紡織關係業間會展開激烈的過當競爭。特別是與當地原有企業競爭的業種重複進入和先前所提以商品市場為目的的企業進入，傳聞開始引起當地企業家的排斥。過去以零星規模、具有濃厚的商業資本性格的進入，主要是止於舊知己有關聯的進入——「殖民地遺產」的一部分——今後可預想的是以大規模產業資本的進入，必然地不只止於舊有的聯繫對象，有充分與新的官僚資本結合的可能性。這種情形，在最近報紙上，發生對日本旅行者各種行為的非難，在受此觸發的情況下，擔憂將引起當地民族主義的反抗。

不久將發表全文的第五次四年計畫分別預定GNP的成長率是7％、工業生產9.1％，農業生產為4.4％，在策定的過程，當然就越南戰後有所討論，很遺憾不被公開發表。

又，在台灣內部，可預測越南戰後製造業的合理化，以及盡可能減輕再整編的不良影響，修正低米價政策來增強農民的購買力，伴隨西部和東部或與中南部沿海地區區域間所得差距的修正，對擴大島內市場的要求將成為必須的事。對國府財政來說，關於曾文水庫建設資金還要從農民徵集2,564萬公斤的稻穀（相當於1億元，換算成美金的話為250萬美元）透過糧食實物債券的發行（1968年12月到隔年5月底）來籌集，可想上述農政上的要求說不定是過於嚴酷的事情。

甲午戰爭以來，關係不淺的中日兩民族來說，單純地以低工資為目的的企業進入，以及蜂擁闖入島內消費市場而威脅到當地原來企業存在的進入，與經濟協助的原有理念是無緣的東西。又可以預見的，越南戰後嚴厲的國際關係的展開，正包藏著不只是

單純以美日資本和企業進入，或是經濟協助表面漂亮話的進入而已的情勢，今後的動向是值得注意的。

本文原刊於《エコノミスト》第1745號，東京：每日新聞社，1969年2月25日，頁57～61

被迫邁向自立經濟的決心

◎ 何鳳嬌譯

與依賴美國經濟的別離──在流動的國際情勢中

　　如眾所知，國府自1953年以來，開始實施所謂的經濟建設四年計畫。今年〔1969〕起雖然是其第五次計畫的開始，但計畫案除在內閣閣議（行政院院會）決定（2月6日）外，就筆者所知，計畫全文並未發表。本文想一面來介紹新計畫的主要內容，一面以經濟為中心，來思考在變動的亞洲中，台灣今後的動向該如何。

　　台灣經濟毫無疑問是標榜孫文所謂的「民生主義經濟」為原則，但實質上是採取資本主義體制，我想今後將更為強化。即使說是計畫經濟，也和社會主義體制下的計畫經濟不同。因此，以民間企業的主體活動為基礎之先進資本主義國家所作成的經濟計畫究竟是否有意義，也不是可以這樣發問的性質的問題。

　　台灣經濟民間企業的發展可以說近年來突然很耀眼，然而現在因公營企業所占的比重在絕對與相對上都仍然很大，政府對公共投資和公營企業設備投資容易支配下，我想在台灣的經濟計畫

是有一定的意義。又一部分有識之士認為：第一，一般來說，現階段經濟預測的精準度是有其局限的；第二，台灣尤其是專家不足，統計資料也未整頓；第三，初期的計畫畢竟因有接受美國援助之必要，只是提出生產目標的簡單東西而已；第四，過去的計畫是否充分掌握控制台灣現實的條件，基於長期展望擬出計畫實在很難說等等的觀點，所以有人說台灣的經濟計畫是權宜而缺乏精準。

　　儘管如此，我們硬在此提起第五次計畫是因為：第一，多次的計畫制定經驗的累積；第二，從第四次計畫以來，請回在美國的劉大中教授，獲得積極的合作；第三，國府本身因為經濟規模的擴大和其高度成長，所帶來的社會全體由下而上的壓力，開始可以見到一部分從傳統的、前近代的、軍事的思考中跳脫出來的徵兆；第四，儘管不充分，對於國府政策的籌劃，經濟學者的意見反映已經從過去無法想像逐漸成為可能；第五，更為重要的是，這次的計畫是美國援助結束後的第一個計畫，進而國府重新認識台灣經濟為海島經濟，考慮貿易立國，由於這次包含的計畫是面臨經濟開放及預算制度、財政（包含稅制）、公務人員薪金制度體系等相當多方面的改革。

高度成長的實際狀況 —— 與日本匹敵的成長率

　　戰後20年來的台灣經濟，一言以蔽之，可以說是經常一面內藏著不安定因素，一面乘著幸運的世界潮流完成經濟擴大。

　　近年來（台灣）被一部分人以先發後進國的優等生，受到注

目的經濟成長之原因，可以舉出以下各項：第一，具有高生產性的農業和先進的農民；第二，在民族、宗教、階級等幾乎沒有對立的均質社會和具有絕對權力、安定度比較高的國民黨政府（與東南亞的政情比較）的存在；第三，相當程度的既有投資——電力、糖業、產業道路等——的存在；第四，受惠於鄰近諸國（尤其是日本）經濟的繁榮，有利於輸出商品市場的展開；第五，一般教育的普及以及與其他後進各國相比，具有從中國大陸大量移住的官僚層、高級技術者、具有高度知識的開明經濟官僚層和教育技術者的存在（儘管良莠混淆），極易補充舊殖民統治經營集團撤出後，所留的缺口；第六，對於以上經濟開發的政治、經濟、社會的良好條件，又可舉出美國長達15年、每年供給約1億美元的強力經濟援助等措施。

這期間國民總生產的實質成長率在1953至1966年的年平均是8.1％，尤其是1964年國際糖價的暴漲，有令人滿意的影響效果（國府成立以來首次貿易收支盈餘的紀錄）。香蕉對日輸出的急速展開（從1963年的870萬美元一躍為1964年的3,300萬美元）、農地改革地價部分（相當於主要產物的37.5％）10年平均攤還結束、越南戰爭形成軍事特需等，達到在這之前未曾有的14.2％的高度成長。

這姑且放下不提，為更具體的呈現台灣經濟的現狀，先介紹前期四年計畫（1965～1968年）的實際成績。

計畫雖然是預定當初GNP的實質成長率7％為目標，但實際成績1965年是8.7％、1966年是8.3％；又根據今年2月16日國府當局發表的國民所得統計，1967年是9.9％。雖然是預估，計畫最後

一年的1968年是10.3％，可以看作都超過目標達成成長。

　　又，包括1964年的14.2％，最近五年的成長率之平均超過10％，單就數字面來說的話，是不比日本的經濟成長差。

　　在貿易上，其規模擴大也令人瞠目結舌。如表1所示，貿易總額在最近4年間事實上增加將近2倍，現在快接近20億美元左右。留下的問題是輸入的增加顯著大於輸出，但計畫期間的年平均成長率，輸出是15.7％，輸入是24.5％，在貿易總額上也達到19.5％，可以說台灣經濟的貿易依存度急遽加深，愈來愈發揮海島經濟的真本事。特別是1952年的貿易額只有3億3,000萬美元，進一步反映進行工業化的貿易品結構——以工業產品的輸出總額所占比例為例（1967年從1952年的5％躍升為七成左右的67％）的轉換值得注意（又，輸出品主要順位和金額請參考表2、表3）〔表2參見本冊頁171〕。

　　事實上，圖1〔參見本冊頁166〕中也可以看見，1953年以來農業穩健地達成安定成長，在此支持下，工業生產進入1960年代後急遽往上攀升，特別是1963年以後表現出顯著的發展。

　　1961年的GNP是16億6,000萬美元，到1967年事實上可以看到急速擴大為二倍強的35億4,000萬美元，這期間工業化的進展對經

表1　第四次經濟建設計畫期貿易額的變遷　　單位：100萬美元

年	輸出額	與去年比	輸入額	與去年比	貿易額	與去年比
1965	495.9	＋5.6	555.4	＋35.3	1,051.3	＋19.5
1966	584.1	＋17.8	599.1	＋7.9	1,183.2	＋12.5
1967	667.9	＋14.3	839.0	＋39.5	1,503.9	＋27.1
1968	843.0	＋24.9	976.0	＋15.1	1,819.0	＋19.0

濟結構也帶來一大轉變。即1952年占當時國民總生產的35.7％的農業生產到了1967年降低為24.4％，相反地，工業生產從17.9％上升為28.4％，現在與其說台灣是農業國，不如說已進入工業國階段。

又，每人平均國民所得如圖2〔參見本冊頁167〕所示，過去超過3％的人口自然增長率之故，雖然無法呈現出與經濟規模充分對應的變動，近年來節育的效果逐漸奏效（1967年底〔人口〕自然增加率大幅地低於3％，降低為2.3％），1967年從1961年的124美元急增到將近2倍的209美元。

以上這樣的高度成長──尤其是最近四、五年，與其說是靠自力，毋寧是偶然條件的附加而成為可能的部分較多。因此，事實上成長的底層蘊藏很多的問題，待留在後面詳述，以下先簡單地介紹企圖繼承以上高度成長發展的第五次四年經濟建設計畫，其揭櫫的具體目標為何？國府對達成其目標又採行哪些措施？

第五次四年計畫──確立自立經濟的決心

雖然之前已稍稍提到，這次的四年計畫是美國援助截止後（1965年6月底截止）的第一個經濟計畫。第四次計畫的情況，第一年度雖然是遇到美援截止，但援助未到達的額度陸續流入、越戰、文革以及日本國內勞動市場的急遽結構改變為主要原因，以日本（包括1億5,000萬美元的日圓信貸）為首，美國和華僑資本的流入，因為情形良好，所以事實上，導入外資超過在這之前美援在資本形成中所占的金額。

表3　1968年主要輸出品種類
之順位和金額　單位：100萬美元

順位	項目	金額
1	紡織品	190.0
2	機械、運輸機具	100.0
3	合板及其製品	75.0
4	香蕉	57.0
5	砂糖	47.0
6	洋菇罐頭	32.0
7	蘆筍罐頭	28.0
8	水泥	26.0
9	鳳梨罐頭	19.0
10	鋼鐵製品	13.0
11	石油製品	13.0
12	米	11.0

資料來源：《聯合報》1969年1月11日。

　　台灣經濟是強烈地受到國府所占的特殊國際地位和圍繞於此不安定國際關係的限制。強力的美國經濟援助截止，自立經濟的確立變成緊急課題，此外，可預期的越南的和平、文革以來的動向，進一層的，以加拿大為首，歐洲各國承認中共（攸關國府生死問題）的令人憂心的前兆，第五次計畫的籌劃制定只看台灣的報紙報導，感到與過去無法相比的用心。

　　例如，第一，從籌劃一開始，在這方面，以世界享有盛名的劉大中教授（康乃爾大學）做主導；第二，國府當局方面，史無前例地在1967年6月從美國聘請顧志耐教授（哈佛大學）等多達20名的經濟學者來台灣，就台灣經濟舉辦公開的演講討論會（顧志耐教授目前正做為台灣大學的客座教授，居留台灣，在多方面

似乎給以建言）；第三，電子計算機的導入和從美國邀請統計專家制定統計整理的體制整頓和投入產出表；第四，過去幾乎未著手的預算和財政管理制度的改正，進而為了整頓確立稅制體系，也請劉大中教授為主任委員，這二年來在內閣（行政院，直屬）的賦稅改革委員會銳意嘗試於此；第五，公務人員的薪資體系的改制和近代化的嘗試（內容是將之前實施提供生活救濟為原理的「統一薪俸制度」，修改為支付工作之報酬為原理的「單一俸給制」）；第六，直接關聯以上經濟政策的動作之外，1967年在地方政治的「指導局」的世代交替（年輕化策略與積極起用台灣年輕的國民黨黨員）和今年3月29日預定召開的國民黨十全大會，據說也計畫試圖進行國民黨上層的世代交替。成功與否另當別論，大會籌備事務局長的張寶樹提倡將企業精神摻入黨裡和嚴家淦行政院長提案藉由行政機關的整理合併以提升行政效率等，都是破天荒的事，從字裡行間可以看出以蔣經國國防部長為頂點的國府體制的再編與強化正一步步地推行著。從這些動向也可以得知，國府當局似乎具有不尋常的決心，要來面對轉換期。

擴大貿易、以GNP的40％為目標

確認以上之餘，其次想介紹這次計畫。

根據國府行政院國際經濟合作發展委員會在今年1月7日發行的《第五期經濟建設四年計畫簡介》（以下簡稱為「簡介」），這期計畫的口號決定為「以農工業培養貿易，以貿易發展農工業」，這個口號同時也成為這期計畫的指導原則。

　　以前實施的四年計畫若說是「以農業培養工業，以工業發展農業」為指導原則的話，應可以說是農工業併進政策。

　　指導原則如上述變化的背景，不用說是對台灣經濟做為海島經濟有新的認識，加上從當前台灣所處的地位來說，自立經濟的確立不外是依賴貿易擴大、促進工業化之外無他。

　　至於國府的經濟部長李國鼎，因去年貿易繁榮而開心，尤其是輸出額達到GNP的24％，對今後應追上人口、面積均近似的比利時、荷蘭的40％左右，表現出野心勃勃的姿態。

　　以上述的貿易擴大為基調的這期計畫之物價上漲的估計值大致期待不超過2％至3％（但是這個估計值是指批發物價或是消費者物價，並不清楚，是個大問題吧！），經濟成長率以實質7％為最低的努力目標。

　　為了實現這個7％，總投資額定為1,800億元（1美元以40元換算【以下相同】，則為45億美元），又外債償還和外匯準備金增加部分預估是150億元，即3億7,500萬美元。預計需要資金總共是1,950億元，即48億7,500萬美元。其中雖然預定依賴外資的是7億4,000萬美元，金額的大小另當別論，如「簡介」中所示，關於調度資金的見解——雖然不認為外資的流入有困難，但強調國內資金有不足的傾向——儘管是兼有朝向國內的PR〔譯註：Public Relations，宣傳〕，但仍稍嫌過於樂觀。特別是與1月30日幾乎全日本各大報紙報導「國府今年開始第五次四年計畫起步，做為外資調度計畫的一環，要求日本3億美元的援助」的事實應如何關聯起來思考好呢？這相當於之前昭和40年（1965）以後以五年間給與1億5,000萬美元的日圓信用貸款額度的2倍，加上前面日圓信

貸今年度剩餘的部分5,100萬美元，事實上變成3億5,000萬美元，相當於總需要外資約二分之一。這雖與加拿大等頻傳承認中共的時期重疊，從日本當局方面對於要求額度太大表示驚訝這件事來判斷，可以明白前述國府當局的樂觀論不能一味令人放心的吧！

來自日本政府為主體的外資流入暫放一旁，若將7億4,000萬美元分為四等分，一年間為1億8,500萬美元。

因為越南戰爭和文革的影響，帶給台灣海峽相對地安定的大前提下，上次計畫期間外資流入的順暢，保持這些好景氣的條件在這期未必能夠繼續，如之前所敘述的，正因為圍繞台灣的國際關係極不安定，國際情勢若發生急速變動，追求安全第一是資本的運動法則，因此，絕不能樂觀。

香蕉的發展也不能樂觀

又，主要支撐上次計畫期高度成長的越南軍事特需（1966年1億美元、1967年1億5,000萬美元，詳細請參照拙稿〈如何擺脫特需經濟〉，《エコノミスト》1969年2月25日號刊載）〔參見本冊〕和香蕉為首的農產品及其加工品的對日輸出好景況（單以香蕉為例，1964年3,300萬美元、1965年5,500萬美元、1966年5,300萬美元、1967年6,200萬美元、1968年5,700萬美元），香蕉自去年開始，中南美生產的急遽進入日本，加上所預想菲律賓等地出產的香蕉將進入日本，（出口的）倒退是免不了的吧！過去可以說是對日輸出二大主柱的砂糖和米，因日本方的理由有無可避免的衰退情況。又，近年來輸出增加開始引人注目的蔬菜類和其加

工品，今後可預想展開的日本方面綜合農政之動向如何，也會出現相當憂心的狀況。尤其是去年度（1968）看到對日貿易赤字已達2億2,000萬美元，甚至很困難找尋平衡貿易的新輸出品才是實情。

土地、薪資有利因素的減退

　　一方面，在上次計畫期主要的民間外資和華僑資本，以高雄自由加工區為首，企業積極地進入台灣。這些積極的企業進入，再怎麼說都是以圍繞台灣海峽情勢的相對安定為大前提。即使暫時不問這個，吸引外資進入最大的誘因是低薪資，這一點去年以來開始見到急遽地變化。據傳聞，美系企業平均月薪850元（1元是9日圓，以下相同）、日系企業是750元，當地企業為650元（同樣是高中畢業第一次任職薪資），去年一年中，有三度調整的必要，就連支付當地沒有的年終獎金，也因薪資顯著上升，而相當不穩定。事實上季節農業勞動者的移動突然停止，甚至連台灣糖業公司那樣台灣最大的公營企業都報告說，甘蔗收穫勞動者的確保逐漸有困難。過去農業人口及農家戶數絕對值持續20年來微增趨勢，好不容易在工業化的急速展開下，似乎也獲得轉換的契機。

　　薪資上升的主要原因是：第一，伴隨工業化的急速進展，勞動市場的供需關係產生變化；第二，這二年來消費者物價的暴漲，尤其是伴隨農產品（米除外）價格的上升，過去勞動力再生產費用低廉的條件開始崩潰；第三，由於去年九月開始實施的義

務教育年限延長三年（即實施與日本相同的九年義務教育），過去充斥勞動市場的少年少女勞動者從勞動市場退出；第四，為了籌集教育費和其他財源的增稅和公共費用（例如電氣費用）的上漲等，可以看到去年度的消費者物價指數上升百分之六。像這樣急速的物價上漲是這幾年所未見的。

外資企業進入另一個有利因素是工業用地便宜。此點也自去年打破長期的安定而急速上漲。其原因是因包括工業化的急速發展，土地供需關係的變化所致。筆者未必能贊成如一般所說的文革及香港騷動的影響，華僑資金大量地移動到台灣，購買土地和投機等為主要原因帶來價格提高。依我看，毋寧是來自農地改革的教訓，避免對土地投資的資金——尤其是在台灣或許有複雜的不安定原因，對產業的投資與其說是基於長期觀點的投資和培育產業資本，毋寧是說大多的情況以短期的為目的。只是尋求創業者利潤的孤注一擲和相當濃厚的商業資本性格的投資，所以可以推定有大量的游資滯留在社會中——乘著國府當局全面土地改革（包括都市平均地權的孫文的主張）暫停之虛和工業化的發展以及近年來逐漸盛行的住宅建築事業（長期分期付款）的用地購買之勢，爆發性土地投機熱的高揚，哄抬了地價而高漲。其證據可以從國府當局面對地價高漲狼狽不堪，重新主張全面的土地改革說之下，高漲的地價開始滑落這一點可以得知。

從以上的分析似乎也可以知道，外資企業進入之利因開始見到變化，由於文革的結束及越南和平後，台灣海峽再度荒亂的可能性很強，我想民間外資流入台灣未必能夠樂觀。

最後想提一提為了以貿易立國目標，擴大輸出的估計值。

預定年平均最低維持12.5％成長率的目標，因此農工業的成長
率分別估定為4.4％和9.3％，又其結果產生的產業結構的變化，
估計各自在GNP所占比例，工業生產從1968年的33.5％上升為
35.8％，農業生產一樣，從20.29％降為18.30％。

　　圍繞貿易的國際環境，對國府的分析來說成為逆境的國際情
勢，由於立場上想來不會公開，無法評論其對與否。僅就「簡
介」所提示的，伴隨著國際通貨危機的頻頻發生，世界貿易縮小
傾向的動向和台灣本身主要的輸出項目大多是輕工業產品和農產
品及其加工品之故，表示受後續開發中國家群的追趕之一定顧
慮，這幾點應可視為是正確的見解。

　　上述的見解外，應附加的一點是台灣貿易結構的僵化性。近
年來國府當局努力擴展增加輸出國，確實有一定的奏效，1956年
僅有48個輸出對象國家，聽說1966年倍增為106個國家，若能深
入追問其內容，便能明白猶深受台灣特殊的國際地位的限制仍然
局限於日、美等國。為了打破僵化性，國府積極於歐洲、中南
美、非洲諸市場的開拓，但似乎不太有成果。

今後的問題和政治的逆流 ── 對國際情勢不安的掛念

　　以上，一面簡單地介紹台灣經濟的現狀和一些分析，一面介
紹第五次計畫的主旨。由此可知，尤其最近五年內達成高度成長
的台灣經濟在種種意義下，是站在轉換期。

　　過去支撐高度成長的偶然條件──台灣海峽相對的安定、越
南戰爭、文革（包括香港騷動）──和誘導外資最大利因的低薪

資等為首的島內條件，台灣經濟達到從一般所知的，輸入替代產業到輸出產業，從輕工業階段提升、轉進向重化學工業階段的困難，剛好是同一階段，為了維持高度成長，必然會面對許多困難是顯而易見的。所以指出處於高度成長的轉折點理由在此。

由於台灣的國際地位非常地特殊，在變動的亞洲中，展望台灣（尤其是經濟）如何變動，對國府而言，以加拿大為首的歐洲系國家承認中共的動向和可預測的越南和平、文革政策的動向等等可以說是新逆流，這些都會對台灣經濟帶來影響，因此不得不提一下。

先前提到日本當局對國府向日本要求3億美元援助的反應，「由於圍繞著中國的國際情勢是流動的，當前關於要求的檢討也應該趨於保守態度，這樣的氣氛在政府部門內很強。」（《朝日新聞》，1969年1月30日）的報導和早已完成企業進入而開始運轉的日本企業本社，聽說對承認中共的動向呈現相當微妙的反應，對國府來說未必是好題材。

越南和平如一般所說的，台灣的情況與越南復興特需結合的可能性很少。（又預測是由美日兩國來主導實施，為了構築越南周邊的反共防波堤，而進行的經濟開發投資需要與之結合是有可能性吧！）

因此，根據和平的形式，預估1964年以來繼續成長的單方面對越南輸出貿易的有利性（1967年的輸出約1億美元，輸入僅數十萬美元）之維持也是有困難，對國府來說，展望是相當不利。

從文革政策帶來的中共在輸出面的追趕，可以想到過去台灣生產的農產品及其加工品在日本相當有利的市場也有受競爭角逐

之可能性，可預想台灣拿手的輸出項目也面臨被東南亞諸國家追趕的重重嚴酷局面的到來。

從以上嚴重情勢來考慮，先前所講的島內經濟條件（薪資和物價上揚）的變化，繼續維持高度成長將會是相當嚴苛的事。

透過持續成長的觀光收入來獲得外匯，正因為與越南戰爭和台灣海峽的相對安定深深有關，在這方面，對國府來說似乎也不能樂觀。這樣闡述，雖然會被認為是強調不利面，但歸根究柢，經濟是活的東西，如何利用偶然的條件給台灣經濟以新形式的槓桿出現，注入活力也未可知，但這是我們能力之外的問題。

與其他物價相比顯著被壓低的米價（如李〔連春〕糧食局長本身所承認的，以物價指數來看，米價較其他物價便宜25％）和透過米肥交換制，20年來的強制儲蓄方式，在工業化過程如今由輸入替代產業到輸出產業的初期階段，又從輕工業階段到重化學工業階段的轉變，從內部被強烈要求的時機，低米價和米肥交換制仍舊被堅持著，是難以理解的。特別是上次計畫期間以越南軍事特需為主要契機，擴大製造業部門追加生產品的銷路，又可預想受後進國家急追的輕工業部門的生產性提高的觀點來說，國內市場的展開是必須的，因此創造出有效的需求也再度成為緊急的課題，所以令人更有此感觸。

有所傳聞的人才流出對策制度的改變，若以限制出國為主這樣的消極方法，成為實質上根本的解決策略是相當困難。儘管暫時或是局部地阻止新的流出，但已流出部分的回流因無法在社會、經濟結構大膽變革上採取措施，究竟是無法實現的。

除此之外，進入1960年代開始，可以說是高度成長的副產

品，台灣社會局部可見的意識變化的徵兆，及經濟發展的結果，由底層湧起向一定合理主義的志向，也慢慢地開始反映在世代交替等方面，考慮台灣今後動向時是無法忽視的。國府當局對新的逆流如何抵抗，如何對應，又國民黨十全大會開會會帶來怎樣的結果，有如一個亞洲的颱風眼，是值得注意的。（圖1、圖2及表2是從拙稿〈如何擺脫特需經濟〉所載轉錄過來的，謹誌於此。）

本文原刊於《貿易と関税》第17卷第4號，東京：日本関税協会，1969年4月，頁61～66。「アジアは動く」專欄內文章

日本人對台灣錯誤的認識

◎ 林彩美譯

不自覺中的「（日本）內部」問題

中文裡有所謂「暴發戶」一詞，意指突然得到財富的人。暴發戶的一般習性是容易得意洋洋，從旁觀察那得意忘乎所以的行止，真有如滑稽劇。

如果帶點諷刺地引用華語來表現，高度成長正有「暴發」之意。批評日本是「暴發戶」，疑惑歷史是否可反覆的，很遺憾並不是筆者，而是我的助手、馬來西亞出身的T君（他是俗稱的華僑子弟，自稱是華人，因此中文也稱之為華語）。筆者認為他關於「暴發戶日本」的批評頗中肯。我年紀長他一輪，或許是受到長年殖民統治經驗的影響，在台灣，比「暴發戶日本」更流行的日本觀，卻是把日本看成是「老好人」。

老好人也好，暴發戶也罷，雖有微妙的差別，但一定是不會定位自己，因不會定位自己，所以被說是老好人吧。

說到有關亞洲（包括中國）的問題，近年來，來自日本強加於人的教導、恩惠、開發，這令人厭惡至極的作法更為嚴重。未來可想像的是隨著日本積極進入亞洲，上述情形將更形強烈。T

君的批評似乎是攻擊這一點，此情況在台灣應該也可感覺到。

這一兩年來一般日本人對台灣的印象大體是：「便宜的夜遊」、「北投」、「勤勞而廉價的勞動力」、「討厭的國民黨政府」等等。不用說，這些印象是由旅行者或來台發展的企業人員帶出去的；無論如何，終究是傳達出部分真實的台灣。但是，就如同從藝妓、富士山，看不到日本民族在第二次世界大戰時奔放、狂暴的活力，以及1960年安保鬥爭的高潮，如果對台灣僅限於上述的感性認識，也無法產生真實的台灣形象；或許也無法預見台灣的民眾潛存的活力究竟會朝什麼方向集結。

本來，任何民族要了解其他民族，都不是件容易的事；加上人類是健忘的動物，不容易回到初心。日本是「暴發戶」，日本人不是被榨取、被壓迫的一方，而是加諸或想加諸於他人的一方，因此更難對付。

日本資本主義已復興，並且有更高度的發展。此次它換上新裝，高舉「援助、協力」的大旗（過去與現在均如此），想藉此走進亞洲捉住其歷史脈絡。二次大戰結束及其後，日本都不曾充分自我反省；做為思想落實在近代日本的定位上，僅只要再一次想回顧自我檢討這樣的日本人，可惜卻非常少。

此時多數日本人都未知覺「昭和元祿」*1，是在韓戰、越

---

*1 「昭和元祿」指日本昭和年間像元祿時代（1688～1703年）一樣繁榮。元祿為幕府時期的年號，當時政治安定，經濟發達，在幕府、大名、公家的保護及鼓舞之下，京都、大阪、江戶的町人（庶民、百姓）的創造力大為顯現，創造了「元祿文化」，其特色為現實主義、儒學、實證主義下發展的古典研究及自然科學，文學及美術方面也有許多成果。請參照井上光貞等，《日本史》（東京：山川出版社，1993），頁194～200。

戰人民的重大犧牲與沖繩人民對戰爭莫大的不安所支撐，才可能「暴發」的結果。日本統治者層的主流，比誰都知道元祿的繁榮是不道德的產物；因為知道此時的「太平」極不安定，而擬結合亞洲反動統治層，嘗試延遲美國從亞洲全面撤退，玩弄詭辯，圖謀阻撓中日兩國恢復邦交。甚至為了維持「高度成長」，而以美國帝國主義的代理人自居，以代扛「援助」為名，嘗試對國府、韓國強力撐腰，逐漸使其勢力深入才是現狀。

日本統治層假「協力」、「援助」或貸款、賠償、供給之名，將日本民眾汗水的結晶、貴重的日圓提供給腐敗獨裁的軍事政權，供其不義、不法、不經濟地使用，且盤踞於回扣與此纏結的利權，這或許是有識之士所批評的地方。

僅限於台灣而言，日本保守層與日本財經界在國府盤根錯節之深化及重層化，如後文將提及的，是顯著在進展。

這種狀況在民眾未強烈意識之下進展，非常可怕。更可怕的是，應該掌握主導權、檢證「暴發戶」的作為、記取歷史教訓、改寫歷史，做為民眾的一部分的日本知識分子之中，卻出現亞洲開發論者，彷彿成為日本資本主義伸向亞洲發展的先鋒，而開始在抬頭。

這些知識分子多半不僅不能正視日本近代化等於西歐化的破綻，甚至也似乎不能正確地把握日本的高度成長。如同分贓般的「薪水上揚」，和「我家」〔譯註：購屋之意〕一般，全身沐浴在太平樂裡，沒有自覺到頹廢，而逕自去教導貧窮、開發中國家的人，強調要協助其開發，這不正是可笑至極嗎？

如果真的可替開發中國家進行開發，那麼替代日本人進行社會主義革命的說法（亦即革命輸出可能論）也可以成立，這樣單純的事，但是我親愛的鄰人卻似乎難以了解。他們不了解這簡單的道理，也只有讓大報紙去喧嚷「經濟動物」不好，趕緊確立援助理念的似是而非的人道主義論耍弄吧。然後不久，醜陋的美國人的替代者──醜陋的日本人便出現了，他們也應會在亞洲各地昂首闊步吧。

就因為有如此塑造「老好人」形象知識分子的現代日本狀況，所以在沖繩回歸時，日本受到來自蔣政權及朴政權所施加的壓力，因而太平夢醒；而此次中日貿易交涉，關於安保、台灣問題的難以展開，終究使日本知道事情的嚴重而陷入困局了吧。

事實上，沖繩也好，安保也好，都不單只是日美間的問題而已。台灣問題也不是如不負責的媒體喜歡報導的聯合國開會前後投票票數之類枝節問題。說明白些，台灣問題是日本人本身內部的問題，和安保、沖繩問題一樣，台灣問題也是可規定日本民族今後的重大問題。

失焦的台灣形象

中華民族與日本民族的交涉歷史源遠流長。如果從這一段綿長的歷史來看，台灣介入這兩個民族間才不過一世紀還差一世代（30年）的短暫時間。

這段期間可以說極短，但是相牽連的內容卻是很重要。日本民族如未喪失知性的創造活力，關於台灣的事實認識，以至價值

認識應該是可能的。

　　但是認識的可能性，卻依然僅以可能性存在著。對於切身非知道不可的台灣，日本卻仍然停留在「夜遊便宜的台灣」、「工資便宜的台灣」之類程度的見聞。

　　想想，在日本帝國時代至今，70年之間，日本人之眼中，是否完整地浮現了台灣形象呢？在相繼的侵略、膨脹的體制方的步調中，日本人被完全捲入，本來應有的站在民族的、階級的、國際主義觀點所呈現的台灣形象，也終於未確立而煙消雲散才是事實。

　　日本帝國時代初期，台灣是被殖民統治的，也就是榨取的對象；而到了帝國晚期，台灣則只是侵略的基地，做為侵略的爪牙及人力資源，這是日本所設定的認識台灣的座標軸。

　　日本對回歸中國後的台灣，初期因為受戰敗的衝擊，而有一段虛脫狀態的空白期，其後因被美國的遠東政策擺弄而焦點模糊。近年台灣則可能被想成日本商品、資本發展的適當市場，或是做為勞務輸入與藉由勞動榨取再輸出的生產點設置地。

　　本來，一個民族要對其他民族描繪圖像，或許一般會因為階級不同或階層不同，而有各自固定的看法。遺憾的是，日本人所描繪的台灣圖像，截至目前為止，都是一貫地維持未分化的模糊虛像，變化不定，常只是追求當下現實的淺薄的東西（與歷史的前後無連貫關係，當然也不具有先見與判斷力的），我不得不這樣指出。

　　從明治時期以來，如果觀察日本輿論形成的動向，少數意見反對論比其他地方更難凸顯、更難浮出表面，有把體制方的報導

視為絕對的傾向。使此一傾向增幅的原因無他，是因為甲午戰爭以來，日本快速推進的「近代化」，其民族未曾體驗到民族規模的被壓迫或挫折的歷史狀況。

戰敗是日本民族精神重生的契機，也是決定日本未來命運的重大契機。我等亞洲人期待日本民族能充分掌握此一契機，並予以活用。但是現實中，卻是那些本來叫囂著美國與英國是魔鬼與畜牲、高唱大東亞共榮圈的同一人物或集團，現在卻追隨起美國帝國主義，向其獻媚，換上新裝，叫囂起亞洲協力，都辜負了我們的期待。

過去至少有兩次機會，日本人可以正確認識台灣：一次是在大正民主時期，另一次是在戰敗初期。

第一次機會時，在被壓迫各民族反對帝國主義的餘勢裡，日本在日俄戰爭中獲勝，得到高度評價，當時日本實應把握機會，更正輿論。但日本軍國主義卻佯裝不知日俄戰爭具有侵略性格的一面，全然漠視主戰場中被害者第三國民眾（中國人）的呻吟，而只誇大宣傳戰勝白人帝國主義的一面。

日本不僅容許此種宣傳而已，還對此勝利的正義性給予市民權，甚至把早於日俄戰爭的甲午戰爭也全面正當化。其結果是採用「台灣割讓」這個體制方所給的用語（而不是用「侵略台灣」），連站在唯物史觀立場的日本史家，至今都不懷疑地這麼遣詞用語。

日本不但不使用「侵略台灣」，只用「台灣割讓」，將占領台灣合法化，同時也對於台灣人的武裝抗日運動曲解為是一部分「土匪」的跳梁，並說，日本是為新附入籍的良民除惡。因為這

種錯誤的認識，馬克思主義者（Marxist）的《甲午戰爭之研究》〔《日清戦争の研究》〕也必然會缺漏台灣的抗日運動；也會持續引用鶴見祐輔的《後藤新平傳》〔《後藤新平伝》〕中所謂巧妙誘殺「土匪」，以及討伐「土匪」與「獵首的蕃人」而開發台灣的著述被當為好著作引用，這都是至今為止多數日本人被灌輸入腦袋中且深信的事。

　　其間恐怕大部分日本知識分子都忽視了，財富累積使日本確立產業資本、進行產業革命成為可能，卻不只是日本勞動階級汗水的結晶，而是大部分係以甲午戰爭和義和團事件為契機，從中國人民強取「賠償金」而來的。因此，日本的繁榮是向日本勞動階級壓榨而來，加上甲午、日俄戰爭以及第一次大戰後種種不道德的收穫，並藉台灣等殖民地利潤漁利。因為大正時期的太平是藉此維持，所以是不安定的東西，或許多數日本知識分子不念及此，而被潮流沖著走。與戰爭相關聯的形式和與高度成長的規模相異，但昭和元祿的太平夢和大正時期是有何等的相似性——忽然令人感到不安。抗拒這股潮流的諸位革新鬥士對台灣的片斷發言，矢內原的《日本帝國主義下之台灣》等，我輩應不會遺忘；而細川嘉六的《殖民史》〔《植民史》〕（昭和16年）或平野義太郎的《民族政治學理論》〔《民族政治学の理論》〕（昭和18年）對於台灣的殖民地經濟發展不能十分掌握的主要原因，善意地解釋為是因為法西斯的壓制和軍國主義的跋扈，我輩也想表明不再持守這種看法。

　　在法西斯特務不再昂首闊步的戰後所編輯的（咸所共認的）權威之作《亞洲歷史事典》〔《アジア歴史事典》〕（平凡社，

1961年）中，雖有二二八事件之詞條，但遺漏了霧社事件；而在最近頗得好評的《近代日本總合年表》〔《近代日本総合年表》〕（岩波書店，1968年）中，雖有霧社事件，但刪除今天幾乎已成為常識的使用毒瓦斯彈壓，而在二二八事件中，提及當時高度要求自治，至於獨立的要求當時雖連一點跡象都沒有，然而該書卻寫成「發生台灣民眾的反國府、獨立要求的大暴動」。筆者大約在五年前有感於台灣獨立運動家王育德的發言，而向事件當時幾乎曾全程參加台北集會的某先生確認，我也曾綿密地查證文獻，透過二二八事件的全部過程，終於確認事件中並沒有要求獨立的傾向一事。

　　而日本得以正確認識台灣的第二次機會，是在戰敗時。當時大致為老好人的在台日本人感歎台灣人「薄情」時說道：「50年間共存共榮，50年的教育情誼，如今宛如空中樓閣般，突然土崩瓦解了。離日本而去時，台灣連一滴眼淚也沒流。本島人（台灣人）高唱光復光復，狂喜地放鞭砲、舞獅子。台灣在日本統治下，匪賊不出，小偷絕跡，固守個人權利，文化提高，自由受教，有錢人幾乎全是本島人，雖然如此，（戰爭結束時台灣的）報紙卻寫說從50年的奴隸狀態解放，海報也是這麼貼著。如果至少在臨去之時他們的眼裡還有一滴淚的話，日本人是這樣期待的；過去可以看到那般扮若日本人的樣子，大概是在日本人的權力之前做出的欺瞞狀吧？」（岩永信子，《白塔》，昭和33年，頁162）她也認為：「內台融合50年，但一到戰敗翌日，就開始崩解。」（前引書，頁160）本來這次的震撼，正是領悟「異民族統治無論如何只是無意義的一場夢幻而已」的好契機，對於

日本民族的覺醒應可以有效活用，但因為前述的錯誤，看不見的歷史認識的局限，經歷長時間所養成的優越感，個人方面一直認為：藉著個人的善意，不會從事與體制有關係的「惡事」，像這樣一廂情願的看法，在短時間裡無法抹淨，認為殖民地住民是劣等的，如不依靠殖民地主義國家或其國民之「善意行為」或「經濟開發」，則（殖民地）將無法解救之類的深沉迷信。是這種迷信妨礙了這一個不可再有的好契機的有效利用吧。

戰後不久的昭和23年，前《台灣新報》主筆伊藤金次郎寫道：「透過50年的台灣領有史，期能再次檢討日本人對待異民族的個性。」（《台灣不可欺記》〔《台湾欺かざるの記》〕序文），在《台灣不可欺記》這本書中，他本身以批評了日本軍閥或官僚對於台灣民眾的「無情」而自負（參考該書序文），然而之後包括伊藤先生與自己在內的「無情」的過去的徹底對決，以及對日本統治台灣根本地反省，卻是至今為止，無法從任何日本的台灣關係者聽到的。

「善意」的殖民地主義者自始至終都不知覺自己的獨善，深信殖民地遺產是正面的遺產，以台灣民眾的稅金進行的各種先行投資，社會的間接資本則看成好像是他們以善意，為了台灣民眾而執意留下的。類似這樣的錯覺，至今仍深植其心。因此一直沒有認識到殖民統治的罪惡，不論是物的榨取，或是對於被統治者語言的剝奪、對人的損傷等，都是如此。反而稱讚自己在台灣的殖民統治是大成功的。

日本帝國主義侵略台灣、占領台灣，利用台灣海峽，以人為的方式阻斷台灣與大陸的關係，剝奪台灣人的文化、語言，促進

皇民化。這些是塑造今天多數40歲以上的台灣人無力反抗的、心已死的氛圍，正是產生出「過去日本時代，現在大陸時代，未來可能就是美國時代」（參考大谷律子，〈台灣記〉〔〈台湾記〉〕，《亞洲社會研究會會報》第13號）般奴隸根性思考模式的主要原因。

使得產生台灣民眾的文化水平比中國大陸有更高的錯覺：看待日本的近代化方式為絕對，殖民主義者強加在被統治者之上的價值體系，不知從什麼時候台灣人開始自己積極地接受了，不圖恢復被人為切斷的自我歷史的連續性，而寧可肯定被切斷的歷史，這成為圖謀添加並且擴大再生產新的虛構──為了確保買辦化的自我或自己所屬的階層與階級的存在。

台灣獨立派或台灣獨立思想，不用說是日帝殖民地統治之產物，而擬培育此意識的則是美國帝國主義；反之，無意識中在培養此種意識的則是腐敗的軍事獨裁的蔣政權。蔣政權是以蔣家派閥、以浙江江蘇為中心的鄉閥以及以黃埔軍官學校、政工幹校（蔣經國持其牛耳的特務養成機關）的軍學　（？）　閥為統治中樞，無視於台灣民眾在經濟、社會、政治上的不滿，不當壓抑以本地資產階級為始的台灣一般民眾強烈參政志向，為台灣獨立運動添了油。

我等之鄰人──老好人的日本人不具深遠的洞察力，在四十多年前拒斥了他們視為劣等民族清國奴的一分支的台灣人，在「同化會運動」或「台灣議會設置運動」中，所要求的改良主義式參政權的平等、行政權參與途徑的機會均等；然後又在二十多年前戰敗時的衝擊中，感歎台灣人的薄情。台灣人對於回歸祖國

的狂喜姿態是血濃於水的好例子，同樣實地目睹此景的日本人，已忘記其初心；而不能自覺到台灣民族論、台灣民族自決論是從自己胎內產生的罪惡之一，最近傳出又在想著舊夢再現、伸手多管閒事的暗流正在蠢蠢欲動。

台灣的現狀及日本的保守層

如前所述，日本人的台灣認識從一開始就錯了，而且至今仍為此種看法所引導。然而，對於台灣現狀的事實認識，加上國府統治型態是讓人產生蔣政權亡命台灣、台灣被外來者的蔣政權統治當地住民之類的幻覺。本質上前述閩閥、鄉閥、軍閥之三位一體曾一度走向衰微，因為美國帝國主義與日本反動派的援助而重生，重編完成將本省人、外省人的下層透過特務、祕密警察組織之網來控制，因此（正確的認識台灣）更加顯得困難。

認識對象的複雜化姑且不提，日本人對台灣的接觸姿態至今幾乎不變，又加上無定見，所以許多時候只是關心泡沫般現象的「表面的現實」。因此極端地說，實際的情形是，其並不想試著去認識事實。

在中日關係裡，日本方面關於台灣的選擇的最初的錯誤，不用說是被強制簽訂《日華和約》。

以韓戰為契機，被美國的遠東政策擺弄，被強求合作的日本保守派老人政治家，抱有根深柢固的反共意識，當時還有一點羞愧感，但是對蔣介石所說的「以德報怨」狡猾地感激涕零（「以德報怨」這一句話有當時中國一般大眾採取寬容態度的支持才開

始生效，更進一步到一般民眾對此發言，普遍地都有容許的氣氛。很意外的是，當時日本人對於蔣的此項發言，卻都忽略了中國一般大眾的感受，對日本人而言，應盡情理的對象是中國的民眾，而非蔣個人）。日本保守派老人政治家一方面巧妙地利用中國革命成功（指中華人民共和國的建立）的沸騰氣氛的同時，且在受到反對片面簽訂和約的挫折而鬆緩的輿論之間隙，打下了楔子，慢慢不明顯地回復與國府的關係。

日本因為缺糧而向台灣要求米、砂糖，而代之向台灣輸出肥料和機械，在這樣單純的台日關係運作情形尚可下，待岸信介政權登場（1957年），岸信介在是年6月3日訪台，發表對於國府反攻大陸同感的話之後，日本的保守政界再也沒有必要受到美國強制，而是以自己雙腳走進了所謂台灣問題的泥淖裡。

是幸或不幸，此時期國府內部的情勢因為美國在軍事及經濟上的援助奏效（在政治情勢上，藉著由上而下的土地改革，相當成功地馴服了農民，變相地放逐了親美政治家吳國楨，在孫立人政變計畫未然即予發覺等等，以陳誠、蔣經國雙頭馬車確立了暫時的安定。在經濟上，則以韓戰為重生的契機，從美國得到一年大約一億美元的經濟援助，因此壓抑了通貨膨脹問題，培育輸入替代產業，恢復、擴大農業生產，開始擴大與日本經濟景氣相關聯的所謂高度成長的經濟規模），帶來了可與日本經濟高度成長相對應程度的相對安定。

此間台日貿易逐漸擴大規模，在日本技術革新的競爭裡，以提前折舊的機械類為主要出資，進行所謂企業進入，另一部分也可以見到以專利費為目的的技術協力進入。

　　日本民族在台灣的選擇的第二次錯誤，怎麼說都是1960年的安保條約改定，其後傳說開始接替美國進行日圓援助貸款。之後事態的發展是吉田書簡＊2、提供台灣1億5,000萬美元貸款，佐藤內閣的成立與國府急速展開促進友好的動向。

　　以此一被強制的錯誤，與日本保守派自行選擇走向泥沼之途，日本大眾卻未被全然告知；而且遺憾的是，民眾方面似乎也沒有積極地、深刻地自我求知（雖有對於岸信介的發言或關於吉田書簡表面的反對議論，但或許因為筆者孤陋寡聞，並不記得聽過民眾強力反對提供1億5,000萬美元貸款）。由於民眾對於監督國政的放鬆，輿論關注於高度成長與所得倍增計畫，在此之中，不只不能有效更正第一次的錯誤，而且更受到新的「枷鎖」──吉田書簡及1億5,000萬美元貸款的追擊。

　　1億5,000萬美元的貸款就在茫茫然之間決定下來，在貸款、提供、經濟協力之名下，消費了貴重的日本民眾汗水結晶的「日圓」，而所回收的利權卻只是所謂的「蕉苔蒻」利權（意指關於香蕉、海苔、蒟蒻的利權）〔譯註：當時日本自台灣取得香蕉利權，並自韓國取得海苔及蒟蒻之利權〕），並且高度利用其中最高的利權──香蕉利權，政商界關於貸款的暗中活動的黑霧也成為國會議論的對象。

　　追隨著貸款而至的是，在此之前宛如處女般，只有彬彬有禮地對台灣來進行商品輸入、技術協力發展以及小規模的資本投資

＊2　吉田書簡為1951年日本首相吉田茂致書美國國務卿杜勒斯，以國府為正統中國政
　　府，不與中國貿易及對中國融資等。

的日本資本主義，以越戰為界，日本內部發生急遽的勞動市場變化有來自下層的壓力，而外部則有關於特惠關稅問題的開發中國家的追趕。當越戰特需帶來景氣，而文化大革命也致使台灣海峽的情勢有相對的安定感等，因此現今可以看到大額資本開始異常顯著地發展進入台灣。

這一連串變動的結果，使美國在1965年6月底切斷了對台經濟援助（軍事援助也有縮小的傾向），日本一部分政商界積極接替負起責任，曾經在全世界惡名昭彰的國府在美國的遊說團體（現在羅蘭德等已逝，其力量幾已全喪失），取而代之的是由日本一部分保守派相關者形成的新國府遊說團體，已到可預想今後暗中活躍的階段。

「以往的香蕉或砂糖，都是藉由相當小的中小零星企業買賣的東西，此外，透過財界的壓力團體已獲得市民權，一旦切斷這些，將陷入引發嚴重的政治問題的狀況。」（《世界》1969年5月號，頁106）傳說事態已發展到這樣嚴重的程度。

日本的企業進入，迄今集中於當地市場支配型的製藥、家電業。相較於美國方面以百萬美元為單位，日本的投資規模很小，僅為5萬美元或至多10萬美元而已。但日本國內過當競爭的型態也隨之被帶入台灣，往往威脅當地的既有產業，而開始出現反彈。

在這種程度的進入階段裡，多數以傳統知己關係（當然是以本省人為中心者）的日本企業的進入就足以辦事。但也有石川島播磨重工業與台灣造船（公營企業）技術合作的例子，也有像紡織業（包括合成纖維）之類以確保輸出據點為目標的大企業向台

灣發展，更有在高雄加工出口區以及對島內的汽車業、電子業、機械產業等的積極發展。因為資本額變大了，也不能再慢慢選擇「親切的台灣人」（本省人），因為需與包括美國系的企業競爭，而不得不積極地尋求大陸系（外省人）或官僚資本系統強力接近。事實上，美國系的企業到目前為止與日本系企業對照，具有經濟援助關係或與國府的傳統關係，多偏向瓦斯、石油化學、肥料、電子工業，與傾向於資本規模較大的成長企業領域。其結果是與政府當局以及官僚資本有了緊密的關係，美國大使館的後援力量也很強。最近與美國相比，日本相關業界方面在埋怨日本政府或外派機關的支援不夠，希望有更強力的協助，因此羨慕美國系企業。

　　以上提出日本一部分政商界保守派對台灣的過度牽涉，以及日本企業在台灣發展的實際狀況，現在本文擬再概觀台灣內部的動向。

　　我認為韓戰以來美國和國府的關係可以見到有兩次高峰期：第一次是縱火破壞台北美國大使館事件（1957年），這或許是繼吳國楨事件（1954年）、孫立人事件（1955年）以來，美國和國府的抗爭的最高表現吧。第二次則是《自由中國》雜誌負責人雷震被捕，象徵彈壓反蔣親美外省本省人聯合的反體制組織（通稱反對黨）。第二次高峰期間，發生了金門危機、康隆報告公開提倡兩個中國論（1959年11月1日）、甘迺迪、尼克森關於金門、馬祖撤退的論戰。在這樣激烈的動向中，僅限於台灣內部保守地看則有曹德宣（利用《自立晚報》）或齊世英（《時與潮》的負責人）等脫離鄉閥主流的東北出身（該派自張學良事件以來，逐

漸和蔣的浙江派閥疏遠）的國民黨元老級，或是浙江出身的親美自由主義者陶百川（監察委員）等，他們以被除名的決心，對體制提出批判；還有台灣人中的重要人士李萬居（前《公論報》社長）、高玉樹（現〔指1969年〕任無黨籍台北市長）、吳三連（無黨籍省議員）等，在地方選舉中，把民眾對國民黨的干涉的批判，昇華為對體制的批判，並結合以雷震為始的大陸系中國人組織共同批判戰線（反對黨），從事啟蒙運動。以《文星》雜誌為據點，嘗試與傳統對決，且對舊世代提出徹底的批判（以歐洲近代化運動為目標），以李敖為代表的新世代（並無本省人、外省人之別）的動向。受到美國支持，積極嘗試組織島內外年輕學生輩的是彭明敏（當時為台灣大學教授），此外還針對反對國府獨裁，站在歐洲民主主義觀點，持續批判國府。

　　1959年起，反國府知識分子不分外省人、本省人積極結合組織「反對黨」，擬透過合法的選舉方式，與以蔣家父子為首的國民黨體制交戰，推動如此激烈的啟蒙運動及組織活動。

　　但此等運動遭到各個擊破，或是受監視，或是投獄，或是病故，全然無法運作。其中最有力的雜誌《自由中國》隨著雷震下獄同時崩潰，《時與潮》遭停刊，《文星》也於發行98號後，於1965年12月1日被禁。其間也有聽說反政府機關報的高級職員因共產黨員之嫌疑遭下獄。

　　此期間，對國府內部的政治動向投入決定性一石的是陳誠的過世（1965年3月）。

　　陳誠晚年比較開明，接近老自由派學者，善用尹仲容為首的有能力經濟官僚，據說因此創造今日台灣經濟的成長。至陳誠過

世（1963年過世的伊仲容是陳誠派大將，一手掌握經濟大權）前，蔣經國握有特務機關，藉此緊抓軍權，幾近獨占權力。蔣經國唯一的對手過世，意味著陳誠派所勉強掌控的經濟權也一手集中的前提條件齊備了。

徹底彈壓黨內部的不滿、一手掌握大權的蔣經國於1966年的總統、副總統選舉時，早就無視於元老派的意見，去除孫科，強行將年輕且掌櫃的嚴家淦推上副總統之職。蔣經國把舊世代束諸高閣，積極晉用年輕世代，穩定鞏固自己的體制，然後在國民黨十全大會（本年〔1969〕3月29日～4月9日）帶入此一體制，企圖為蔣經國新體制公開做最後的加工。

因此十全大會具有劃時代的意義，蔣介石時代已閉幕了，名實相符進入了蔣經國時代。今後國府將面對文革和可預想的越戰和平後的圍繞中國國際情勢的新展開，其因應之道如何，值得關注。

這種新時代的徵兆，可從以下動向開始觀察到：去年冬以來成為話題的比古塔・路易斯（蘇聯人）訪台、蔣經國親自出訪韓國（其後有沖繩復歸日本的問題，蔣與朴政權有做出干涉的發言，請注意）、戰後第一次任命軍人彭孟緝為駐日大使、十全大會會期裡，未派遣副總統嚴家淦參加艾森豪的喪禮、企圖親自接近尼克森，更於5月12日親自擔任特使訪問泰國等。

公開發言說道，只有毛澤東一人是敵人（請參照1969年4月1日《世界週報》報導蔣介石受日本電視採訪節目中的發言）是期待中共內亂之類老人的戲言。在「反共抗俄」的口號裡，刪除抗俄與前述接受路易斯訪台，都是利用中蘇對立的激烈化，似乎

可以看到是對於預期中，華府與北京的接近表示抗議的先期行為
吧。

蔣介石時代的閉幕，集中表現在十全大會國民黨的中央人事
上。蔣介石時代的人物，以陶希聖為最後，幾乎全被祭上中央評
議員的閒職，副總裁制的廢止也是預防蔣介石的萬一（死亡）、
元老們的干涉於未然，蔣經國親自設計的對策吧。

蔣經國的實力不只從擱置元老們的作法可看出，把陳誠派的
年輕大將陳勉修（陳誠之弟，台灣銀行董事長；該行因為發行新
台幣，而為實質上國府的中央銀行）從中央委員降為候補中央委
員，更甚的是以前所未有的例子出現的台蕉疑案（關於香蕉出口
的瀆職、收賄事件）中，宋美齡派（此派之政治力幾乎已消失，
僅存承襲浙江財閥之衣鉢在財政界尚隱然存在其勢力）的大掌櫃
徐柏園（中央銀行總裁，無任所大使）於1969年4月底被免職等
事可以看出。特別是中央人事中，唯一經由選舉方式決定（這或
許也是操控吧）的中央委員之首，即由蔣經國個人占有，可見比
建立「自由」國府的原則，他更有意向內外展示實力而選擇獨裁
的實質。

與此相對照的是總裁（蔣介石）所推薦的人事居中央常務委
員首位，其原則是讓給傀儡副總統嚴家淦（前次大會時位居中央
委員末席），以前對元老們還有些顧慮，而從此次大會開始，由
蔣經國自己坐穩第二位（前次大會蔣位於第七位）。

大會人事另可見到後述兩大特色：第一，與經濟建設有關的
能幹官員、學識經驗者、中堅企業家出任常務委員；第二，懷柔
本省籍資產階級的人事安排。

　　前者提拔了不僅是連前大會的中央委員都不是的年輕的李國鼎（經濟部長）、蔣彥士（前JCRR祕書長，留美農學博士）、林挺生（台灣人，台灣最大輕型電氣製造業者大同製鋼之社長）等人一躍而為常務委員。近日國府說出為反攻大陸須靠七分政治、三分軍事，部分人士視為他們氣勢已衰且缺乏自信，而筆者則寧可認為是蔣經國有充分的餘裕重新定位自己，認為美國很有可能是新的敵人（預想越戰結束後美國將自亞洲撤退，接近北京，促進一中一台政策，積極支援台灣獨立運動等）。從此一認識出發，至今為止很幸運地，台灣經濟持續發展，更以新四年計畫（從1969年開始）為契機，意圖抵消美國影響力，而從日本或其他先進國家，透過引進國際金融機關資金，以確立台灣的海島經濟與貿易立國為目標，藉此安定其政權，當然不得不在近期出現為了政治上圍繞台灣的討價還價而蓄積台灣的實力，創造有利的態勢，這或許是他們當前的目標吧。

　　上述的人事與最後的台灣本地資本階級的懷柔人事和這些動向是相符的。

　　針對近年來日漸高漲的台灣本地資產階級對政治的不滿，緩和政策首先是將長年在東京從事獨立運動的廖文毅叫回台灣（1965年5月），外交部也任用年輕的台籍外交官科長，省縣級的地方行政或黨部的幹部的年輕化與起用台灣人，司法行政部之調查局（特務機構）高薪任用年輕的台籍大學畢業者，據說對於揭發「社會不正」等採取相當複雜的處理辦法，也被宣傳。在十全大會的人事中，也同時可見到擱置了老人黃朝琴，相稱地有上述林挺生的出線，中央委員名額也從前次大會的75名，大幅增加

為99名，過去只有3名台灣籍，此次則倍增為6名，這或許是三、四年前想像不到的。其中5人是新面孔，這些人當中也有日帝時代典型的買辦，以漢奸被台灣大眾所貶抑的前日本貴族院議員辜顯榮的兒子辜振甫（台泥社長）被捧出，雖位居倒數第二名，但也是很具象徵性的。

蔣經國國府體制連曾是台灣民眾怨懟目標的日帝時代買辦、台灣籍資產階級也不得不要去擁抱，其窘況似可想見一斑。

要重蹈覆轍嗎？

前文已提及，蔣經國新體制的國府很敏感地掌握了美國鴿派的新動向，因此處心積慮規劃如何穩固自己的政權。

蔣經國一派今後恐怕為了固守自己的政權，而不惜施展一切手段吧？因此，知道過去只有單線對美是危險且力量薄弱，而積極要將鄰近各國保守統治階層捲入，一面計算一定程度的民族主義的反抗，同時也可能採取接近蘇聯的政策。

另一方面，不想成為第二個張作霖或李承晚，而採取一切的措施，並且保存自己的實力，累積對美討價還價的資產吧。保全之策，第一當然是如何在政治方面將日本（請注意派遣軍事色彩濃厚的新任駐日大使人事）拉進自己的步調當中。

越戰有和平的動向，沖繩歸還日本，尋求廢棄安保條約的日本大眾激烈的抗爭運動，鴿派要求改正美國過度介入亞洲事務等等動向之間，對國府而言，正是頭痛的問題。華府為親近北京所送的禮物裡，台灣可能成為廉價的東西，因此如果能把泰國的他

儂政權、韓國的朴政權以及日本保守派都捲入，美國就不那麼簡單可進行事情，這應該是當然之事。

第二，為了從經濟方面抵銷美國的影響力，而積極接受日本企業來台灣發展。

繼先前的1億5,000萬美元的貸款之後，此次向日本提出3億美元貸款以應用於第五次四年計畫，實不能說是單純的經濟合作要求，在日台協力的名義之下，對國府而言，可說是以無出資的共同保險為目標吧。

《朝日新聞》報導道：「因為圍繞中國的國際情勢變動不羈，關於此次之請求，政府內部瀰漫的強烈氣氛是應予檢討並予限制。」在沖繩、安保問題備受矚目之時，吾等卻擔心在捉摸不定之中日本又被捲入，我們到底是不是太多管閒事了？

預想3億美元貸款（此一款項很可能會以近日日本對台灣大幅出超應有回饋為由而強行通過，依去年度海關統計，日本對台灣輸出上升至4億7,000萬美元，但僅對台灣進口1億5,000萬美元，入超實達3億2,000萬美元，請參考通產省《貿易統計月報》第12卷第3號）及隨後民間資本將大舉到台灣發展，究竟將衍生出「福」或是「禍」，是史有明訓的事。切盼日本資本主義不再步上戰爭之途，此次應不能徹底喪失「中國民族之心」。

以上吾等僭越地向日本友人諸兄提出批評，認為日本人過去未成功地正確定位自己之前，就進入亞洲之愚行，以及對台灣的認識有歷史性的錯誤，就因在現狀上連對事實認識都不充分，因此在不知不覺間過度陷入台灣問題的泥沼中。

如今傷痕尚淺，為世界大勢計，應記取歷史教訓，走上日本

民族本應步上的大道。如果能正確選擇，在時間點上，今天日本民族所站立者尚時猶未晚，這是筆者之見。

　　因此應以蔣政權干涉沖繩回歸問題為反面教師，而以中日備忘錄貿易公報為正面教師，十分慎重地斟酌後，選擇民族百年之道。我如此期待，就此結束本文。

　　　　　本文原刊於《世界》第287號，東京：岩波書店，1969年7月，頁
　　　　　126～135。以筆名林凡明、何敏發表

日本的台灣研究

◎ 林彩美譯

前言

　　被懇求對本題執筆的當初，老實說，在筆者的念頭所浮現的是：在戰後的日本，是否有值得回顧，而「台灣研究」的現在已到應該展望的階段。

　　做為從事台灣研究關係者之一的筆者，將如此情勢的存在不能不指出實在令人遺憾的，而既是事實也沒辦法。

　　戰前的諸業績有——《台灣私法》[1]、《台灣文化誌》[2]、《日本帝國主義下之台灣》[3]等——因此戰後成績的不佳令人掩目不敢正視。

　　本來一國的外國研究應有的姿態，不能只停留在順應潮流就可以的。但是無奈目下的實際情況是順應潮流之例，占據「研

1　臨時台湾旧慣調查会編，《台湾私法》，本文3卷6冊，附錄參考書7冊，計13冊（明治43～44年）。

2　伊能嘉矩，《台湾文化誌》（上、中、下）（刀江書院，昭和3年，昭和40年刊行復刻版）。

3　矢內原忠雄，《帝国主義下の台湾》（岩波書店，昭和4年初版，1963年，《矢內原忠雄全集》第2卷）

究」的主流。

在日本的台灣研究當然不可能是例外，日本國內的政治、經濟的變化反映在台灣「研究」對象的，台灣的政治、經濟的現象的變化，不從其深層、其結構去把握，而被表象所眩惑，對台灣的事實認識都被忽略了，對此，我所感甚深。

力量菲薄的筆者所蒐集乃至記在卡片的，敗戰以來24年之間在日本，以日文發表的台灣關係（在本稿是包括國民黨、國民政府關係之意）的著作、雜誌報導以及論文（包括翻譯）之量與質即可窺知其一斑。

以台灣為主題的學術著作不超過十指，雜誌報導、論文也只有350篇。每月平均約一篇多（不包括中國人在日本主辦發行的雜誌。又1950年代開始的「台灣獨立」運動相關人士的發言，研究也有相當的數量，留待別的機會一併討論，在本稿就割愛不論）。

特別是期刊報導、論文，多數被登載在學術期刊乃至準學術期刊以外之期刊來看，可知其內容上多數是以介紹現狀或是時事解說居多，而不是學術的專門研究。

將這些報導、論文做分類一瞥，其內容以1960年為界，筆者認為有以下特徵：

自1940年代後半到1950年代之期間的前期，或以韓戰的停戰（1953年7月）為界又可分為之前與之後。韓戰停戰以前的期間，先有圍繞二二八事件的風聞之類，此後有《中國白皮書》的發表（1949年8月），中共政權的成立（同年10月）為契機，有關國府會變成怎樣，台灣是否守得住，蔣政權下的台灣等，圍繞

台灣海峽的國際情勢或美國遠東政策的變遷為關心所在。有極濃厚的軍事、情報味的介紹報導與時事解說為主要內容。此間發生特別的事是，《日華和約》的締結（1952年4月於台北簽約），但對於條約締結有關的報導幾乎沒有，而是以韓戰為契機接受美國的支撐而漸漸回復的台灣經濟有關的經濟報導居多。預見韓戰特需〔譯註：韓戰的軍事特需〕的後退，對於台灣的報導可看出與其是政治，更集中關心於經濟。

以《日華和約》的締結及韓戰的停戰為契機，隨著台日間之貿易的急速發展（因有美援而從日本的採購包含在內），台日間人們的交流也多起來，出現重新看待台灣的風潮。其反映是《民族學研究》上的「台灣特集」（請參照後述）可看出。他方是由艾森豪政權所發表的解除台灣中立化（1953年2月），接著是台灣海峽情勢的緊張，以日本為中心驟然展開的「台灣獨立」運動等糾纏在一起，所謂台灣的歸屬問題開始被討論。

進入後期的1960年代有《康隆報告》（1959年秋）的發表在先，美蘇間的和平共存體制的起步、甘迺迪政權的登場（1961年1月）在後，兩個中國論（包含一個中國一個台灣論）席捲自由主義陣營的輿論。受此餘波，而所謂「台灣問題」在日本的媒體界，雖只是一時之間，但也受到注目。

近年因台灣內部經濟規模的擴大，所謂高度成長，受到在摸索開發中國家開發理論的一部分學者注目，他方因日本企業的資本進入的形勢高漲的影響，有關台灣經濟的介紹、解說報導或市場調查之類極端增加，是目前的現狀。

令人感到奇異的是，在這中間台灣內部的政治、社會、經濟

各領域雖有相當多的動靜，但是相關的正確的事實認識就連企圖
去探討的嘗試也幾乎沒有。

　　一言以蔽之，此間在日本的台灣認識多不是對台灣本身的結
構嘗試深入的認識，可以說追隨美國的遠東政策與美國的輿論之
後，順應潮流的時事介紹，頂多也只是其解說而已。此事意味
著，有關台灣，日本人的知識與見識仍停留在無法加廣加深的狀
態。

　　做為學術研究基礎之一的對台灣普遍的認識是如此淺薄與貧
乏，換句話說，能夠寫文章的知識分子之台灣認識姿態是如此淺
薄的話，本來因對異民族、異文化獲得正確的知識，以圖對自民
族、自文化認識的深化，更基於此認識正確地對自己國家做定
位，確立科學的外國觀，真正希求尋出與異民族共有繁榮、幸
福、發展的方途，做為貢獻外國研究一部分的台灣研究（當然也
是中國研究的一部分）的成立也沒把握吧。

　　在下面我對令台灣研究陷入如此可憐不振之狀態之原因是什
麼，來作個思考。

　　第一個原因可想的是，對外國研究者的身分、生活保障在日
本還是不充分，這個影響阻止台灣研究者的出現，台灣研究頂多
被想作是業餘的研究，而實際也沒有被認真去做研究。

　　原來不是特殊的案例或站在特殊的政治立場的話，台灣研究
沒有理由不被包括在中國研究的一部分而嘗試去探討的。

　　然而在日本的外國研究中，眾所公認的最興盛的中國研究，
如前述的不充分的研究條件，也不能是例外。除此不充分的條件
之外，更加使得台灣研究陷入不振的，不外是一般中國研究者的

姿態。

　　台灣是位於中國邊境的一孤島，面積只有全中國的0.3％，人口也只占1.6％。從如此輕微的分量而言，不把台灣問題當作自己的問題來接納的主體性立場未確立的、祖述性〔譯註：尊重模仿師承之意〕、解釋性的中國研究，只要套用、照搬美國人的中國研究的姿態持續不改的話，要中國研究者把台灣正確地編入自己的研究對象，可說是極為困難的。

　　第二個原因可想為，把台灣研究視為禁忌，把寫有關台灣的人視為台灣說客的特殊日本氛圍的存在。直到最近，日本的中國研究關係者有，選擇廣義的台灣（在本稿請以包含國府、國民黨來理解）為研究對象，或以研究者實際地訪問台灣（文革以前，受到國府的嚴格的入境限制而有妨礙了訪問的一面）包含在內，好像有什麼不利的政治性判斷（其實是只停留於形式邏輯的完全的非政治性判斷，我如是想）而有上述的特殊的氛圍被醞釀下來。

　　常聽說研究者對自己的研究對象（某種意義是對「工作」）沒有「愛」是不可能獲得好成果。這裡所說的愛，應具有何種內容，或者有什麼內容，筆者自己還未理出，但至少這個不能是「溺愛」或「癡愛」的任何一種，特別是外國研究，不管屬於何種人種、民族，那裡的人以及文化的所有是等質的，這不只在感性的階段，在理性上也應要有如此認識，我想做個確認。

　　研究者畢竟也只是人。中國有句俗語說：「見面三分情」，由於頻繁的接觸，而產生互相袒護、過於貼近的陷阱，一般廣泛地存在研究者的身邊是不用說的。也就是說研究者的內部經常並

存著批判精神與說客化的體質。

　　科學的研究者本來應具有的姿態，毋寧是自律的拒絕上述陷阱的體質，對自己內部應有的、對於對象的「愛」經常做反問，而接近具體的研究對象，讓學術研究的認識昇華，我認為這是最理想的。

　　這個暫且不談，對台灣研究視為禁忌，只業餘地做研究的人也將之視為說客（事實上也有不免被視為說客的人們）的不正常的氛圍，在過往妨礙了日本科學的台灣研究發展，是無可否定的事實。

　　戰前派的台灣研究者（特別是原台北帝國大學與台灣總督府關係者）的過世或保持沉默是招致台灣研究的停滯，可舉為第三個原因。

　　舊日本統治時代的台灣居住日本人研究者的台灣研究，不一定是深而廣的。學者或日本內地〔譯註：指把殖民地除外的日本〕多數的文人墨客，與其說是對台灣，倒不如對中國大陸更感興趣，此應是台灣的歷史與文化之淺薄使然。然而妨礙戰前的台灣史與有關台灣社會科學研究的發展，不外是台灣總督府的專制政治。當時的台灣新報社的記者今村義夫，有「政治上也相當保密地採取隱蔽主義，把（台灣）內部的真相不讓內地知曉，極力防遏的跡象過於顯著，今天誰也不否認吧」[4]如上記述，或矢內原忠雄於昭和2年（1927）到台灣做現地調查時，受到總督府當

---

4 今村義夫，《今村義夫遺稿集》，《今村義夫遺稿集刊行會，大正15年》，頁704。

局的種種妨礙事實[5]，再者《日本帝國主義下之台灣》在出版的同時，在台灣被禁止販售等可做充分的證明。

　　由總督的專制政治直接、間接地發揮鞭笞的作用。而用豐碩的財政當作飴糖來利用，台灣總督府亦不會疏忽也是事實。不必依序等文部省指派之前，雖輩分小即被許可出洋〔譯註：遊學或留學〕並獲得豐富經費的台北帝大的教官們，但其做研究的自由極度被限制的當時條件下，研究者要確立其自主的主體立場之不容易，是不難想像的。

　　受到飴與鞭管制的、沒主體性的研究關係者，要直接鞏固殖民地統治的學問基礎，迴避與合理化台灣統治有關聯，或要避過鞭，那麼台灣史與有關台灣的社會科學的研究，是不得不迴避，可說是當然的。

　　對台灣人自身（在此台灣人包含漢族系與原住民系的雙方）的生活與文化給予肯定與評價，並企圖其發掘與保存的金關丈夫博士因有其堅定的思想，所以在軍國主義專制政治橫行的第二次大戰下，極嚴苛的狀況下還能持續出版《民俗台灣》[6]不必等筆者的指點吧。即使如此，也因博士是醫學部的教授，是自然科學者有其幸運的一面，如此推測也不過分的。

　　這暫且擱下，原居住在台灣的日本人中，在歷史、社會科學領域留下成果的諸先生，例如《台灣文化誌》的伊能嘉矩、《台

---

5 請參照南原繁等編，《矢內原忠雄──信仰‧學問‧生涯》（岩波書店，昭和43年），頁95，以及《矢內原忠雄全集》（第29卷，1965年），頁59。

6 《民俗台灣》，第1卷1號（昭和16年7月10日）～第5卷1號（昭和20年1月1日停刊）計43號。

灣經濟史研究》[7]的東嘉生都在敗戰之前過世。現在還健在的諸
先生之中，民俗學研究關係者還繼續在做研究，但許多人的研究
主體已不是台灣。其餘的學者們也已退休，總之有關台灣研究保
持沉默的人占多數。

　　同是受日本帝國主義殖民地統治的朝鮮，不問其立場或左或
右，基本上已開始從戰後的空白期走出，現在「自戰前就擁有很
長研究經歷的研究者，首先需將自己置放在『審判台』上，又戰
後才開始朝鮮研究的年輕研究者，需要與沾染在日本人身上歪曲
的朝鮮觀做不斷的鬥爭」[8]的認識下進行著活潑的研究活動。與
此相較，台灣研究的空白期間（旗田教授所指之意）[9]，今後還
是被拉長，不但戰前派不把自己放置於「審判台」上，連對以往
有關台灣研究的定位[10]也沒有要做的動靜。

　　對戰前的台灣研究做批判與檢討，欲以新姿態從事台灣研究
（就是以中國研究的極小一部分也好），傾其熱情的年輕日本人
研究者的出現，看來也像是很難期待的。

　　以舊姿態未有絲毫改變，想順應新潮流的要求做妥協的半調
子的、淺薄的時事解說性的台灣研究，今後也將持續的徵兆也出
現了，老實說真是悲哀。

---

7 東嘉生，《台湾経済史研究》（東部書籍株式會社台北支店，昭和19年）。

8 旗田巍編，《專題討論會：日本與朝鮮》（勁草書房，1969年），頁223。

9 同註8書，頁223。

10 很冒昧，筆者不揣淺學菲才，第一次嘗試寫〈日本人的台灣研究──關於台灣舊慣調
　查〉（《季刊東亞》第4集，昭和43年8月）。又關於民俗學研究的回顧與展望，漢族
　的部分由岡田謙、原住民（論文為高砂族）部分由未成道男各以短文做了嘗試。發表
　於日本民族學会編，《日本民族学の回顧と展望》（昭和41年），頁328～335。

　　即使這樣說，也並非完全沒有屬於科學的台灣研究的新芽。但此芽能否長成樹幹而開花結果，今後如沒有對台灣湧出暴風般的學術關心，是相當困難，此事似乎也可預見的。以下將相當於此芽的部分，限定於現代史、教育、經濟（包含農業經濟），以各主題別嘗試做考察。

一、現代史關係

（一）向山寬夫的研究

　　新島淳良在彙集戰後的日本的廣義的台灣研究指南《現代中國入門——應該讀什麼》[11]之中所推薦為，日本人所寫的台灣歷史，幾乎是唯一的一貫性的論文〈台灣民族解放運動史〉[12]的著者向山寬夫的研究是我們要檢討的第一個課題。向山先生在上述的論文之外，1958年在《日本近代史辭典》[13]寫「征台之役」、「台灣總督府」、「台灣統治政策」、「台灣獨立運動」、「霧社事件」以及「理蕃」六項目，又1960～1961年在《亞洲歷史事典》[14]寫了「台灣總督府」、「台灣民主國」以及「二二八事

11　新島淳良、野村浩一編，《現代中国入門》（勁草書房，昭和40年），請參照頁269～281所收〈台灣問題〉的頁276。

12　向山寬夫，〈台湾民族解放運動史（Ⅰ）（Ⅱ）〉（《歷史評論》，第4卷第8號、第5卷第1號，1950年11月、1951年1月）。

13　京都大学文学部国史研究室日本近代史辭典編集委員會編，《日本近代史辭典》（東洋経済新報社，昭和33年11月初版），本稿利用1943年10月9版。

14　平凡社，《アジア歷史事典》，第6卷（1960年12月初版）、第7卷（1961年5月初版）。

件」三項目。此後其在《日本近代史辭典》的「台灣統治政策」的末尾預告刊行的《日本的台灣統治與民族運動》目前似乎未見刊行。為了調查此過程，在國會圖書館的圖書卡上能夠確認了《在台灣的日本統治與戰後內外情勢》[15]是向山先生的著作。我們將針對其所誌二書依序進行探討。

　　第一篇論文〈台灣民族解放運動史〉（Ⅰ）、（Ⅱ）發表於戰後日本台灣研究最大空白期的1950年初，因此本論文擁有先驅性的意義而願給予肯定。透過全書，如新島氏的推薦其立場一貫，再者是把日本統治時代只被看作「土匪」的抗日運動者定位為抗日游擊隊，將台灣的抗日運動在中國大陸以及世界史的關聯掌握，也是以往未曾有的。只因是歷史論文卻全文沒有一處明示資料的出處，是令人介意的地方，我期待所預告的大著的刊行（會明示資料的出處）。又因為是舊論文之故，我很想避開過多的指摘，但是梁啟超訪問台灣之際，對林獻堂以及其他的人說明民族解放的急務（字下圓點為引用者所加）[16]應是誤解吧。

　　第二個檢討對象的《日本近代史辭典》是1.台灣統治政策；2.台灣獨立運動；3.霧社事件；4.理蕃四項目。

　　在第一個項目的「台灣統治政策」向山先生說，有關日本初

---

15 山本一夫（向山寬夫），〈台湾における日本統治と戦後內外情勢〉（昭和38年12月20日）。本來向山先生在戰後的日本是有關台灣的現代史發言最積極的人，而且聽說因其有關聯的研究受九州大學授予學位，所以想提出來討論，但考慮以筆名發表深恐失禮而割愛。

該書沒有明示引用出處，雖是打字印刷的粗訂本，但廣受閱讀，結論很有問題，為了今後的研究，希望向山氏自己能把論理轉換的諸緣由說明清楚，而且我想，這是他的社會責任。

16 向山寬夫，《台湾民族解放運動史（Ⅰ）》，頁62。

期的台灣統治政策的確立過程：「最初，日本的統治政策未確
立，一說是，例如明治天皇強調基於儒教的德化政策，但因對台
灣人的激烈的武力抗日，一時的施行軍政為契機，差別主義為基
調的武斷專制的統治政策便確立」[17]的記述。明治天皇有關台灣
統治政策的發言，依我狹窄的見聞，這是第一次看到。與後面我
預定要討論的原田論文中，原田先生指出1897年6月巡視台灣的
伊東巳代治的「意見書」給「沒經驗而且混亂狀態的台灣統治以
一定的方向之點，可說盡到劃時代功能吧」[18]的指摘一併做思考
是滿有意思的。以往對初期統治政策確立過程的研究，因等於無
的狀態，所以以這些指摘為契機，而深化今後的研究是令人期望
的。

　　向山先生更對「兒玉源太郎總督與後藤新平民政長官的施政
評價為：制定《匪徒刑罰令》等殘酷的法、採用保甲制度、鴉片
政策的放漫化、由於教育的迴避而更強化差別主義」[19]並下了足
以打破以往對兒玉、後藤搭檔的台灣施政評價一般想法的新評
價。特別是對始於田文官總督（1919年就任）而繼續到敗戰時的
差別主義到同化主義的統治政策的轉換，「上記的各種措施並不
意味統治政策的本質上任何轉換，因此其基調的同化主義本質只
是伴隨時代進步，不過是多少緩和差別主義乃至表面的同化主義

---

17 《日本近代史辭典》，頁358。

18 原田勝正，〈朝鮮併合と初期の植民地経営〉（《岩波講座日本歴史18・現代[1]》，
　　1968年），頁227～228。

19 《日本近代史辭典》，頁358。

而已」[20]表示尖銳的見解。這也可從台灣人方面的發言[21]來證明。

　　第二個項目的「台灣獨立運動」，基本上是壓縮第一項論文的研究，但在本項目可看到研究的進展，有稍微詳細記述赴中國大陸的台灣人的抗日運動。

　　但是向山先生說：「寄靠在台灣革命同盟會的謝南光、丘念台、李友邦等……」[22]，但僅限於丘先生的傳記《嶺海微飆》[23]，看不出其寄靠於此會的史實。

　　在大陸的台灣人抗日運動（包含祖國復歸運動等）有關的研究是以往幾乎未開拓的領域，而近年台灣居住關係者的回顧錄雖不十分但有在刊行[24]，可期待研究的深化，並可當作資料與一種刺激吧。

　　第三項要討論的是「霧社事件」。但是以此在當時震撼了日本連世界都震撼的大事件來說，至今幾乎沒有社會科學研究的發

20　《日本近代史辞典》，頁359。

21　吳濁流，〈無花果——台湾七十年の回想〉（《中国》，第65號～第69號，1969年4～8月）。

22　《日本近代史辞典》，頁359。

23　丘念台，《嶺海微飆》（台北市：中華日報社，民國51年）。

24　丘先生的上引書以及吳濁流的前引書之外，筆者所知有：(1)蔣渭水遺集刊行委員會《蔣渭水遺集》（台北市：文化出版社，民國39年）；(2)張深切《在廣東發動的台灣革命運動史略附獄中記》（台中市：中央書局，民國36年）；(3)張深切《里程碑（1～4）》（台中市：聖工出版社，民國50年）；(4)韓石泉編《六十回憶錄》（台南市：韓石泉先生逝世三週年紀念專集編印委員會，民國55年；(5)《楊肇嘉回憶錄(1)(2)》（台北市：三民書局，民國56年）；(6)葉榮鐘編《林獻堂先生紀念集》（全3冊）（非賣品，台中市：林獻堂先生紀念集編纂委員會，民國49年）；(7)陳滿盈《虛谷詩集》（台北市：中華詩苑，民國49年）；(8)林幼春《南強詩集》（台中縣：林培英，民國53年）。以上以單行本為中心列記。又這些文獻不一定僅限於在大陸的運動，是對全面的抗日運動史研究有利用的可能。

表是相當奇怪的事情。當時的軍隊「使用飛機、毒瓦斯殲滅叛亂部落，以鎮壓之」[25]亦即使用毒瓦斯鎮壓很早就被指摘，但不知為何向山先生卻做「使用催淚彈加以猛攻」[26]的記述。接下來預定討論的山邊論文[27]也明確地記述毒瓦斯的使用。既是歷史記述，那麼正確地掌握史實是所有的研究前提，真希望他將史實弄清楚。

在最後的「理蕃」一項，向山先生有「人口在30年之間增加3成，在1941年約有16萬，對高砂族的開化有顯著的貢獻」的記述。不要僅以人口的增加為指標，如再經過所謂理蕃政策的全部過程的檢討考察而言及理蕃的成果，我想應更具說服力。在理蕃的參考文獻中，向山先生遺漏了最基本的文獻的《理蕃誌稿》[28]是令人介意的。

把霧社事件單線地以內外的革命、民族解放運動的關聯而性急地想做掌握，或從同一觀點做探討，而否定其關聯的作法像是一般的見解。筆者以為毋寧是將「理蕃事業」的過程做周密的追蹤，是霧社事件的研究大前提所必須的。

《亞洲歷史事典》的向山論文的發表，與前面所檢討的《日

---

25 平凡社，《政治学事典》（本稿所參照為昭和43年第17版），頁1317。未註明執筆者。

26 《日本近代史辞典》，頁588。

27 山辺健太郎，〈日本帝国主義と植民地〉（《岩波講座日本歴史19・現代[2]》，1963年），頁238。

28 (1)台灣總督府警察本署《理蕃誌稿》（大正7年）。又本書分為第1與第2編；(2)台灣總督府警務局《理蕃誌稿》（第3編，大正10年）；(3)同警務局《理蕃誌稿》（昭和7年。又本書是第4編）；(4)同警務局《理蕃誌稿》（第5編，昭和13年）共計4冊。本書為當局方所刊行的，但我認為是研究理蕃的重要基本資料之一。

本近代史辭典》諸項目之間有約二至三年的時間差距。時間差距
自身並非問題，只是此期間正是所謂自由主義陣營的興論，兩個
中國論甚囂塵上，又遇上「台灣青年社」所發行的《台灣青年》
的創刊號（1960年4月10日）的發刊時機。

　　向山先生是否受到這些機遇的影響，與筆者無關，但是新島
淳良所推薦為唯一的有一貫性的論文，其實只是論文一篇有一貫
性，從下面要舉出做檢討的論文，可看出向山先生的立場與理論
開始不一貫。要做解明之前，我們要指出在《亞洲歷史事典》的
「台灣總督府」，其所舉的參考文獻在質與量上都不是前述之
比。特別是在台灣刊行的中文文獻第一次出現，是值得注目的。

　　記述的重點與前述諸論文沒有什麼大的差異，但是結論的對
日本的台灣統治評價是「如此日本的台灣統治始終是典型的專制
統治，不管其顯著的經濟發展，主要由於領有當初的武裝抗日之
故，台灣人政治地位的惡劣是其特徵。但是跨半世紀的日本施
政，台灣人所受影響是莫大的，以致成為中國回歸後，台灣人不
能融合於中國統治的理由之一」（旁點為引用者所加）。[29]

　　雖只是數行的短文，但蘊藏著相當重要的問題，如以下所述：
　　1. 首先對向山先生所下評價前提的日本的台灣統治始終是典
型的專制政治，但有顯著經濟發展的達成。就這點首先來做檢討。

　　在日本統治時期，台灣經濟有了發展，是由著名的抗日運動
家謝南光，早在1943年預見日本敗戰時所承認的[30]。問題是此發

29 《アジア歷史事典》，第6卷，頁80。
30 參照台灣革命同盟會主編，《台灣問題言論集》（第1集）（重慶：國際問題研究
　　所，民國32年）所收〈台灣問題言論集第1集・序文〉，頁7。

展是在何種條件之下達成、為誰達成，應給予正確定位的必要。謝氏說：「這一切的進步，完全是日本帝國主義下殖民地的進步，是從屬化（奴化）政策下畸型的發展，絕不是自由、民主、獨立的進步」[31]其做了強力的指摘。是為誰的經濟發展筆者不必在此畫蛇添足吧。

　　近年到處在議論使台灣經濟高度發展成為可能的論據之一是日本的殖民地遺產，正因此經濟發展從字面了解，容易迷失殖民地統治的歷史意義，故特地提出來討論，我當然不願以向山先生做那樣膚淺的理解去看，不知各位有何感想。

　　2. 台灣人政治地位的惡劣，主要是由於領有當初的武力抗日的向山先生意見，如能想起前面向山先生所做有關將敗戰前的同化政策，也不過基本上是差別主義的延長而已，便可看出向山先生的論理的轉換雖是緩慢但進行著。迷失殖民地統治的危險大概自此開始出現。如果用挑剔的說法，上記的邏輯結論是，日本的占領當初如果沒有台灣人的武力抗日，那麼台灣人的政治地位似乎有被提升或被賦予的可能性。就史實上觀察的範圍內，殖民地統治、異民族統治沒有容許那種可能性的例子出現，才是事實。從而向山先生的邏輯不僅過於平板而且是天真吧。希望能受有識之士的指正。

　　3. 對向山先生評價的最後是「長達半世紀的日本的施政，台灣人所受影響之大，以至回歸中國之後，成為台灣人不能融合中國統治理由之一」的記述，但20世紀後半的現在，世界的所有民

---

31 台灣革命同盟會主編，頁70。

眾所抱持的政治願望絕不是接受統治或融合於統治。台灣民眾也
不例外，所希求的不必明說是政治的直接參加（那是否充分達成
是另外的問題）。現在台灣的政治狀況，我不否認事實上有人主
張台灣人受中國的統治（以「異民族」統治來感受），但我要在
這裡指出，也有人認為不是受中國的統治，而是國民黨政權（政
黨性格的議論是別的層次的問題）在統治台灣。我們也要對向山
先生自己所說（筆者代為詳述如下）台灣所受長達半世紀的日本
統治影響甚大，這成為在台灣政治緊張的理由之一。這個事實對
做為社會科學家的向山先生而言，要請教其如何理解。如尾崎秀
樹[32]般，以此當作日本人的責任問題，或日本人的反省課題，而
首先不理解為自己的問題的話，便無法超越如矢內原忠雄的《日
本帝國主義下之台灣》的台灣研究，自日本人研究者中出現，此
說並不為過吧。

　　做為活在同時代的社會科學家經歷不幸的殖民地體驗（從民
眾的立場來說卻是統治、被統治的雙方，但都是不幸的體驗），
將此經驗在各自的歷史之中做正確的定位、邏輯化（因以殖民地
統治期間的歷史為研究對象所以特別需要）到今天為止，更對明
天的歷史做補償，肩負起普遍的社會責任，恕筆者無忌憚地說，
戰後日本的台灣研究不振的最大理由，與其說是前舉的三點，其
實是上述認識的欠缺才是問題所在，或許可做這樣的理解。

　　以上我們或許會被誤解問題的提法過於執著在用語上，然而
從事社會科學研究的所有人都會承認用語是非常重要的。很遺

---

32 尾崎秀樹，《近代文学の傷痕》（勁草書房，昭和38年）的動機，筆者如此解讀。如
　果有解讀錯我願意受批評。

憾的是，關於《亞洲歷史事典》我們最後要提出的「二二八事件」，也不得不從指出用語使用上的矛盾開始。

　　向山先生在「回歸中國約一年半後，在台灣發生的反中國暴動……那殘暴的鎮壓，把台灣人和一般中國人之間的鴻溝日益加深……」[33]的記述之中，我們感到用語矛盾的地方是：回歸中國，那麼邏輯的展開是反政府暴動，也不會是反中國暴動，如果反過來要固執在反中國暴動用語的話，就不會是回歸中國，此不待言。這個用語的矛盾可見向山先生自己也未意識到，因此更擴大到「台灣人與一般中國人之間的鴻溝……」如果是回歸中國的話，就應該是台灣本地中國人或先住中國人，或應有台灣系中國人的表現，但之後的一般中國人的用語在使用上的混亂，就不知怎樣說才好。

　　所提出本項目末尾向山先生所舉三個文獻，筆者以為不可能構組出上述混亂的理論，這暫且不談，其在所舉的文獻中有相當多看漏的地方，為了參考也附記於此。

（二）原田勝正的研究

　　原田先生的研究，依其論文的結構[34]即可知台灣不是其直接的對象，只是朝鮮研究的關聯探討而已。原田先生的本論文的業

33　《アジア歴史事典》，第7卷，頁257。

34　原田論文在「朝鮮併吞與初期的殖民地經營」主題之下，組成：(1)朝鮮併吞的過程；(2)殖民地統治的實際情況；(3)南滿洲的進入。台灣有關部分在其第(2)項以「台灣統治」論及。

績可想的是發掘伊東巳代治的意見書，以及將該意見書與後藤新平此後的諸施政關聯起來嘗試解明之點吧。前面也提到，在台灣初期的統治政策的形成過程，以往欠缺綿密的分析。因此原田先生的嘗試也不能說是有思路清晰的結果。今後我們應以原田論文為一種啟發來接納，有需要將上記的課題做進一步深化的研究。

（三）山邊健太郎的研究

眾所周知，山邊健太郎是著名的朝鮮研究家。山邊先生的論文不像原田先生論文以朝鮮為主題的關聯上去掌握台灣的方法，而是將日本帝國主義與殖民地的關係從經濟、政治、軍事三個側面上，將台灣、朝鮮各給以定位，一方嘗試台灣與朝鮮的比較研究。從這樣的觀點做研究，在筆者所知範圍內，還是第一次。

在「殖民地統治」項，山邊先生的分析之中，我們認為最傑出的是：第一，《日本帝國主義下之台灣》被視為聖經的一般風潮之下，做了矢內原說的批判；第二，發掘了美國著名的中國通埃德加・斯諾的台灣紀行文（但是山邊先生未將其資料來源以完全的型態明示是遺憾的）；第三，一般對日本台灣統治的特殊性（多以成功的事例提示）都以迎合日本之方便的一面來強調者居多，而山邊先生是從殖民地統治的世界史法則或傾向之中嘗試掌握探討台灣統治的方法[35]等諸點。特別是第二與第三的關聯上將前面向山先生給予高評價的「理蕃政策」，斷定為完全相反的世

---

35 山辺健太郎，頁209。

界共通的原住民滅絕政策。

　　我們所期待的研究應有的狀態，當然不是性急地下斷定，更不是將具體的事實只看其某斷面，而更不是以形式邏輯、接納僅止於事物表面認識的型態。

　　從極度被限制研究自由的狀況到被解放將近四分之一世紀的今天，我們所應採取的研究姿勢，是把所有埋沒的（包含被隱藏的）資料發掘出來做整理，再加以仔細的考證，站立在不動搖的基礎上與世界史（一般性）的關聯來定位台灣的特殊性，並在這些關照之下，把日本的台灣統治歷史加以體系化整理並寫成文字，我們期待這樣做。

　　經過這種種手續寫出來的歷史，才能從自我吹噓或自卑、自嘲，或者是誇張、虛偽、歪曲中走出，朝向更自由的史觀。構築該時期正確的台灣形象始有可能。

　　在山邊先生的「殖民地經濟」之項，我們想要提出的問題是，與前面的「殖民地統治」項目的關聯，有關台灣民族資本家的形成的問題。其說朝鮮沒有民族資本家，而台灣有像林本源家的民族資本家。這實是影響朝鮮與台灣統治型態。[36]此看法基本上是正確。然而又說台灣「舊統治機構與舊統治者都不存在。因此從統治上日本沒有利用舊統治者的必要。再者，台灣的有勢力者，在日本領有（台灣）後也心嚮往著中國。只有日本的台灣領有後出現的辜顯榮、許丙等一夥與日本統治合作」[37]的邏輯是過於性急，也是我們難以同意的。誠然台灣與朝鮮不同，不是整

---

36 請參照山辺健太郎，頁209～218。

37 山辺健太郎，頁209。

個國家被殖民地化，而是一個邊境孤島在被分割狀態中，被殖民地化，因此要把舊統治機構做為問題來討論的時候，必須要有相當的條件設定。但是民族資本家的生成與發展既有其自身歷史的話，那麼排除了資本家形成過程的邏輯不免有思路不連貫之處，從而呈現統治者完全不存在的真空的台灣。山邊先生暗中加以批評的表面、淺薄認識的陷阱（因篇幅的關係或許被割愛了），其實未免讓人覺得其自陷其中之感。

台灣當時的民族資本家，正是在台灣地主制成立、發展之中被形成的，且該地主制不外是從對岸（福建、廣東）的激烈階層分解中被析出，在流入台灣成為流亡農民時，於開拓處女地的過程中所形成。

僅限於站在社會經濟史學的立場做考察，以往的「化外之地、瘴癘之地」是錯誤的台灣觀，「三年一小亂、五年一大亂」、「分類械鬥」的頻發，正是因距離中央政權有相當自由的天地之故的農民運動，應以地緣或血緣的共同體間的社會摩擦的顯現（希望從社會經濟史學觀點賦予更進一步的意義）被理解的。

台灣地主制是移民之中的有勢力者階層或對岸出身的豪族積極地引入，並利用流亡農民，籠絡被中央（政府）派來的腐敗官僚的一方，一邊驅使對岸流入的農業勞動者將原住民趕上山地，一邊達成農業發展的過程中，始具其形成的確立。山邊先生所舉的林本源家正是驅使鴉片戰爭前後，因對岸農村階層分解的激烈化，而流入（或被接納）北台灣的農業勞動者，從事北台灣的未開發山地的樟腦生產，與主要以對美輸出烏龍茶的栽植生產、同

地域的「蕃產」、煤炭的搬出販賣，後來是以開田生產稻米等而坐大的典型事例[38]。山邊先生貫通全文將台灣的民族資本家放在中心的位子，雖有提到朝鮮的土地制度，卻把最重要的台灣土地制度從其觀點上遺漏（那怕只是一句也希望他提一下）。因此占領初期屈從於以「紳章」[39]授與與「揚文會」[40]籠絡有力地主層的部分，或在土地調查事業的過程中，獲得利益的部分（對異民族統治的反抗與因中華思想而導致視日本人為夷狄者，也當然存在，但總督府權力在某方面是可變成以往不斷受農民造反威脅的地主層的守護神，我們也應該有知道的必要）地主層的存在也看漏了。

　　在台灣的民族運動不能超越改良主義的、自治運動的範圍不是如山邊先生所說：「台灣的民族資本家不像朝鮮的民族主義者，少露破綻」[41]，而是台灣地主層的存在相當廣泛，這些地主層也可從殖民地台灣農業的發展，透過高額佃租獲得一定的分配，只要這些做為中間階層者的活力持續著，就不會採取如朝鮮兩極端分解結果的運動型態，毋寧是當然的。台灣的地主層扯了

---

38 有關漢族初期的台灣開拓請參照拙著《中國甘蔗糖業之發展》（アジア經濟研究所，1967年）的第4章；有關清末台灣的經濟，請參照拙著〈晚清期台灣的社會經濟〉（《日本法とアジア》，仁井田陞博士追悼論文集第3卷，1967年夏脫稿，勁草書房1970年所收）；又有關林本源家與北部台灣的開發，請參照《台灣風物》第17卷第5期（1967年10月）所收〈板橋鎮鄉土史座談會紀錄〉與同誌第18卷第4期（1968年8月）所收之〈桃園縣大溪鎮鄉土史座談會紀錄〉。

39 「紳章之制」與紳章的授與者、褫奪者的內容，詳台灣総督府，《台灣列紳伝》（大正5年）。

40 鶴見祐輔，《後藤新平傳》（第2卷）（勁草書房，1965年），頁378～384。

41 山辺健太郎，頁246。

台灣左翼運動的後腿，筆者認為這才是山邊先生所謂「台灣運動的不振」[42]之最大原因。

　　林獻堂、蔡培火、林呈祿、楊肇嘉等右派運動家所採取的行動軌跡，明確地給了我們提示（被高額佃租所保障的地主層展開了政治參與與待遇平等等的要求運動，是應以別的形式做討論的問題吧）。因篇幅的關係可惜不能詳論，留待別的機會來討論。

（四）ねず・まさし的研究

　　「成長於台灣，戰前研究考古學與維新史，敗戰後開始研究天皇體制與現代史，因歷史學界不把現代史以學問看待，所以正在為其學問的確立做努力」[43]，ねず・まさし被介紹如上。ねず先生，在其著《日本現代史I》的序言，把「現代」規定為「大正7年的米騷動＊，到太平洋戰爭的結果被聯合國軍占領，然後大致因昭和27年的講和條約而被解除的35年之間，我想這樣劃定」[44]他如此說。

　　其著作的第二特徵是「將統治台灣、朝鮮的兩個大問題，站在被統治者的立場，以貫穿現代史粗大的線條做了描繪」之後更說：「日本帝國主義領有台灣、朝鮮的同時，如果沒有剝削中國

42　山辺健太郎，頁246。

43　ねず・まさし《日本現代史1》（三一書房，1966年），摘譯自封面裡頁的著者介紹。

＊　亦稱米爆動，因米價暴漲而引起的日本史上第一次群眾大規模暴動。此暴動重重打擊了天皇制反動統治，導致寺內正毅內閣下台。

44　ねず・まさし，《日本現代史1》，頁3。

人民的話，不能變成強大，因此致力於解明殖民地統治與日俄戰
爭以後的大陸經營實際情況，同時為了詳述在殖民地以及中國等
諸民族的獨立運動或抵抗，使用了比其他書更多的頁數。」[45]以
上是要理解ねず先生處理台灣所謂接近台灣的姿態必要部分。

由此也可窺知ねず先生是明確地從台灣這方，去掌握日本帝
國主義的問題意識而嘗試台灣研究。這樣的觀點是以往所沒有的
新鮮的東西，毋需由筆者來指出。

現在還在續刊中，但我們在本稿所要提出來討論的，是限定
於集中地涉及台灣的第一、第三兩冊有關台灣的部分。

第一冊的第10章是我們的第一個對象，那主題是「在台灣升
起的獨立的烽火」。

首先對ねず先生嘗試龐大的通史，一邊發掘利用了過去被埋
沒的資料，我們表示讚歎之意。有關西來庵事件800人的死刑判
決，武者小路實篤在《白樺》雜誌上曾寫下抗議的史實[46]，細田
民樹在「理蕃」事業過程中，軍隊對「蕃人」狠毒的行為，將之
採納入小說中寫實地描寫[47]、發掘出來，也是向世界明示，在不
幸的歷史過程中，也是有良知的日本人知識分子的榮譽的行動。
對此感到有重大的意義的，應該不只筆者一人吧。

以往在霧社事件蜂起的「生蕃」把「本島人」除外，只殺了
日本人的事例，喜歡拿來主張、注目之說法，對此ねず先生重新
把發生於霧社事件之前，早24年的明治39年時，發生在台東賀田

---

45 同上，頁5。

46 同上，頁17。

47 同上，頁185。

農場的襲擊事件事例提示如下：

> 39年7月末，附近山地蕃突然大舉來襲，巡查、職員等27人被
> 殺、16人被俘虜。但是本島人與平地蕃沒有一人受害。此事件
> 並非單純的是以食物與樟腦的掠奪為目的的襲擊。又從武器彈
> 藥被搶來看，可說是對日本人的襲擊，把本島人看作與自己同
> 樣受日本人壓迫的同伴的證據。[48]

做積極的評價。如果這是佐久間總督大討伐的直接動機來考慮的
話，霧社事件絕不是可當作偶發事件來簡單做了結是很明確的。

　　再者，做為全文的基調，把所有抗日運動以「獨立運動」來
處理是有問題吧。而且在用語的使用上也希望能更細緻。既然是
史書，那麼史實的誤記是極必要避免的。僅限於本書而言，ねず
先生的誤記，是台灣研究整體的落後應負更多的責任。

　　為了慎重起見，把可想作誤記的部分列記如下：1. 把保甲與
本島人警官以同義語在使用之處（頁171）。2.「把有錢的辜顯
榮當使者（頁175）……」，當時的辜並不富裕。3. 把保甲有時
當制度，有時換算成人數（頁180）的混亂。

　　下面要提出討論的是第三冊的第32章「對殖民地的讓步之
2，台灣」[49]。

　　在本書ねず先生把總督府的上級人事的決定，與日本中央政
界的關聯掌握做解明之處令人深感興趣。過去台灣研究在某種意

---

48 同上，頁184。

49 ねず・まさし，《日本現代史3》（三一書房，1967年），頁173～187。

義上多欠缺對統治主體的結構分析——日本中央政界與台灣總督府，糖業資本與中央政界與台灣總督府關係的追蹤與分析，應能對台灣統治的實際狀態更明白，但未被嘗試過。

　　在本項目，使人想起因為台灣研究普遍的低迷與落後不但不能對寫通史者有所貢獻，更有扯其後腿的事端。例如ねず先生對林獻堂評價的大轉換（《日本現代史1》對林獻堂的評價是愛國的民族主義者，能在台灣解放史上永久閃耀。而對其【參照頁187】在《日本現代史3》說「受總督府以親日家信任，步上飛黃騰達之路」【頁184】，「以其對民族的奉獻，不如說是討好日本人，以及做自己的宣傳更為重要」【頁185】的人物看待）是最典型的例子吧。

　　當然ねず先生輕信特定個人的論文或採訪，性急地改變了評價的態度也有問題，對林獻堂的評價應更慎重，對台灣整個抗日運動的總過程應須大致做追溯，然後區分階段給以定位、做考察加以評價才對吧。例如ねず先生所評價為「真的運動家」[50]的林呈祿在將敗戰之前所採取的一連串的行動——積極地改姓名為林貞六、就任皇民化運動總本部的「皇民奉公會」的生活部長[51]——等，如果知道了，是否會改變對林呈祿的評價？筆者是不希望其改變。毋寧是「真的運動家」林呈祿在哪個階段才是真的，期盼能在具體的歷史過程予以正確的定位。當然對不以台灣為專門的ねず先生做如此的期待，是苛刻的，但鑰匙是在於ねず

50　同上，頁184～185。

51　參照鷲巢敦哉，《台湾保甲皇民化読本》（昭和16年11月第3訂正增補第3版），頁
　　391。

先生的資料操作方法，以及對情報提供者所提供的情報處理姿態才是問題吧。

最後必須舉出ねず先生對資料的誤讀與對史實的誤記三點：

第一，佐藤春夫所訪問的不是林熊徵（佐藤先生也寫是同一人，但佐藤先生在同文的作者附記說「事多據實，但因是十年前之記憶，加上文以虛實參半，切望不因拙文累及於任何人」[52]的記述是非常富於啟發的），而正是林獻堂其人。地名的阿罩霧，文中的台灣共和國的大統領云云[53]，ねず先生所引用的談話，主角的家族關係等文章的前後關係從所有側面來看，是林獻堂其人，而不可能是林熊徵。佐藤春夫前記富於暗示的附記是可印證的。

第二，史實錯誤的第一點，是泉風浪的《台灣的民族運動》〔《台湾の民族運動》〕，ねず先生認為有被刪除的地方[54]，據筆者之調查是沒有刪除。或可想為ねず先生所利用版本的特殊情況之故。

第三，至於金關丈夫的《胡人的氣味》〔《胡人の匂ひ》〕禁止發行的敘述，我想是因戰爭末期（昭和18年出版，台灣）日本國內不能進貨（或進貨數量少）的風聞所致的誤記。筆者沒有禁止發行的記憶，而且我也請教了金關先生本人，得到並沒有禁止發行這回事。我沒有半點吹毛求疵之意，只是因為是史書希望記載正確，故敢於提出。

---

52 佐藤春夫，《霧社》（昭森社，昭和11年），頁250。

53 同上，187頁。

54 ねず・まさし《日本現代史3》，頁186。

（五）新田隆信的「台灣民主國」研究

知道「台灣民主國」的日本人不多。中國研究者之中知道的也絕不多。台灣民主國的存在毋寧是在其所發行的郵票為高價的珍品，所以受世界的郵票收集家相當關注而聞名[55]。

這暫且不說，台灣民主國是因《馬關條約》的締結，日本占領台灣正式決定，因此為了避開日本的統治，做為自衛策略從台灣內部發出宣言書，訂年號為永清，刻國印、製國旗，仿法國的共和制所建立的「國家」。這個「國家」受日本軍的侵攻台灣與武力的鎮壓，來不及接受國際上的承認即從歷史上消滅，也是亞洲的第一個共和制國家。

如新田先生在其論文的題目「台灣民主國的成立與其法律地位」[56]所表示，以其從歷史的觀點，更是從國際公法的立場在論述其法律地位。

過去在日本幾乎未被慎重提出來研究，本論文所代表的先驅性意義極大。在後文也會提起我們並非對其見解全面贊成，但他說「台灣民主國」做為獨立國家的法律地位很難認同，可是比菲律賓的艾吉納多（Emilio Aguinaldo）的菲島《獨立宣言》（1898年），《台灣民主國〔獨立〕宣言》早三年八個月，比孫文的中華民國的建設，在宣明共和政體這點實先走了17年的事實做了強

---

55 參照戶水昇，《一官吏の生活から》（大正13年）頁93～101所收的〈民主国の郵政〉。

56 新田隆信，〈台湾民主国の成立とその法的地位〉（《富山大学紀要経済学部編集》，第10號，昭和31年6月）。

調是很貴重的。那意義先生以「推戴唐景崧為總統的台灣民主國的一時的出現，是給對民主主義的政治理想很難適應的中國亞洲傳統，一個劃時代的先例，給老大國在帝制末期的矛盾所混迷的清朝統治下的中國的前途，一個劃時代的警鐘」[57]的論說，我完全有同感。

　　過去有關台灣民主國的形成過程的研究，多是集中地言及在建國運動各指導者的行動與發言。對於這些所言及的重要性我並不吝於給予認同，但是各指導者背後的政治、經濟諸關係（包括人脈的關聯）不一定是以明確的狀態被言及，故有深深的「隔靴搔癢」之感。支撐「台灣民主國」的台灣社會、經濟諸條件與圍繞運動當時的台灣內部諸勢力有關的研究，幾乎不在其視角之內，而留下了問題。台灣的洋務運動以及所關聯的清末台灣的社會經濟狀態的研究，令人期待理由也在此吧。

　　李鴻章所代表的「北洋閥」與張之洞的「南洋閥」以及維新改良派（後來成為戊戌變法運動中心的康有為等）的關係也還未被究明，只圖式的強調台民民主主義[58]或「從本土赴任的文武官與台民紳士之間，其意識有顯著的逕庭，對獨立的決心也完全不同」[59]，徒然地過度主張本土派遣官吏與台民紳士之矛盾的存在也非妥當吧。因為當時的台民有力豪紳，多數是在對岸與台灣雙方都擁有住家才是史實，例如有力關係者的林維源、丘逢甲、林朝棟的任何一個都是如此。又以新田先生的邏輯後來本土派遣武

57　同上，頁1。

58　同上，頁12。

59　向山寬夫，《台湾民族解放運動史（Ⅰ）》。

官的劉永福等在南部做頑強的抗戰就不知如何說明了。「以偏概全」的危險不小也在此指出。這「以偏概全」與對「台灣民主國」成立過程的具體史實研究不足，同時禍及於新田先生的「結語」，一讀即可明白吧。

「台灣民主國」研究不只是做為中國史一部分的台灣史研究必須的課題，中國革命史，特別是維新改良派思想史的研究——例如避難於大陸的丘逢甲或陳季同等之後的動靜之研究，一部分的接近是有可能的——又對於洋務運動全面研究的發展也是不可或缺的專有名詞。這樣想不知如何，想聽聽專家的高見。

（六）其他

我們對現代史關係好像給了過多的篇幅。最後是在戰後的日本包含歷史關係，刊行台灣特集的《民族學研究》（第18卷第1、2號）與《中國》（第19號）在此也簡單地提及。

《民族學研究》的歷史研究論文只有〈上古的台灣〉〔〈上代の台湾〉〕與〈台灣史概要（近代）〉〔〈台湾史概要（近代）〉〕兩篇。第一篇論文[60]是在本稿的論述對象之外，所以只提出第二篇論文為討論的對象。

執筆者的中村孝志教授是目前還在研究台灣近世、近代史的少數戰前以來的台灣研究者。眾所周知，中村先生是從荷蘭方面的資料來究明台灣史為其拿手的方法。此論文雖篇幅較短，但可

---

60 中村孝志，〈台湾史概要（近代）〉（《民族学研究》，第18卷1、2號，昭和29年3月），頁113～122。

評價為16世紀以降的台灣通史較有條理的一篇。

　　特別是鴉片戰爭以降圍繞台灣的國際諸勢力的動靜，所論相當詳細，教人獲益良多。又打破以往戰前在日本將台灣的抗日運動僅以土匪看待的一般看法。姑且以抗日游擊隊做掌握之點，與前述向山論文的執筆時期接近，可看作先驅性的論文。然而「三年一小亂、五年一大亂」或「分類械鬥」的掌握法，以筆者前述觀點來看是不充分的。又對劉銘傳的資本主義諸措施也與以往的一般看法沒有多少差別，欠缺以洋務運動的一環來掌握的視點，是令人覺得可惜的。

　　不管如何，中村先生一邊採取實證主義，但猶以社會經濟史學的視點掌握台灣史的姿態是我們可認同之處。中村先生說：「在台灣的日本統治50年的歷史的功過究竟如何，對此公平正當的評價、解答，有待今後的究明……需讓給別的機會。」[61]所說的別的機會，望能早日把握，期待高論的公開刊行的，該不是筆者一人吧！

　　《中國》的〈台灣小史〉[62]是無署名的論文，但為一篇有條理、系統的台灣通史。要知道台灣史的概要可說是方便的小論文。又同誌所登載「八一五以後的台灣──徵詢中國人留學生」座談會的報導與目前在同誌譯載中的吳濁流〈無花果──台灣七十年的回想〉[63]都是欲知主張台灣獨立的台灣人以外其他人的感覺，或對日本的台灣統治感受的好資料，亦附言於此。

61　同上，頁122。

62　竹內好編，《中国》（中国の会發行，第19號，1964年6月），頁21～29。

63　竹內好編，《中国》（德間書店發行，第65～69號，1969年4～8月號）。

二、教育關係

（一）關於殖民地教育的研究

我們首先所要介紹、檢討的對象是小澤有作與土屋忠雄所共同執筆的〈殖民地的教育〉〔〈植民地の教育〉〕[64]。

小澤先生首先指出：「帝國主義諸國占領殖民地，對殖民地諸民族施行殖民地主義教育，透過此思想操作，企圖造成諸民族的隸屬是世界教育史上無可辯駁的事實。」接著說：「做為帝國主義國的日本也不例外。」[65]

其更把日本殖民地教育政策斷定為「一言以蔽之，是『同化──皇民化』政策吧。」然後將其基本特質的內容整理為：

第一，日本語教授的強制；第二，注入日本的歷史、文化、生活方式，亦即抹殺民族文化，一邊培養「日本臣民」化的精神奴隸，他方；第三，教導初步的近代生產技術（以農業為主），以貢獻殖民地經營，一邊施行露骨的政治隸屬、經濟的榨取，但又無法徹底，卻想以「一視同仁」的糯米紙去包裝，外表上與英國的殖民地統治的方法不同。[66]

以上的整理或可得到被統治民族方的共鳴。然而從台灣（目

---

64 《岩波講座・現代教育学5・日本近代教育史》（岩波書店），頁336～361。
65 《日本近代教育史》，頁336。
66 同上，頁336～337。

前筆者對朝鮮未有研究，故沒有發言的立場）統治政策的全過程
去看的話，在同化——皇民化的圖式之前必須附加蔑視化吧。在
統治方針採納同化政策（1919年）以前，就連板垣退助等所發起
而設立的「同化會」（1914年12月20日成立大會，次年2月25日
即被解散）也有受鎮壓的史實。

　　如土屋先生所闡明，在台灣統治初期的「國語」教育，或
「國語」政策，不能看成是「皇民化」政策，土屋先生所指出：

> 台灣領有的目的，以極端的說法，就是在於獲得其土地與生產
> 物以及勞動力而已，也就是說，在那裡生活的人民不反抗統
> 治，遵照日本政府的企圖，只要提供土地、農產物、礦產物即
> 可，以權力的壓制，把台灣變成寶島為目的。只要有寶島之實
> 際收益，不影響統治體制之限度內，台灣人可以是台灣人。日
> 本人與台灣人——統治者與被統治者——之間劃開一線，才可
> 期待其成果。[67]

　　劃開一線在殖民地統治的意義，與非劃開一線不可的狀況，
劃法的具體事實的追蹤做為今後研究的課題，或許值得檢討。

　　這暫且擱下，前面所提出殖民地統治時期有關研究的缺點，
與其是以具體的事實的追蹤做為基礎的抽象化，毋寧是常內含其
缺失而不懷疑的單純化、圖式化之弊在關於教育的研究也可看到
是遺憾的。此弊又因偏重從統治方或從制度層面的研究，而欠缺

---

67 同上，頁342。

從被統治者方或從被統治者方所處的狀態的關聯去掌握而被加重。

以政策研究為理由停留在上述的研究姿態當然不對，政策是必然要有實施對象的政策，政策的立案者是當然。至於推進、施行者，對政策對象的考慮被要求周到可說是極為當然的吧。施政者是否充分響應、接受此要求是另當別論，我們的研究，不僅從政策方的研究，也要從政策實施的客體方做研究，否則不能獲得十分的成果亦為理所當然之事。

如有上述姿態的話，土屋先生「在台灣的『皇民化』政策的展開非緊急的理由是，因前述的領台政策（請參照註67）同時，台灣雖在日本領土的最南端，但沒有國防上受威脅，也沒有據此為基地而對外惹是非的國家性、國際性環境之故。這點情況是與朝鮮有顯著的不同，政府能夠抱極其安逸的感覺投入台灣的經營。」[68]也就可避免處在平面論理的結構。

屬於同一人種、同一漢字文化圈、統治民族的日本知識分子階層猶對中華文化抱持敬畏感，而被統治民族內部所蔓延的根深柢固的中華思想——最初具體的表現是把日本人以「蠻仔」後來以「狗仔」蔑視——更加在農業生產力上沒有什麼差異——表現在被台灣地主制的存在所支撐的民族資本階級——的存在關聯上，統治國日本猶受資本不足的困擾，猶不具備帝國主義的實質，僅是型態與意識形態上的帝國主義[69]的情況下，從統治初期即實施「皇民化」或「同化」政策是難以辦到，可看作是不可能

---

68 同上，頁343。

69 矢內原忠雄，《帝國主義下の台灣》，頁12～13。

才比較正確吧。在「紳章」制度、「揚文會」可看到對士紳階層的籠絡政策，再者對本地資產階級的資金的向糖業資本積極參加勸誘不能不強力遂行的諸情況，可做為印證。

史實提示我們，在對士紳階層的籠絡、懷柔具體的進行過程，同時產生買辦階層與民族主義階層的分解。此後日本帝國主義的台灣統治其力量的蓄積與強大化，並且從本地資本階層析出育成買辦階層的一定成果，而必然地進入蔑視化的階段，是筆者的看法。

此期間，筆者大致看作是林本源製糖株式會社創立的1909年至田文官總督就任的1919年（事實的進行當然不如上記的可機械性的區分期間那麼單純）。該期間的統治方針是從懷柔，到不斷地強調日本大和民族的優秀性、「清國奴」民族的劣等性與透過「經濟開發」的實績，進入台灣人的深層心理的滲透政策，再徐徐轉換成誇示與宣揚的強化方式。因此連自由民權運動者板垣退助所主張的「同化」，對當時的總督府當局來說也是頭痛的主張。「優秀民族」與「劣等民族」的平等化是不能接受的邏輯，不用說是當時的統治政策邏輯的當然結果。

在此筆者又欲指出一點來喚起注目，即有關日本帝國主義在台灣包含教育在內的統治政策的實踐，應以國際的、世界史的視野，或與國際諸帝國主義在其各個殖民地統治諸施策的比較研究，更將之關聯起來研究當然是重要，但是如果欠缺被統治民族在被殖民地化之前的階段的政治、社會、經濟狀態的分析，是進行該研究所不能容許的。無文字的生活、極端的低生產力與只有氏族、部族階段的社會組織的諸民族為對象的殖民地統治，與如

台灣所處的階段，很可能有只做單純類推化的研究者存在，所以我特地叮嚀一聲。

第二個的檢討對象是新島淳良的〈台灣的教育——其歷史與現狀——〉[70]之中的「歷史」部分。

新島先生在這類論文是非常稀奇地在其序文吐露了心情：

> 奇妙的是，儘管我與大陸的中國人幾乎沒有過個人的接觸，還比台灣人有親近感。那恐怕是在我的心中有拒絕了解台灣人的心情，而對大陸的中國人有想知道的心情，過去也在無意中在讀書與找資料時做了選擇。明確地說，不想知道所以不知道，因不知道所以不能寫。不想知道就是，在內心深處，有不想碰觸日本人之罪的心情之故吧。[71]

不想知道台灣的原因不是從「事大主義」而來，而是「告白」令人有好感，但因「有不想碰觸日本人之罪的心情……」云云之辯與一般的想法——一般地說日本人對中國大陸有贖罪意識，但對台灣是沒有這種意識的人比較多[72]——不同令人感到奇異。因為從新島先生過去的種種言論來揣測，感覺他對中國大陸也抱有很

---

70 新島淳良，〈台湾における教育——その歴史と現状——〉（国民教育研究所編《世界と教育Ⅱ》，同研究所論稿6，1963年9月），頁95〜101。

71 新島淳良，〈台湾における教育〉，頁95。

72 不只筆者，可想是台灣人的周望曉也說：「戰後的戰爭責任論證喚起有良心的日本人對中國的責任與反省，肯定是一個進步，但如果不是我的誤解的話，對台灣人與朝鮮人的責任感與反省，意識是極稀薄，那口中所講的中國人概念有包含台灣人，但僅限於極少數的人，這印象是避免不了的。」他如此指出。〈一台湾人の立場から〉（《世界》，昭和37年2月號），頁219。

深的罪惡意識的筆者來說，上述邏輯的整合性是有相當的疑問。

這暫且放一邊，與一般不同的掌握法也出現在掌握中日問題以台灣問題為樞紐的姿態之上，其「台灣問題」邏輯的展開是：

> 並非《舊金山和約》時，接受搭配《日華和約》而發生的。實在是1895年，日本占領台灣以來的，日本在台灣所採取的政策與台灣人對此抵抗所發生的種種矛盾絲毫未曾解決，到今天更加擴大，糾結到無可奈何的狀態[73]。

新島先生的這個邏輯與林凡明、何敏兩位先生在〈日本人對台灣錯誤的認識〉[74]所展開的邏輯，筆者認為好像有幾點交叉的可能性，即使如此這種議論幾乎不在民眾自主的、主體層次下被議論，才是問題。這種狀態為何持續著，如不能解明的話，筆者以為正確的台灣像是無法產生出，不知各位的意見如何？

新島先生的論文如上記，在種種方面給我們「奇異」感與衝擊，但運用統計方法，把在台灣的殖民地教育從「量」的層面去掌握、探討，也是筆者所知，過去所沒有的。新島先生從量的把握，而對所謂日本所留下的「民度」之高拋出疑問，然後說：「日本所提高的所謂『民度』是日文的普及、中文的抹殺這點為中心的差別教育。」[75]

---

73 新島淳良「台灣における教育」，頁95。

74 林凡明、何敏，〈日本人對台灣錯誤的認識〉（《世界》，1969年7月號）〔參見本冊〕。

75 同註73，頁101。

　　上面所舉三位先生對殖民地教育本質的掌握，我覺得獲益良多，但我試重新提出殖民地教育研究有關的視點如下：

　　1. 就台灣來說，在教育現場的日本籍教師之中，聽說有頗多真的以為把「台灣人日本化＝皇民化」此事，是維繫到台灣人的進步與幸福的「善意」的人們。

　　當然會這樣想（僅限於用自己的腦筋想事情的人而說），其前提是將他民族在武力、權力支撐的教育政策下實施改造的可能的認識，去除這個前提則無法成立。

　　今日在觀念上已知以外力改造他民族是不可能，或同化被統治民族是絕對連結不到對方民族的進步與幸福，但此間的邏輯化我認為不一定是成功的。

　　妨礙其邏輯化的是，對於殖民地教育實際狀態的追溯並不充分，與實際狀態的追溯相關聯的殖民地教育的階級或階層別的滲透度，此外對其個別的接受法有關宏觀的分析亦未被嘗試。又異民族統治在文化面是否真的有可能滲透到村落階段？說是同化、皇民化在台灣，我先做假設，在村落階段該是一動都沒動吧，我擬從以上的視點去看問題。

　　2. 做為殖民地教育的產物的一部分的「近代」的感覺與初步的「近代的生產技術（在台灣，特別是以農業學校為中心學到的農業生產技術）」從殖民地統治被解放後，用何種媒介才有可能手段化，是思考台灣經濟的戰後擴大重要課題之一吧。手段化確非殖民地統治關係的延續，而是斷絕之後始有可能，筆者願意這樣想，但是對手段化踩煞車的，卻不外乎是那些最受殖民地主義者價值體系之遺毒的中產階級以上的知識分子，特別是無自覺的

殖民地型的人，是值得仔細斟酌的課題。

3. 台灣的情況是，發展階段存在著差距頗大的高山族與漢族同受日本帝國的統治，受其殖民地主義教育。然而據筆者的觀察，各自所受文化、傳統、民族的內面生活的破壞程度像是有相當的差異。形成此差異的原因是什麼？我想可從由於異民族統治所致的文化變容與民族抵抗的核心存在程度之關聯，去嘗試研究。

4. 殖民地統治最大的罪惡不在於經濟基礎的破壞或物質的掠奪，毋寧在於人性的破壞，此事不僅觀念，實證的、邏輯的都很想去弄清楚。

（二）戰後有關教育的諸業績

近年，支撐台灣經濟高度成長重要原因之一的低廉的良質的勞動力，開始被提出當問題來研究。低廉另當別論，良質的勞動力明顯是與教育有關聯，但是研究不見得有進展是現狀。

有關戰後教育問題首先要提出來的是新島先生的前引論文中，相當於「現狀」[76]的部分。那小標題是「3. 國府來了以後台灣教育的變化如何；4. 中等、高等教育的軍事化；5. 台灣教育的特務支配；6. 與美國的合作」如上可看出，是政治色彩相當濃厚的研究方法。

新島先生如能更掌握台灣的現狀，就可明白重慶以來國府的

---

76 同註73，頁102〜109。

「強迫入學委員會」在台灣幾乎沒有他所講的意義，在台灣教育熱普遍之高「強迫」等差不多不用才是真實吧。「強迫」入學毋寧是支撐了促進或保障一部分極貧層子弟或養女的就學。

他說：「『國語』從日文改為北京官話，但不是台灣人日常使用的客家話或閩南語。此外『國語推行員』把台灣人看成比本土中國人低一段的『人種』，引起台灣人的反感。占『台灣人』主流的客家族在本土受到於恰似日本的『部落民』的不當差別待遇。因此此偏見是根深柢固的。所以對於『台灣人』『國語普及』令人感受為新的壓制。這對於高山族也是同樣的。」如上所記述的部分是身為中文教師不應有的邏輯的矛盾，也是做為中國研究者不可以有的誤記，不知其所據理由為何，真令人遺憾。

除非客家人與閩南人是少數民族，不然以國語學「北京官話」有什麼不妥當，真想請問新島先生，到底中國大陸的客家人與閩南人以何種語言做為「普通話」＝國語在學習。與此相關聯，我們又在新島先生的「以之代結語」中說：「中華人民共和國，對此複雜的台灣問題，最近終於找到一個解決方法，那是把台灣人認為中國的『少數民族』（旁點為引用者所加），承認其民族區域自治的方針。」北京當局的政策轉換（如果有的話）的具體資料來源希望給以教示。「國語推行員」把台灣人看成比本土人低一層的「人種」，或對客家人的看法，其所謂的偏見是根據什麼呢。又客家人並非台灣的主流，而是完全相反，閩南系住民約占本地漢人的85％是為主流才是事實。

不以意識形態領先的話，又不否定中國的語言統一（少數民族的語言問題另當別論）的話，在台灣的戰後教育之中最有成果

的不是別的，而是以洪炎秋教授為中心的國語普及運動是一般所公認的。

新島先生只憑感覺類推的缺點，又可從「對艱難的漢字不感到愛好（親近），進而漢字文化本身對於民眾變成生疏的存在，又挑起對較簡單的日本假名文化的鄉愁。在台灣，日文雜誌現在猶廣被閱讀的原因之一，在於政府的文字政策之故」的記述看出。

對日本假名文化的鄉愁，與其說是由於漢字的簡略化抑止政策〔譯註：國民黨政府為了主張政權的正統性堅持使用繁體字〕，不如說是殖民地教育的「遺產」造成較大的影響吧。台灣學童的負擔與其是漢字的問題，毋寧是遲遲不見進展的整個教育計畫的「近代化」、「合理化」以及伴隨著如煉獄的入學考試（九年制義務教育實施前更甚）負擔過重，而損傷的學童健康發育的問題等。

可說戰後台灣教育有關的專門研究唯一的成果，而且是與亞洲諸國的關聯來嘗試探討的，是在下面要提出的阿部洋先生的〈中華民國（台灣）初等教育的發展與Wastage（損耗）〉[77]。

本論文是針對台灣在其「初等義務教育的普及過程，以什麼樣的形式出現損耗現象，又如何努力去克服，或現在正在努力」[78]的闡明而寫。

阿部先生雖以戰後為中心，但也成為清末以來在台灣初等教育的簡單通史，可獲知台灣初等教育的實施概況。

---

77 阿部洋，〈中華民国（台湾）における初等義務教育の発展とWastage〉（《国立教育研究所紀要》，第62集，昭和43年3月）。

78 阿部洋，頁51。

　　他在追溯日本統治時期的初等教育發展過程，將該時期分成如下的三期：

　　第一期（創始期）1898～1919年

　　第二期（確立期）1919～1931年

　　第三期（發展期）1931～1945年

　　此時代區分主要是從制度面。另一方面，其同化並不從筆者前面所列懷柔、蔑視、同化、皇民化統治方針的展開，所反映的初級教育去掌握，而是認為相當早期就有同化（政策），單純地以透過「國語」推進本島人的日本國民化（同化）來掌握[79]，是筆者難於贊成之處（又這樣的掌握法與前引土屋先生的掌握法也不同）。

　　以專攻經濟者來說，其所指出的日本統治時代，就學率的地域差異或男女差異，再是1930年代以降就學率的迅速上升，也盼望他在社會經濟的關聯上掌握並做解明。特別是就學率的急速上升是過去做為被統治者的一般台灣人停留在被害者的地位，而「滿洲事變」以降，從統治民族的歧視與疏遠一時獲得解放，與充當日本帝國主義的爪牙（首先是侵略大陸，之後又附加進軍南方）由被害者轉身為加害者的可能性在展開的過程是相對應的。與以上的視角的關聯，從被統治民族的心理的側面將台灣的抗日運動式微過程之其中一因去做探討，也是今後可做的課題吧。

　　以上台灣人心理過程的解明到二二八事件的一面，與此相連接而正在展開的台灣獨立運動者的主張之所據，我想似有供解明

---

79 同上，頁57～59。

之可能。想聽聽有識之士的高見。

　　阿部先生在處理祖國復歸以降之中的時期區分以1949年為界，非從形式的制度面，而僅從變化的實際情勢來看，很遺憾不能不指出那是欠缺妥當性的。台灣的戰後史，特別是1945～1952年之間，我想是因非常不明確之故而引起的問題，1949～1951年約三年從大陸撤退的軍隊或大舉移住台灣的官吏（包含其家族）等大陸系中國人，借用國民學校（小學）的校舍為住家。這也是招來初等教育的混亂的原因之一，也是多部制授課〔譯註：如分成上午班、下午班、晚間班上課〕的遠因。區分時期時，是應該考慮到的。

　　時代區分之際，如果能將台灣經濟規模的擴大與土地改革等的社會經濟的狀態也能放進去考慮，那就更好了。

　　阿部先生也充分地運用當地的直接資料而做出的綿密研究成果，因此贏得我們的讚賞。

　　因篇幅所剩不多，除了上面所列舉諸論文之外，還有小林文男[80]與市古尚三[81]的論文，以及研究日本統治時代初期教育所必須的資料《伊澤修二選集》[82]的刊行，也附記於此以結束本節。

80　小林文男，〈教育〉（笹本武治、川野重任編，《台湾経済総合研究（上）》、アジア経済研究所，1968年）。

81　市古尚三，〈台湾における教育上の諸問題〉（《海外事情特集・台灣》，第15卷第3號，1967年3月）。

82　信濃教育会編，《伊沢修二選集》（昭和3年7月）。

三、經濟關係

近年台灣經濟忽然在日本成為話題，但真正研究的出現好像
是還需要一些時間。

（一）中國研究所團隊的研究

在戰後的日本，最早注目台灣經濟並將之當作研究對象的，
是中國研究所的團隊（現在聞說此團隊已解散，但在此還是繼續
總括起來檢討）。

筆者所知此團隊比較有系統的第一個成果是〈台灣問題與台
灣經濟〉[83]。論文結構的第一部是「圍繞台灣的國際動向」，第
二部「台灣經濟的現在情勢」。針對經濟部分來看，執筆者米
澤秀夫說：「因資料不足之故，不克嘗試充分的分析」，但是
我們倒覺得台灣經濟最不明朗的期間（剛復歸後～1952年）之
中1949～1950年的部分依當時的《上海大公報》、《Fareastern
Economic Review》、《香港經濟商報》、《同大公報》以及《台
灣經濟時報》等報導的操作而做出的總結，所以可當作資料來參
考利用是很可貴的。

本團隊的台灣研究此後經過一段時間的中斷（從刊行物所判
斷），1960年代又重新開始。其所發表的成果是：1.〈美國的台
灣政策〉；2.〈台灣經濟與美國的「援助」〉；3.〈從國際法上

---

83 岩村三千夫、米沢秀夫，〈台湾問題と台湾経済〉（中国研究所《中国資料月報》，
　第33號，昭和25年10月）。

所看的台灣的地位〉[84]，從以上可窺知，該團隊的台灣研究是特別敏感地對應著圍繞台灣的國際情勢的動向在進行，但不知為何有欠缺持續性之憾。我們前面談到順應時潮的要求的台灣「研究」的叢生，而本團隊的台灣（研究）的提法在某種意義上可說是逆向的搭時潮便車型。欠缺地道的與日本的關聯，亦即在歷史的脈絡，或在現狀與日本資本主義發展的關係之下編入自己的問題裡頭，直接透過資料去探討的姿態，只以美中關係的座標軸去掌握「台灣問題」。這樣的研究不會生產出很多，是不須畫蛇添足的吧。

　　然而雖是斷斷續續，但在台灣研究所盡的先驅性任務是應給以評價的。

（二）1961年值得紀念的三本書

　　新島先生所介紹：

　　首先以支持蔣政權立場寫的有以下：吉村、加藤著《自由中國的表情》（〔《自由中国の表情》〕1961年）。這是岸信介隨行人員《讀賣新聞》的記者所寫的，完全只是講好的地方、現買現賣的、無聊的書。木內信胤《現代的台灣》（〔《現代の

---

84 (1)岩村三千夫，〈アメリカの台湾政策〉（中国研究所《中国研究月報》，第172號，1962年6月）；(2)光岡玄，〈台湾経済とアメリカの「援助」〉（《中国研究月報》，第177號，1962年12月）；(3)平野義太郎，〈國際法上よりみたる台湾の地位〉（《中国研究月報》，第194號，1964年4月）。

台湾》〕1961年），這是世界經濟調查會所編，一言以蔽之是
將國府方的廣告照樣搬來做介紹的文章，並摘譯美國的（盲信
國府所發表的數字的）報告書做為附錄，企圖植下偉大又繁榮
的台灣的印象，讚美農地改革等。對於此書，有朝日新聞社的
特派員，曾去過台灣的近藤俊清出版的《台灣的命運》〔《台
湾の命運》〕（みすず・Books, 1961）恰好可做為解毒劑。近
藤先生的書尖銳地攻擊農地改革非但不是台灣農民的福音，而
是由國府的新榨取的開始。例如國府強制以肥料（硫胺）1噸
和農民的米1噸做交換，而硫胺1噸是50美元，米1噸是150美元
（都是國際價格），完全是農民吃虧，如此具體地撰寫。此
外，台灣恐怖的特務組織與教育的軍國主義化等也詳細做了介
紹，相當程度傳達了台灣絕不是玫瑰色的，但是此書的作者明
確支持台灣獨立運動。這點有必要十分注意。獨立運動其實不
過是美國的爪牙而已，台灣民眾今日的困境是與美國帝國主義
的榨取有關係（美國對台灣的軍事援助，現在是「貸款」，亦
即在台灣人民的負擔之下進行），近藤先生所攻擊的蔣政權，
支撐它的其實是高達37億美元的美國軍事援助，剩餘農產物援
助等等，是本書故意忽略或被歪曲。如此美國對台灣新殖民地
化的實際情況完全不提，這是以下的台灣獨立派所寫之書的共
同特徵。[85]

所介紹的三本書即我們所說的值得紀念的三本書，轉錄這麼

---

85 《現代中国入門》，頁272～273。

多，不外是想重新考慮，日本代表性中國研究者之一的新島先
生，對上述的書之刊行如何理解或接受，從這接受法而對中國研
究者的台灣研究處理法，想一併做為問題提出來。

　　「現買現賣的、無聊的書」、「將國府方的廣告照樣搬來做
介紹的文章」、對這些書是「恰好的解毒劑」等指摘是極其容易
的。但以歷史的脈絡來考量，此三本著作不期然而於1961年同時
刊行，應不單是偶然。

　　1960至1961年不言可喻是個激變之年。從年表[86]撿出重要的
事件就有：美蘇和平共存的開始、古巴事件、甘迺迪政權的登場
與兩個中國論的議論、李承晚政權的崩潰與軍事政變、「安保」
與岸內閣的下台、池由內閣的上台與大國漫談、岸信介的再度訪
台與台、日的緊密化，在此時空背景下，而有上述三本著作的同
時上市，是意味深長的。

　　本來上述三書都說不上是專門的學術研究書。《自由中國的
表情》[87]是旅行、見聞記，《現代的台灣》[88]是152頁中，將近半
數的73頁是被資料（1～4）、附表、文獻目錄所占，正如編者
說：「總合性直觀，想一舉認識大局的嘗試」，確實極粗糙，完
全不去看農村（從日程表所看的）而談經濟、農地改革等做為
「實地調查」報告的書是有些簡陋吧。《台灣的命運》[89]像是前
《朝日新聞》台北特派員的「獨特」的通信（報導），而且是曾

86　笹本武治、川野重任編，《台湾経済総合研究（資料編）》所收「年表」（1969年2
　　月第2版）。

87　吉村暁、加藤芳男，《自由中国的表情》（有信堂，昭和36年）。

88　木內信胤，《現代の台湾》（世界経済調査会，昭和36年）。

89　近藤俊清，《台湾の命運》（みすず書房，1961年）。

經引起「盜用」議論[90]的有問題的書。有關本書的內容，從議論
的近藤先生的辯白，我想與其在本稿提出來討論，不如留在日後
預定執筆的「由台灣獨立運動家所做的台灣研究」來討論比較適
當，所以在此割愛。

　　我們所謂應紀念的書是，在1960年代初，與以往的論調主流
不同，明確地從保守方把所謂的台灣問題編入自己的問題之中，
而開始做其主張的，特別是在《現代的台灣》木內先生把「台灣
這個國在開發中國家開發問題的定位」，亦即認為他以所謂地域
研究的命題把台灣提出的意義之重大而說的。

　　從新島先生上記的短評來下評斷是有些牽強，敢於冒險的
說，其在加瀨先生所發出的警告：「戰後的中國研究者只熱中
於華麗的中華人民共和國的研究，怠慢了台灣問題，以及日本
對中華民國政策的踏實研究……議論對亞洲的帝國主義政策云
云，我們幾乎沒有一本足以可當作根據的研究書是實際情況。這
情形要有效打擊政府的東南亞政策是完全沒有把握的。像《世
界》的1月號福田歡一所寫有關〈新安保體制下的日中復交問
題〉〔〈新安保体制下の日中復交問題〉〕般的論文寫再多都是
沒意義的」[91]好像從其所站的政治立場也未吸取任何東西。本來
「台灣研究」不要停留在華盛頓、北京、國際情勢、國府關係的

90　請參照加瀨昌男，〈中国研究者に望むこと『台湾の命運』のさし示した問題〉
　　（《日本読書新聞》，1962年1月29日），〈ここにも盗作〉（《東京新聞》，大
　　浪小浪欄，1962年2月5日），近藤俊清〈盗作の污名は返上する〉（《日本読書新
　　聞》，1962年2月12日），以及一台灣省留學生〈近藤氏に抗議する〉（《日本読書
　　新聞》，1962年2月26日）等。
91　加瀨昌男前記發言。

表層觀察，如果也注目到台灣的民眾，與其內部政治諸勢力的動
向的話，從《自由中國的表情》對蔡培火的訪問、雷震事件有關
的記述，應可得到研究的端緒或啟發，但無奈的欠缺從正面去做
台灣研究的姿態之處是不具備（看問題的）「眼睛」也是當然
的。同樣對《現代的台灣》也可這樣說。對於IMF（國際貨幣基
金組織）的性質，IMF與國府的當時的關係，IMF報告書的含意
等能好好斟酌注目的話，不該僅把該報告書當作「將美國（其實
只是照抄國府發表的數字）的報告書摘譯做為附錄」的說法吧。
判斷良書與惡書的基準因人而異，但「惡書」也足以做為「好資
料」，不待筆者來指出。

　　吉村、加藤二位先生說：「我們的不滿是，在日本的中國論
不是由所謂的『中共專家』就是拘泥於眼前利害關係的。」對此
批評不要簡單以「無聊的書」來處理，應該以新島先生的立場刊
行挑戰的書，如此期待的應不只是我們吧。

（三）亞洲經濟研究所團隊的研究

　　在這裡所謂的團隊是指參加亞洲經濟研究所所擬研究計畫的
研究者總稱，不是單指研究所所員。

　　該所所刊行有關台灣的主要的業績（成果）依發表的順序列
出如後：

　　1. 大和田啟氣〈台灣的土地改革〉（1963年）[92]

---

92 大和田啟気編，《アジアの土地改革Ⅱ》所收論文。

2. 笹本武治編《台灣的產業構造》（1964年）

3. 笹本武治編《台灣的工業》（1965年）

4. 戴國煇〈台灣舊式糖業的發展〉（1967年）[93]

5. 笹本武治、川野重任編《台灣經濟總合研究（上、下、資料篇）》（1968年）

大和田氏的〈台灣的土地改革〉是繼川野重任教授的論文〈土地改革的社會經濟的意義——東南亞諸國的情況〉[94]（將台灣的案例做介紹、賦以意義的）之後首先將台灣的農地改革正式提出做討論，其先驅性業績應可贏得高評價。

大和田論文中不能說是充分的有關農地改革的台灣內部的政治、經濟、社會的諸情事的實際狀態相關聯的分析，已由筆者做了嘗試[95]。又對「國家的直接統治有障礙的過去的租佃關係的解除，因此由國家決定性直接性的統治對象」的農民做了重編，「給農民土地，令之安定，從那裡按照國家的要求將農產品賣給政府，企圖透過稅金、物價強化財政收入」，以此思考農地改革的必然性。又國府當局透過農地改革，使用何種手段從地主、農民的雙方獲得財政收入為中心做分析的獨特論文，則有羅明哲所寫的文章[96]。

又以笹本氏為中心的台灣經濟研究的成果的《台灣的產業構

---

93 戴國煇，《中國甘蔗糖業之發展》（1967年）所收論文。

94 川野重任，〈土地改革の社会経済的意義——東南アジア諸国の場合——〉（東京大学東洋文化研究所編《土地所有の歴史的研究》，東京大学出版会，1956年）。

95 戴國煇，〈台灣（中國）農地改革與農地問題〉（近藤康男編《日本農業年報「土地問題——農政的焦點——」》，御茶の水書房，1966年）。

96 羅明哲，〈農地改革〉（《台湾経済総合研究（上）》）。

造》與《台灣的工業》是對過去始終走不出介紹、解說之範圍的台灣經濟研究的低迷，刻意嘗試迴避左右的意識形態先行的志向，利用原始資料把握實際狀態，對事實的正確認識為目標的可說是劃時代的書。

立足於以上兩著，重新加入川野先生與筆者，再加上當地（台灣）出身的年輕研究者（東京大學研究所在籍者）等共同研究的成果就是《台灣經濟總合研究》。本書的好壞有請有識者之批評，做為關係者之一的筆者，對此共同研究開陳所感，以為檢討之素材。

1. 書名為總合，但結果是極為不充分的some title而在反省中。

2. 本來組成最好的共同研究，要有在各個領域依據一定的研究水準的精密，與對對象領域研究者各個人所達成的一定的研究力量的具備始有可能。這次我們的共同研究不能說是具備這樣的條件出發的。不如說是在具體的作業過程通過切磋琢磨（也不充分）而積蓄力量，讓原始資料的蒐集上軌道。戰後關係年表以及文獻目錄的完成使共同研究的基礎條件整備，雖不充分但終於可說是整理好了。

3. 有如此規模的與在地出身者的共同研究，恐怕例子很少。這樣的共同研究所帶來的得失，我想笹本、川野兩位先生遲早會言及，在此就省略了。

4. 僅限於此共同研究來說，欠缺政治、社會領域的人才是遺憾的。做為今後的課題，在台灣內部不問其潛在或顯在，要深入到其政治諸勢力做結構分析，並且也想涉及清朝、日本統治、戰

後的歷史脈絡的社會變動。特別是這種戰前的研究者、不同領域的專門研究者，加上各個研究者的意識形態等有相當幅度的構成，可期待能夠展開激烈討論型態的共同研究是最理想的。

　　5. 我們的共同研究不談內容，有關其姿態的確如藤村先生的批評，欠缺以中國史的一構成部分，加上包含日本在內的現代亞洲史的一構成部分去掌握台灣[97]。再者台灣與日本的關係——特別是歷史的關係——可說附隨著被所謂「地域研究」的一般命題沖著走的危險性。

　　此事竹內好先生也確切地說：「台灣是中國的一部分。台灣省民是中國人。但是我們（指日本人）的思考習性，還未變成那樣。」[98]與其所指出問題點有密切的關係，因此包含批判者的藤村先生特別是日本人中國研究者也不能免罪吧。知道以本共同研究的刊行為契機已給日本人中國研究者一定的刺激[99]，做為關係者之一的筆者也感到無限欣慰。

　　6. 包含筆者在內的在地出身者，以往不但欠缺把問題在歷史的廣度去掌握的習慣，很多是如田中先生的批評「可認為是中國人研究者所執筆的論文之中，透露出相當多台灣本地資本階級對國府的被害者意識，近代國家形成過程的地域主義的「尾巴」也

---

97 參照藤村俊郎，《台湾経済総合研究》書評（《アジア経済》，第10卷第4號，1969年）。

98 竹內好，〈もっと台湾を——中国を知るために（57）——〉（《中国》，第63號，1969年2月），頁99。

99 參照加藤祐三，〈新刊紹介：笹本武治、川野重任編《台湾経済総合研究》〉（《史学雑誌》，第78編第4號，1969年4月）。

殘留在台灣出身者諸兄身上，階級分析的適用有「模糊」」[100]，以上指摘不能不甘受的未昇華的心情很濃厚，而妨礙了科學性認識的深化。此點可做為反省的課題。

　　7. 做日本的明治維新研究以至「近代化」研究的時候，追溯到德川時代的要求已是常識化，對此該共同研究缺漏歷史的透視（遠望、洞察），是相當的致命傷。

　　具體的內容幾乎未被充分討論研究，只有做為殖民地遺產的語言被輕易、相當廣為使用的最近，有相當多的問題吧。殖民地遺產的具體內容（包含正、負兩面）有關實際狀態的把握，如不連結到清末研究的深化，我以為全面的、科學的認識也不可能。

　　又除亞洲經濟研究所團隊的成果之外，有以齋藤一夫為中心的台灣農業研究。但目前只有齋藤先生的〈台灣農業與經濟的發展〉[101]發表，其他則尚未。

（四）其他的研究

1. 淺田喬二所著有關《台灣的日本大地主階級的存在結構》[102]

　　淺田先生在其「課題與方法」之中說：「向舊殖民地（台灣、朝鮮、滿洲）地主的進入與之後的展開過程，做為把握日本

---

100 田中宏，〈戰後最大の台湾研究〉書評（《經濟構造》第8卷第1號），頁77。

101 齋藤一夫，〈台湾における農業と経済的発展〉（《農業總合研究》，第23卷第2號，昭和44年4月）。

102 淺田喬二，《旧植民地日本人大土地所有論》（農業總合研究所，昭和43年）。

地主制的全生涯的接近過程做實證分析，再立足於舊殖民地地主
制的歷史分析，想解明日本地主制的殖民地性特質。」[103]從上面
的記述可知，台灣本身不是問題，是在日本地主制研究中將台灣
編進去的研究成果。

　　對於淺田先生的有關資本性格別（即獨占資本地主、產業資
本地主，當地資本地主）定義的疑義暫時不問，貫通全論文相當
程度的公式化、圖式性的邏輯展開是令人介意之處。因台灣內部
關於地主制研究的完全落後之故，是有扯了淺田先生研究的後腿
之一面，但是例如「日俄戰爭後的經濟危機期，製糖工業在台灣
的創立，是因為日本資本主義早在此時期已陷入『資本過剩』，
欲將其矛盾在殖民地的台灣解決」[104]之點是很公式化見解之佳
例。日俄戰爭後的糖業資本所出現的急速膨脹以單純「資本過
剩」的進入來看，不知是以何為著眼點，毋寧說是因製糖業所呈
現的高利潤分紅之故的資金的集中，是否應如此看。

　　台灣的日本地主制運動過程，正是與台灣內部土地所有關係
的對抗關係下展開之故，台灣土地制度有關研究的落後對於淺田
先生研究的進展給予一定的限制。又，淺田先生認為，位處經營
稻作佃農制大農場第一級的當地資本地主的日本拓殖株式會社之
生成、發展的布局，與桃園大圳有關係，令人想知道這兩者有何
種關係。又如淺田先生本身所指出，日本拓殖株式會社有台灣的
代表性民族資本家的林本源一家，以主要的股東參加[105]。此參加

103　同上，頁1。

104　同上，頁13。

105　同上，頁65。

所具有的意義是什麼？未有其定位是遺憾的。在蔗作地帶的「糖業資本地主的生成、發展與那著名的嘉南大圳的灌溉投資有何關聯，或沒有關聯，真希望有提及。最大的「糖業資本地主」的「台灣製糖株式會社」的大股東也有陳中和一家等，關於此如果有更具體的追蹤與分析，在台灣的日本地主制的展開的情況也就更加明白了。有「民族資本家」加入的「日本人地主」，這雙方的規定是否有矛盾，希望能得到啟示。

還有其他地主性所有地的布局如有給予注意，那麼台灣舊有的土地制度，地主制成為日本人地主制在台灣展開的規定要因之一而起很大的作用，所以在台灣的殖民地奪取的型態與朝鮮的不同便可明瞭。

台灣沒有如「東拓」的半國家公司的存在[106]，而是應看成無法存在。原因無他，是在台灣已確立相當廣範圍的土地所有制之故。

從有關各日本人地主生成發展的綿密的實證研究，今後可期待的是，初期抗日運動與土地奪取的有機關聯研究的發展。應說對淺田先生期待之處甚大。

2. 一橋大學的團隊研究

(1)以石川滋、篠原三代平兩教授等為中心所進行「朝鮮以及台灣的經濟成長」研究成果的一部分[107]最近被發表。詳細內容在

---

106 同上，頁59。

107 石川滋、篠原三代平、溝口敏行，〈戰前における台湾の経済成長〉（《経済研究》，第20卷第1號，1969年1月），頁47～66。

此因限於篇幅不列舉，但此是第一次由近代經濟學團隊所做的日本統治時期台灣經濟研究，因此可抱以期待。

特別是石川先生的想法與一般不同，藉台灣經濟對日本資本主義發展的貢獻來掌握之點[108]，或過去對統計的錯誤引用而以為可耕地在日本統治期有大大擴張的神話，足以將之打破的「台灣的可耕地在領有時已近於全面利用的狀態，此後主要以灌溉投資朝向既存耕地的更加集約的方向發展」[109]等等指出雖是小事，而珍貴的是具匡正史實的意義。

(2)此外有尾高煌之助的〈日本統治下的台灣勞動經濟〉[110]。

3. 館齊一郎的人口問題研究

過去台灣人口統計，從世界觀來講被說是整理得最好。但在日本對此不曾有正式研究的嘗試。館先生的成果〈戰後的台灣人口的分析（Ⅰ）（Ⅱ）〉[111]可說是唯一的。今後可預測的是，加速的台灣內部人口移動相關研究的深化，令人期待。

此外，目前有屬於亞洲經濟研究所的研究團隊的合作者，今後可期待其成長的東京大學研究所諸兄踏實的研究。因篇幅不多請原諒只列記論文名稱如下：

---

108 同上，頁47。

109 同上，頁51。

110 尾高煌之助，〈日本統治下における台湾の勞働経済〉（《経済研究》第2卷第2號，1969年2月）。

111 館齊一郎，〈戰後における台湾人口の分析（Ⅰ）（Ⅱ）〉（《アジア経済》，第10卷第1、3號）。

⑴殷章甫〈台灣水田農業的種植體系〉[112]

⑵劉進慶〈台灣經濟的循環構造〉[113]

⑶涂照彥〈戰後台灣經濟的資本蓄積過程〉[114]

又羅明哲的台灣農地改革相關研究已介紹過，陳仁端的研究將在後文提到。

以之代結語

以上追溯了戰後在日本的台灣研究。因筆者的關心所在與能力有限，所述有濃有淡，或有目所不及等，對此我先向讀者表示深深的歉意。對於研究特色或傾向刻意避談其道理。極不客氣地指出事實的誤記與誤認，是因為研究者的人數少、成果的刊行發表自然也少，因此一發表就常有成為定論的危險，故不顧淺學菲才，敢於呈上妄言，只是想提供檢討斟酌的契機而已。

對研究姿態論也騰出很多篇幅，是因為自從日本統治初期對抗日游擊隊的錯誤認識以來，無限擴大了扭曲的日本人台灣觀，鑑於給中日兩民族帶來巨大災難的史實，雖自知僭越猶執拗地將私自的見解披露出來，希望日後能成為接近正確的台灣認識的討論素材，即感激不盡。

話雖如此說，寫完本稿的現在，深切地感受到一件事，即台

---

112 笹本武治、川野重任編，《台湾経済総合研究（下）》（アジア経済研究所，1969年2月第2版）。

113 東京大学経済学研究会編，《東京大学経済学研究》（9號，1967年8月）。

114 東京大学経済学研究会編，《東京大学経済学研究》（8號，1967年1月）。

灣研究至今尚未構築討論的共同場地。因此再怎麼講或寫也乏人
回應的狀態持續著，缺少切磋琢磨以及有效的相互刺激。

　　為了打破這樣沉滯的狀況，首先最好是不管以何種意義在研
究台灣的研究者，能夠從以往的時事介紹的解說，或是使用二手
資料、三手資料的不正確事實認識，以及停留在抽象的、形式
的、觀念性議論的一般狀況中脫離，應朝向積極姿態的確立。對
今後的研究進展，我寄予期待。

　　最後，為提供新的、志願研究台灣的諸兄姊參考，列出相關
文獻目錄以及文獻解題的類書於下，並結束此文：

1. 有關日本統治時期的研究

　　⑴財團法人南方農業協會編《台灣農業關係文獻目錄》（亞
洲經濟出版會，昭和44年3月）

　　⑵國立國會圖書館參考書誌部編《日本舊外地關係統計資料
目錄》（1964年）

　　⑶戴國煇〈日本人的台灣研究──關於台灣的舊慣調查〉
（《季刊東亞》第4集，昭和43年8月）〔參見本冊〕

2. 有關戰後的研究

　　⑴陳仁端編《台灣文獻目錄》（亞洲經濟研究所所內資料，
調查研究部No.41～37，笹本研究會No.13，昭和42年2月）

　　⑵笹本武治、川野重任編，《台灣經濟總合研究・資料編》
Ⅲ〈文獻目錄〉（1968年）。又此文獻目錄為上列⑴的摘要。

　　⑶陳仁端〈文獻展望，台灣的農業問題〉（《亞洲經濟資料

月報》第10卷第2號，1968年2月）。

　　⑷陳仁端〈研究筆記，台灣的稻作與其研究動向〉（《農業經濟研究》第40卷第1號，1968年6月）。

　　⑸戴國煇〈理解台灣工業化的必要文獻及資料〉（《機械工業海外情報》第3號，1966年4月）〔參見本冊〕。

　　　　本文原刊於《アジア経済》第10卷第6‧7號（100號記念特集號），
　　　　アジア経済研究所，1969年7月，頁53～82。本文係據《日本におけ
　　　　る発展途上国の研究》（東京：アジア経済研究所，1967年9月16日，
　　　　頁53～82）錄入

【附錄1】
在日本的中國研究課題
——台灣研究

◎ 李毓昭譯

提問

幼方直吉（以下簡稱幼方）：如大家所知，我不是台灣的研究者，卻敢針對戴先生的論文，思考要如何提供話題，原因是看了《亞洲經濟》100號，比較裡面三篇與中國有關的論文，而對戴先生的論文產生一個感想。

換句話說，如果沒有閱讀宇野〔重昭〕先生、菅沼〔正久〕先生的論文，看到戴先生的論文，對台灣毫無所知的我，除了表示受益良多，稱許這篇論文非常優秀之外，沒有其他話好說。前兩篇論文各有不同的主題，宇野先生是政治，菅沼先生是以經濟為主，但是戴先生的不一樣，只針對中國一部分的台灣，歷史、教育、經濟各方面都有提及。因此，對於戴先生的論文，我無法像剛才的加藤先生那樣，具體提出各種問題，而是要從別的觀點，就我所關心的部分亦即與此研究的前兩篇論文比較，談談它獨有的發想、另兩篇論文所沒有的特色。

首先是研究者的社會責任。這看起來似乎是極為外在的問題，但是我看了戴先生的論文，就覺得並非如此。大約七、八年前，我與野村〔浩一〕先生一同參加某研討會時，他曾透露說，中國研究似乎無法像法國或英國研究一樣單純，總是會牽扯到什麼東西。我至今依然記得他這句話。為什麼我要引用這個記憶片段，提到野村先生這句七、八年前非正式的話呢？因為我也是中國研究者，對這句話有發自內心的共鳴，

覺得好像自己本身的問題被指出來。

　　確實以日本的法國或英國研究來說，研究者的態度，亦即對法國或英國的觀感，幾乎都不會受到質疑，但如果從事中國或亞洲研究，情況似乎就不太一樣了。因此，想在學術上單純做中國研究的心情，會與現實環境中的某種東西格格不入。野村先生當然在腦子裡相當清楚被質疑的問題意義。依我的推想，就是在進行具體研究的立場與場合，受質疑的方式會使他產生若干困惑。

　　如上所述，我也有這種與其他外國研究者不同的困惑，我不知道其他人士有沒有，這一點我並不清楚。可是依我自己本身的經驗，不只是在腦子裡，我以研究者的身分，帶著困惑，開始思考戰爭責任與殖民地統治的問題時，不是在終戰當時，而是在非常晚的時候。這個過程就略過不提，如果重新回溯戰後史，戰爭責任的問題雖然在終戰後立刻蔚為流行，但現在幾乎已沒有人提起。亦即從某方面來說，那個詞語已經過時。可是，我記得這個詞語在流行的時期，日本國民之間幾乎都沒有談及以其本質上共通的殖民地統治責任。

　　不用說也知道，殖民地的形成是戰爭的結果，此責任對宗主國來說，比戰爭責任還要重大。戰後我有一次機會遇見朝鮮總督府的舊高官。當時此人說，總督府政治是「善意的惡政」。能否將此話視為殖民地統治責任的反省，應該是有問題的。戴先生的論文雖然完全沒有以一般形式直接陳述此問題，卻以學術邏輯讓問題貫穿全文。

　　舉一些具體的例子，第232頁中有針對向山寬夫論文的批評，這是台灣統治主體的評價問題。而從第254至257頁對新島淳良談論的台灣語言，也有理路分明，說服力十足的批判。結論提到，日本自從在統治初期對抗日游擊隊的認知錯誤之後，扭曲的日本人台灣觀就開始無限擴大。

　　本來正確而不打折扣地掌握中國和台灣的研究，就是身為外國研究者一員的中國研究者基本的任務。不論是從事政治史還是經濟等專門領域，這點都一樣。可是，縱使要不打折扣地掌握對象，世界觀與方法也難以分割，因此就此意義來說，外在的戰爭責任與殖民地統治的責任問題，不得不以種種色彩滲透進學問裡。不論有沒有意識到，能客觀掌握的敘述重點，無論如何都會因此種媒介性的有無，而產生很大的差異。

　　舉例來說，第二篇的菅沼先生的經濟論文，是從社會主義經濟學的角度切入，寫得非常好，但日本的中國經濟研究還有其他種種方式，起了不同的作用。

　　然而，此篇論稿卻完全沒提到其自身立場之外的以各種不同方式寫出來的研究成果。如此一來，不但沒有勾勒出研究史的全貌，也缺乏說服力。堅持自己的立場並無不好，但如果把這一點當成絕對，而忘了方法的相對化，不就無法知道自己在全體中的位置嗎？換言之，我感覺研究者的這種態度是研究者無媒介地將日本的現實轉向此主題。我希望經濟組能夠把這個問題再拿出來討論。

　　宇野先生的論稿是極為方便的文獻解題，應該是研究者必備的資料。但是，此解題的方法讓人覺得過度公平。看到他廣泛收集的文獻，我大部分都沒讀過時，我很吃驚。這意味著此領域的論文相當多，與歐美或蘇聯的政治史研究在日本的數量比較，就可以馬上知道。這一點讓人重新體會到，外國研究在日本所具有的意義，以及扮演的角色。尤其是中國研究講座，除非是特殊情況，否則日本的大學裡幾乎都沒有。不論品質如何，光是有這麼大的量，就不能不讓人思考其中的含意。

　　戴先生的論文出現菅沼、宇野兩位先生的論文所沒有的發想，這其實與戴先生無關，而是日本研究者的社會責任問題，值得思考。而此

問題似乎不是日本研究者才有的老問題。

　　1968年，哈佛大學以年輕研究者為中心，成立了一個團體稱作 Committee of Concerned Asian Studies（關心亞洲問題學者委員會，簡稱 CCAS）。此團體是站在東亞研究者的立場上，對此領域既往的研究方法提出批判，並發行新聞通訊，舉辦研討會。有新聞指出，今年二月有四名該團體的代表拜訪駐法國的中國大使館，雙方暢談了兩次。此時遞出的聲明文仍是在有關越戰方面批評美國對中國採取的膨脹政策，指出那就是中美關係的障礙所在，而這使美國的中國研究性格產生諸多扭曲。若是這樣，我在開頭說的日本研究者的社會責任問題，現在也以不同的意義的問題，發生在美國的一些中國研究者身上。而究竟會結晶成什麼樣的學術邏輯，又會如何發展，我沒有看過新聞通訊，無法妄下定論。只是據說這四名代表回國後，在哈佛大學向教授和校外關係人做報告的時候，此聲明書得到的反應評價極差。這是相當有國際性意義的問題。（後記：關於CCAS，1969年11月25日的《每日新聞》有詳細報導，標題是「隔閡趨深‧美國的亞洲研究（和田特派員）」〔「深まるミゾ‧米のアジア研究（和田特派員）」〕

　　以上所談的我絲毫無意直接武斷研究者的責任與其研究方法。不用說，這兩者互相矛盾，而且政治邏輯與學術領域是應該區分的。

　　其次是處理資料的問題。日本占領統治台灣的50年間，當權者出色的調查研究與文獻有《台灣私法》等等。就像印度的貝登堡〔譯註：Sir Robert Stephenson Smyth Baden Powell, 1847～1941，英國軍人，童子軍創始人〕的土地調查、荷蘭政府在印尼的風俗習慣調查，大家都知道，那些雖然都是當權者主導的調查，卻在現今被評為出色的學術遺產，廣受研究者利用。戴先生卻在另外一篇題為「日本人的台灣研究——關於台灣的舊慣調查」（《季刊東亞》，1968年8月）〔參見本

冊〕的論文中，提到日本至今幾乎無人利用的《台灣慣習記事》的意
義，並在結論中表示：

> 但因爲這些問答錄的種類及其製作於抗日游擊隊頻頻活動之時
> 期[115]，例如古島敏雄教授對於《中國農村慣行調查》提出的批
> 判[116]，此二調查雖有部分差異，但在台灣的調查與華北有類似的
> 狀況存在，使用該資料時也應了解其存在的局限。同時諮問對象
> 並非一般庶民，多數是來自買辦、與日本合作者階層中的墮落士
> 紳群，其諮問結果無法直接而正確、全面地反映一般台灣漢族系
> 住民之法意識，或許也是我等研究者應予注意之點。

　　我身爲中國農村慣行調查的相關人，認爲這個指責完全正確。因
爲做爲中國革命解放原動力的貧農與雇農，在此《中國農村慣行調查》
中也有記載，卻幾乎都沒有其意識方面的調查。問題不是出在個別調查
員的能力上，而是在於當時研究本質上的局限。因此，這不只是一個例
子，而是戰前以及戰後權力型調查共通的問題。

　　另外1961年有一些論者指出有關台灣的三本惡書（頁260）。戴先
生在論斷此三份文獻爲惡書之前，先指出此些文獻出版的時間點和客觀
意義，然後作證說明這些惡書改個觀點也可以拿來當資料。

---

115 可見福島正夫教授對當時台灣抗日運動之史實不清楚，因而認爲岡松博士等之台灣舊
　　慣調查實施於「領台後島民之抵抗完全終止之後」，這並非正確。參考福島正夫教
　　授，《岡松參太郎博士の台湾旧慣調查と華北農村慣行調查における末弘嚴太郎博
　　士》，頁36。

116 古島敏雄教授於「中国農村慣行調查第一卷を読んで」（〈書評〉，《歷史學研究》
　　第166號，並收錄於中國農村慣行調查刊行會編，《中国農村慣行調查》第4卷）中，
　　批判關於做爲受權力（軍力）支持的占領者之一員所做之調查的局限。

　　還有第247頁指出的教育統計的操作，不只是台灣，那是開發中國家一般的統計操作結果，對於如何反映在現實中，他也提出極為具體的說明。

　　關於1958年以後的中國本土情況，剛才有一些論爭，不論是在日本還是在國際上，都有各種不同的見解，當然這也反映出國際情勢，但此時研究者在不同立場上利用取得的資料時，可能會牽涉到與利用殖民地台灣的研究遺產時的局限稍有不同的情況。如果不充分意識到那是源自於生活感覺不同的殖民地統治者的成果，而全盤接收此些資料，就不是完全客觀的介紹了。戴先生強調，如果疏於注意這方面，使研究方法變得絕對化、僵硬化，分析的結果就會極為呆板。

　　第三點，這是我的請求，本稿精闢地分析出日本人扭曲的台灣觀，如同戴先生對藤村俊郎的《台灣經濟總合研究》〔《台湾経済総合研究》〕的書評如他自己承認（頁267），本稿缺漏把台灣當成中國史一部分的觀點。可是根據戴先生在另一本力作《台灣舊式糖業的發展》（指《中國甘蔗糖業之發展》，亞洲經濟研究所）〔參見《全集》10〕中論證，台灣變成殖民地之前，生產力與當時的朝鮮相較之下高出許多。戴先生表示，主要原因是台灣與本國的聯繫不僅是在政治上，經濟上也很密切。換言之，台灣變成殖民地以後，新式糖業的發展並不只是日本資本的力量，也不能不考慮到其歷史前提。另外，他也提到中國對霧社事件如何反應（《現代史資料24・台灣》），以及解放後的中國《歷史研究》雜誌中，雖然台灣研究的論稿不多，但也有若干數量。換言之，不只是從政治關係，還要從歷史、社會有系統地介紹中國本土的台灣觀，才能使日本人扭曲的台灣觀更加明確。也因為這樣，台灣問題是中國內政問題這個外交上的主張，才能在學術上獲得證明。

　　最後我要提出兩個看法。

　　第一個是，有位從事亞洲研究40年的資深研究者在某次機會中表示：這陣子我在思考，我們對亞洲是否擁有太多多餘的知識？如果想真的了解亞洲，我覺得對於目前所學得的亞洲知識，要做的不是增加，而是吐出來。或許這麼說聽起來很奇怪，但換個說法就是，我們把西歐在亞洲各國投下的影子誤認為亞洲了，而我們學到的東西也很可能多半是這種情況。既然這樣，就有必要去分辨什麼是西歐的影子，什麼是亞洲本身。我想最正確的方法只有一個，就是了解日本自己本身。我研究亞洲已有非常長的時間，每次在研究中陷入瓶頸時，就回到自己最熟悉，要了解也最方便的日本，經過思考，才重新去面對亞洲。我覺得這個方法沒有錯，因為亞洲各國，尤其是民眾的行動有個法則，就是在同一時間有同一趨勢。

　　如果這是一條縱軸，就會有一條橫軸，那就是各位手上的100號特集最前面，由東畑〔精一〕先生寫的序文〈紀念100號〉〔〈100号を記念して〉〕。他在〔《アジア経済》11巻6號〕第4頁第3點引用柳田國男的話。各位或許已經看過，但我還要在這裡唸出來：

　　研究新興的獨立國家時，只參考既有的文獻顯然是極為不足的。對於當地的事情，除了依賴既有想法與既有「事實」之外，研究者應該用更多心力「把心放空」，親自投入新興國家的現實之中，掌握從中湧現的經驗性事實，據此加以解釋或分析是必要的。對於動不動就困在固有觀念裡的我們來說，要虛心接觸並不容易。如果有意打破纏著研究者不放的守舊思想，就必須大量練習，而且非如此不可。以前柳田國男認為有關日本民生的「文字紀錄」貧乏，就算有也多半是別有用心的紀錄，因此拒絕接受，而改追求日常生活中使用的「民間語言」，開拓出民俗學的大

道。後進新興國家的國民生活與生產活動中，正存在著談論亞
洲、述說非洲的「民間語言」。這種態度不就是產生新鮮經驗，
再據之加上新解釋的方式嗎？」

　　我要把這段話當成思考的橫軸。簡單地說，就是如何掌握歷史的
同時代性與民間語言。我想要在此縱軸與橫軸的座標中，與大家談論，
此後連同中國研究在內的亞洲研究方法的新方向。

　　如同剛開始時說的，我不是台灣研究的專家，以上不過是一般感
想，希望能提供各位一個話題。

美國的新中國研究動向與中國研究者的問題

　　幼方：兼任報告和主持實在不方便。這是因為小島〔麗逸〕先生
要求，我才會兼任主持人。

　　剛才我提到哈佛大學，當然那是美國學界極小的動向。可是，我
大概是從《中國》雜誌的8月號，由留學生玉田紀子所寫的報告中注意
到這個問題。我聽小島先生說，*Far Eastern Economic Review*和其他刊
物也有相關報導。我沒有看過CCAS的新聞通訊，所以要請小島先生來
介紹裡面的內容。

　　小島麗逸（以下簡稱小島）：這份通訊到現在為止總共出了四
次，第4號的最後有法國巴黎大學的謝諾（Jean Chesneaux）——這陣子
正在為亞洲的生產模式理論找出新解釋——所寫的隨筆〈Approaches of
the Study of China〉。開頭的部分非常有意思，他說，哈佛大學光是去
年一整年，就出版了多達24本有關中國的書。他懷疑由此對中國的了解
究竟有多少。我們到現在為止寫了許許多多的書，到底是為了什麼？只
是要增加研究資歷、確認自己的學術能力，還是為了賺錢？或者終究與

資本主義的商品生產無異，只是為了生產而生產？另外他還有以下這一句：「Priority is given to the discovery of new materials and sources rather than to the activity of thinking.」我遇到有新動向的美國學者之一，他在 activity of thinking的同時，也透露action的必要性，但是他的主張是必須去懷疑所有的既有概念。他對我說，我們至今為止對「共產主義」或「中國共產黨」等名詞所抱持的印象，似乎基本上就是錯的，而對「革命」的概念也是一樣吧？我們不是應該抱著比較淡泊的心情，在接觸現實之後，再去構築新東西？

閱讀戴先生的此論文時，老實說我感覺到彷彿有一種之前不曾想到的發想法被一刀刺進心裡。原因是某既有的概念——向山〔寬夫〕先生或其他人不去追究既有概念而在虛像上擴大再生產虛像，而愈益勾勒出扭曲的台灣像。我感覺戴先生以學術方法指出的就是這一點。

德田教之（以下簡稱德田）：關於CCAS這個組織，我因為最近還在柏克萊，所以有些許的了解。

可是我坦白說，這些人不太會透過學術來發表主張，所以我沒有特別注意。說穿了他們就像研究所學生組成的類似反越戰運動組織。例如，柏克萊的加州大學設有Center for Chinese Studies，是用福特財團的資金經營的研究所。這個社團有一間辦公室，一些激進的研究所學生會在裡面聚集，擬定種種行動計畫，舉辦討論會。可是他們的討論只限於政治上的層次，其意識還沒有到中國研究本身要怎麼做之類的事。我經常在研究所的研討會上碰到他們，這些人都是才剛要開始研究的學生，要去討論他們未來的傾向還太早。有一位有名的學者馬克‧塞爾登（Mark Selden），他也來柏克萊，應該也會與社團學生討論越戰，或是幼方先生所說的「研究者的社會責任」等問題。可是說到這位塞爾登的研究，他專攻延安時期的題材，我看過他寫的論文，感覺他的研究並沒

有反映出以越戰為契機產生的新問題意識，反而是沿襲至今為止在美國的一般說法。因此，雖然政治上的討論很多，但說到要如何在中國研究上具體落實，還是模糊不明。

另外，剛才提到謝諾這個名字。如大家所知道的，他是住在巴黎的法國馬克思主義者，出過一本書＊，從馬克思主義的立場談論1919～1927年的中國勞工運動。是本非常優秀的著作，可能寫作時參考了莫斯科的資料，在法國學界獲得大獎。此書是史丹福大學出版的英文版。他的書也被用在美國的大學教育裡，很受肯定。舉例來說，柏克萊有位政治學教授查默斯・詹森（Chalmers Johnson），就在研究所的研討課上，把謝諾的書當成教科書讓學生讀，給予非常高的評價。可是，這個謝諾教授卻是比較屬於越戰支持派。因此，美國學界不論是左派還是右派，對於高水準的學術成果，都會給予公正的肯定。我的結論是，對美國的中國研究界，不要想得太單純或只有片面的了解，否則非常危險。

幼方：確實如您所說，對這種組織的動向給予片面的評價非常危險，但是這些動向我們還是必須知道，才會在這裡稍作介紹。

德田：還有一點，就是幼方先生所說的中國研究者的社會責任，這是日本長期以來的問題。就此點來說，沒有任何人可以提出異議。不論是社會學者還是自然學者，當然都是一邊與社會發展有某種形式的關聯；一邊以研究者的身分為社會做出某種貢獻。可是具體上必須是什麼樣的內容，就是非常大的問題。請教幼方先生，您所認為的社會責任究竟是什麼？請讓我們知道一點。

幼方：我今天所談的戴先生的台灣論文就是一個例子，不只是在學術上，也盡了社會責任，非常傑出。

＊　此書為：*The Chinese labor movement*, 1919～1927. Translated from the French by H. M. Wright. Stanford, Calif., Stanford University Press, 1968.

矢吹晉（以下簡稱矢吹）：我對美國的中國研究毫無所知，沒什麼可以說，但剛好幼方先生帶來的《中國》雜誌10月號裡面，也有內山〔敏〕先生的介紹。我不知道這與之前的話題有什麼關係，但我認為我們有必要接受如此的提問。我們來看這篇文章，內容是加州的夏偉（Orville Schell）在*Nation*雜誌的7月14日號中，提出三本具有代表性的書籍，給予相當嚴苛的批評。他的主旨是：「過去十年來，美國對中國愈來愈有興趣。可是很可悲，此新的興趣並非出自對未以我們所熟悉的作法，選擇近代化之路的國家的魅力與關懷。美國會重新對中國有興趣是出於我們對此國的恐懼。我們研究中國是因為它是敵人。」他就是這樣掌握既往的中國研究，以如此的提問批評出版的三本書。我不知道這位作者是誰，也不曉得美國的中國研究情況，沒有資格置喙，但至少覺得我們如果沒有牢記這段話或這樣的指責，日本的中國研究也會迷失路途。

從台灣研究來看中國研究的態度

幼方：對於美國的中國研究，大家分別提出了有益的看法，但我們的主題是台灣研究，因此首先要請尾崎先生針對台灣研究，以文學家的立場說點感想。

尾崎秀樹（以下簡稱尾崎）：我來晚了，所以很遺憾，沒有聽到各位對各篇論文的批評。我想在大家的討論中，針對戴先生論文的要旨說說我的感想。而其中最大的重點是幼方先生所提出的中國研究者的社會責任，我也要談談我的看法。

戴先生是針對戰後幾篇台灣研究的代表性論文，以向山論文為首，也包括ねず・まさし的與其說是論文不如說是有啟蒙性格的兼差文章；以非常確切但不以特定派別的立場，公平地看待問題。並且不只是

批評，也把積極面、正面都加進來討論的態度，坦白說，讓我學習到很多。尤其令我感覺到社會責任的地方是不局限於剛才提到的台灣研究，也把從日本戰前接續下來的所有中國研究問題加進來，範圍很廣，讓人覺得態度非常積極。

　　在閱讀中，我感覺這篇論文不只是對整體提出質疑，也覺得自己對台灣抱持興趣的方式好像被捅了一刀。剛才有人說，內山敏的介紹中提到美國這種興趣的本質，到目前為止，日本對台灣的興趣都是出於就事而論，有非常多對日本殖民地統治有利的研究。因而在8月15日之後，由於對此需求沒有了，研究本身就斷絕了。應該進一步批評這算得上是做研究的態度嗎？而我們不是應該挺身向前，接受這樣的批判？戴先生在這裡只是點到為止。戴先生論文的結束的地點，就是我們必須去追究的開始。所以這篇論文的廣度很大，並不只是整理既往所有台灣研究的成果。我們從這裡要採取什麼樣的態度進行中國研究或台灣研究？這是關係到自己去投入的問題，含有種種重要因素。這一點是我首先產生的強烈感覺。台灣研究非常落後，從整體看來，感覺更是深刻。落後的原因是什麼？這與日本對台灣研究的興趣奠基於哪裡有關，而不僅是台灣研究，也是必須與例如滿鐵調查部的歷史評價並置的問題，甚至應該與朝鮮等地殖民地研究的關聯去思考連續與非連續的問題。這種研究史的斷絕、研究者意識的斷絕……論文中也稍有提及，民族學研究者雖然在戰前、戰時有一番卓越的功績，卻在戰後幾乎都閉上了嘴巴，不知道是為什麼。

　　另外再深入地談戰後的問題，其中對向山的論文提出正反兩面的批評。從某個時間點開始，向山發表的論文記述就開始改變。其內在的變化是怎麼產生的，戴先生並沒有提到。不提雖然帶有自制的意味，但本來有那之後留下的問題。從字裡行間汲取戴先生論文的問題意識時，

我覺得還有一個問題是我們面對台灣研究時，必須從各自的崗位去質疑。特別是戰前的研究為何戰後沒有持續這個問題。不僅沒有持續，戰後的研究還採取把過去研究的負面擴大再生產的形式，恢復一部分舊有的研究。這個問題可以在台灣經濟的相關評價中看到，我希望大家對這一點能夠有更深入的批判。

　　民俗學方面有池田敏雄先生出席，應該能聽到他說出許多感想。池田先生是在戰後仍繼續做「民族學研究」等的楷模，金關丈夫教授也有相當出色的成就，但各自的對象有了偏離。亦即不只是研究的座標軸基於非回日本不可的外在理由而有所改變，台灣研究者的問題意識是否也跟著產生某種偏差？這是我最想請教戴先生的，因為是戴先生將日本在戰前優秀的台灣研究遺產挖出來討論。而這裡〔譯註：指這場研討會〕畢竟是將討論的對象限定在戰後，因此避開了這個問題，但是他也表達了期待：解開戰前與戰後的斷絕與連續，就是在為現在的台灣研究準備另一個切入點吧。

　　幼方：謝謝您。後面會請戴先生總結，現在先請剛才尾崎先生提到的研究民俗學的池田先生發言。

　　池田敏雄（以下簡稱池田）：我是從昭和16至19年〔1941～1944〕，在金關博士主編的民俗學月刊《民俗台灣》中擔任編輯，所以今天算是以編輯的身分，依過去的體驗來談談對於戴先生論文的感想。

　　首先要談的是，幼方先生看了戴論文所感覺到的中國研究者的社會責任，套用在台灣的時候，我們如何承受。戴先生認為，殖民地統治最大的弊害是人性的破壞，而不是經濟上的破壞或掠奪。這一點是相當重要的。《民俗台灣》這本雜誌在當時是日本人與本島人的有志之士合作，記錄因所謂的「皇民化政策」而即將快速消失的台灣習俗或傳統文化，以有助於未來的研究。由於有此強烈的意圖，與台灣人的交流很

多，不僅是與採集報告者等知識階層，我自己也直接從事民俗資料的採集，因此有許多機會接觸一般人民。我從這些經驗感覺到，日本的殖民地統治，尤其是大約從昭和6年的滿洲事變開始，以至後來的中日戰爭、太平洋戰爭的發展過程，稱為「皇民化政策」的一連串總督府的施政方針，如何傷害到所有台灣人的心情，同時也傷害到身為統治者的日本人的心。戴先生這篇論文使我們在戰前從事民俗調查的人也感覺到，被嚴格地追問反省自己的社會責任。之前一直抱著含糊的心情在迴避的事情，被如此直率地指出，反而讓我覺得鬆了一口氣。

這與日本人的台灣觀不無關係。戰後的日本人不是停止研究台灣，就是改為低調，原因或許很多，那是無法全然抹去戰前對台灣的優越感這一點。如果一直在迴避社會責任，新的台灣研究就無法成立。

以二二八事件的評價為例，日本研究者強調的不是台灣人反抗國民政府獨裁這一面，而是台灣人受到日本的殖民地統治，教育和生活水準都有所提升，而且強烈受到日本氣質或生活感覺之類的影響，對來自大陸的國民政府統治方式感到扞格不入，才會發生暴動。也就是說，人民比較國民政府和台灣總督府，覺得日本時代比較好，而因為反感產生暴動。這種看法相當普遍。對這場在戰後第二年發生的暴動，日本人是以對自己有利的方式解釋，有很大的一部分是無意識地把殖民地統治的責任變得模糊不明。

還有一點是，1952年日本與國府台灣單獨訂下和約，後來台灣的經濟開始大幅依賴日本，蔣政權的對日政策也趨向緩和。在那之前都是聲稱台灣人在日本統治時受到奴化，而採取全面否定日本文化遺產的政策，日語自不待言，連電影、流行歌等日本事物，以及其他各方面都不例外。可是，自從日華協力委員會成立，國民政府的對日政策就有了改變，日本報紙、雜誌等媒體也開始出現扭曲的報導，例如說台灣盛行日

本的電影或流行歌，連戰時的軍歌都聽得到，或是台灣人很懷念日本統治。這種不負責任的台灣觀更促使日本人把過去殖民地時代不幸的一面拋在腦後。不可否認的，這種風潮會反映在一部分台灣研究者身上。因此，更加使得日本錯失了反省與批判的機會。直到戰後二十多年，才有以戴先生為首的台灣出身的留學生學得做學問的新科學方法，而針對日本的台灣研究提出意見，像我這樣的人才開始反省過去的研究態度，也從中受教。除了尾崎先生等少數研究者，做為過往統治者的日本人幾乎都沒有去追究自身責任；以至於被他者追問的是，與朝鮮等地的研究相比，台灣研究的現況絲毫稱不上質量皆高。

另外，戴先生也提出一個問題：台灣總督府強制推行的同化政策或皇民化政策究竟有沒有影響？我想包括部分學者在內，一般都認為確實有影響。可是我認為，正如戴先生的指摘，從現象面來看或許可以說有影響，但是總人口僅占5至6％的日本人而且都集中在大都會區，建立封閉的日本人街區，而且只維持了50年，究竟能造成多大的影響？逼迫異族去做連我們日本人都受不了的神宮遙拜、驅邪淨身之類的事情，如何讓他們感到共鳴？尤其是戴先生指出的村落階段，我也認為幾乎沒有影響。

若要說有什麼影響，那就是日語上的同化政策。根據總督府的統計數字，昭和19年時有71％的日語普及率。雖然我當時遍訪農村的感覺不能盡信，但至少日語教育做為同化政策的工具，縱使成果無法與朝鮮比較，但認為有點成果是妥當的。不過，在此之外的日本歷史或生活文化上的影響，我認為幾乎可以說沒有。

最具象徵性的政策是寺廟整理的問題，那是在昭和13年，中日戰爭期間開始的。寺廟的廢止或合祀是牽涉到信仰的大問題。年中的例行祭典、娛樂和其他所有傳統文化都集中反映在寺廟的信仰和祭典上。我

們意圖予以否定，燒毀掉他們的神像，當然會造成社會不安與反抗。這件事在國會也引發爭議，不得不在隔年的昭和14年，把強制推行的政策改成慎重漸進政策，最後在昭和16年太平洋戰爭發生前不久，還是不得不以總督府的方針撤回。從昭和15年開始的改姓名運動和其他幾項是皇民化運動的主柱，也是徒然讓有心人士反感而已。再說所謂的「國語家庭」，如果60歲老人和小孩除外的所有家庭成員都學會日語，就可以被認定為「國語家庭」，在門口掛上「國語家庭」之牌。日本人在戰時有白糖的配給，一般台灣人只配給黑糖，而白糖也配給國語家庭，一般大眾是無緣的。

　　由上所述，日本的皇民政策即使在語言的同化上獲致一定程度的成效，但所謂的「民族同化」應該是沒什麼效果。

「新」的中國研究與其觀點

　　德田：我插個話，我從1962至1964年之間，為了研究中共而在台北住了差不多一年半，對台灣問題有體驗性的印象。如剛才幼方先生所說的，中國研究不是純粹的外國研究，而是站在非常特殊的過往關係中的研究，而這一點最為明顯的或許就是台灣研究。這時，過去曾是殖民地統治者的日本人在評價使台灣近代化或經濟發展成為可能的日本殖民地政策時，總是會有一種罪惡感或自虐的想法。也許只要是日本人都難免如此，可是做研究時，雖然一方面不能忘記自己是日本人，但另一方面也不能沒有較客觀的評價，這一點不論是日本人還是美國人、蘇聯人的中國研究，都不會有太大的差異。雖然情況畢竟會因各種文化的束縛而有所不同，但至少在進行社會科學的分析時，不可以出現太大的差異。我在台北與台灣大學的經濟學教授或政府的經濟學家談話時，或許是批判國民政府立場的反作用，有比較多人會指出日本殖民地政策的優

點，日本所遂行的殖民框架中存在著積極的開發政策。聽到台灣人指出這一點時，日本人要如何接受，如何採納呢？是否日本人做過的事都是不對的，所以要卑躬退縮？

尾崎：我剛才談到研究者在台灣研究中的社會責任，如何評估其歷史遺產。有一段時期，這方面都只有濃厚的二選一圖式思考，不是加害者意識就是被害者意識。只是這樣的話，問題就只會在原地打轉，不會有所進展。那些東西與其說是科學上的評價，不如說追求道義的層面非常大，全面否定或全面肯定同樣是圖式思考。

我認為台灣研究之所以會遲滯不前，就是背後存在著這種試行錯誤〔譯註：不斷摸索〕，以及急於回應國策上的要求，研究本身的科學自主性尚未成熟的緣故。不意識到這一點，而只拿局部出來評論好壞是沒有用的。這只是印象的批評，而不是科學的評論。不能覺得自己有錯就退縮，而是回到原點思考的態度的必要性。就這一點來說，戴先生提出的問題不是很值得稱許嗎？光看以前在台灣施行的皇民化，也會覺得造成很大的傷害。問題不在於這個政策有多大的成效，而是它本身留下來的責任。研究者要如何看待這一點呢？只要弄清楚這個問題，答案就會自然浮現。

德田：戰後經過二十多年，台灣本身也改變了。會說日語的人變少，日本這個國家也成為遙遠的國家。他們的意識反而是往中國人靠攏，這種中國人意識就是廣義的做為人種或民族的中國人意識。倒是日本人好像永遠抱持著過去曾是殖民地統治者的罪惡感。我覺得雙方在這裡何不忘掉一些，或是看開一點，該是客觀評量功過的時候了。

尾崎：不能是單純的忘掉，而是要正確地整理歷史，慢慢累積。池田先生想在這個基礎上，討論的心情很強烈吧？

池田：戰前由輕蔑或優越感支撐的台灣觀，一般而言並沒有

在戰後消失。這同時也是我本身的問題，自己再怎麼否認，還是有這方面的執著。我雖然自認是夾雜在台灣人社會中做民俗調查，但是對方如何看待我這個人呢？也就是說，在不知不覺之中，當時或許存在的統治者與被統治者的關係，近來令我更加介意。雖然這是政治問題，不是個人的責任，但我還是無法釋懷。正是戴先生一連串的論文，讓我感覺受到某種指責。我這陣子逐漸察覺，要等到對殖民地統治的社會責任有所反省之後，才能開始下一個研究。尾崎先生提到研究的中斷或連續，正因為對象是民俗，所以對我來說，問題是出在這裡。而台灣牽涉到複雜的國際關係和政治情勢，問題也就更加棘手。

幼方：有道德和其他的研究問題相互牽扯。那麼最後請戴先生發言。

戴國煇：各位的讚許讓我感到惶恐。

首先要回答的是尾崎先生指出的戰前和戰後的問題。雖然我一直在構想此次100號的紀念論文，這個問題卻不在我的工作計畫內。

我想從剛才幼方先生介紹的《季刊東亞》〈日本人的台灣研究〉一文，然後是土地調查事業，再是對矢內原先生提出我自己的評價，我接下來的工作時間表上還有伊能〔嘉矩〕先生的《台灣文化誌》、川野重任先生的《台灣米穀經濟論》，本來這篇100號論文是預定在三年後寫的，因此論文中並沒有針對尾崎先生所指的部分提出自己的評論。我目前當然有計畫去補充相關的問題，如果有幸出書，這方面一定會好好整理。

第二點是德田先生所提出的，台灣知識分子對日本殖民地統治的看法。老實說，德田先生接觸過的人裡面，有的我也見過，或是讀過其人的論文。其實除非是像尾崎先生或池田先生這樣有非常出色的問題

意識，否則這些人與一般日本人並沒有太大的不同。這與台灣的社會或歷史科學非常落後不無關係，但德田先生對戰後的世代，或是社會科學研究者的見解有太看重的一面，才會有這種場合要怎麼辦的問題。我在《經濟評論》的8月號（1969年）中與杉岡〔碩夫〕先生對談時〔參見《全集18・台灣經濟與日本投資》〕，也提到這個問題。台灣的學者、知識分子並不勤於從事科學研究，從台灣對日本殖民地的研究非常落後一事，就可以證明這一點。

　　再來是我自身的問題，我出身台灣，昨天也在這裡遇見來自東北（舊滿州），同樣有過日本殖民地統治經驗的王先生（光逖，即司馬桑敦），在另一場研究會上聽他講話。這個人笑著自嘲說，中國的地方性格中，滿洲人和台灣人是屬於同一個類型，都有雙重人格。他沒有進一步說明，但我認為他的說法沒錯。東北地方的滿洲人不是所謂的滿洲族，而是漢族出身者，他們的思考方式與台灣人非常相似，因此讓人很困擾，其中的背景就在此略過不談。有些人曾在日本殖民地統治時期在東京帝大發表抗日言論，現在卻反過來說日本的殖民地統治比較好，有人在戰後來到日本時，對我認識的日本人教授這麼說。這位教授非常疑惑，問我這是怎麼一回事。要用社會科學來分析這件事非常容易，這樣的人沒有確實研究社會科學的方法，也沒有這種認知，只能藉由與自己有關的部分去了解，正因為有這種局限，才會說出那種看法。

　　我在《經濟評論》中提到，台灣問題非得以100年為單位去研究不可。幼方先生也這麼說過，我也曾在仁井田〔陸〕先生的紀念論文〔參見《全集6・晚清期台灣的社會經濟》〕中提到，必須要以對清末的評價來決定日本統治台灣在歷史上的意義或歷史定位。我用實證提出這個看法，但是很可惜，因為種種因素，經過了兩年多，這本書還沒有出版。

　　在我提出的一連串問題中，當然我是殖民地統治的受害者，但其實我是受害者兼加害者，至少我家是地主。我在《經濟評論》中說過，也在此次的論文中提到，我們地主是靠著總督府的權力保護，取得高率的佃租。目前台灣大學的教師只會在殖民地統治的私人體驗範圍內，間接討論此出身階層，而可能在現在的歷史階段有妨礙社會科學上的正確定位的部分。就這一點來說，德田先生的問題也是我們的問題，尤其是我的出身階層，我所屬的台灣出身知識分子的問題。

　　再來談談池田先生的研究成果，也就是台灣的家庭生活。池田先生有「萬華學者」之稱。萬華是代表台北的都市聚落，也可以說代表非常典型的台灣人生活的聚落。雖然應該用什麼方式來定義概念，目前還找不到適當的詞語，但池田先生在這方面的研究非常出色。池田先生雖然隸屬於台灣總督府，卻走過相當多的台灣農村，才會在這裡談論皇民化問題──我在這100號紀念論文中提出來的，完全是出自社會學或我自身的體驗──而有殖民地統治的文化侵略是否能在短期間內滲透到村落以下部分的問題。這是必須把人的問題或村落階段的問題加進來思考的，老實說，我還沒有整理出一套理論。以假設提出來的問題，在今天承蒙各位說出珍貴的體驗，不僅讓我得到啟示，也有一些日本人研究者或在某種意義可說是相關人士發言贊同我的假設，真的很感謝。我覺得受到很大的鼓舞，今後也會在這方面更加努力。

　　最後是指敝文對經濟避而不談這一點，其實我無意迴避，至少從亞洲經濟研究所的笹本〔武治〕調查部長開始的台灣經濟研究，是用直接的資料為經濟實況定位，總之都是一種實態認識的研究態度。我認為這應該是戰後台灣研究在日本的劃時代性轉換。今後不僅是亞洲經濟研究所，做為日本在台灣經濟的研究上的一個里程碑，期待在此後放手一搏，而這或許也是我給自己留下的課題，才會覺得不能多談。

　　幼方：關於此篇論文，各位提出了許多寶貴的意見。我的感覺正如之前說的，日本統治台灣不只對台灣造成物質上的損害，最大的問題是傷害了台灣人的精神。反過來說，日本人也受到傷害。這一點是千萬不能忘記的。因此，要怎麼處理日本人受損的台灣意識，是我們共通的課題，也足以成為科學研究的對象。而不只是台灣研究，我覺得應該也適用於一般的中國研究。

　　小島：謝謝各位長時間的參與，尤其是在百忙之中前來，非常感謝。

　　　本文原刊於《アジア経済》第11卷第6號，東京：アジア経済研究所，1970年6月15日，頁65～75

【附錄2】
霧社事件與文學
—— 續‧殖民地文學的傷痕

◎ 尾崎秀樹著‧蔣智揚譯

1

　　亞洲經濟研究所出版的《亞洲經濟》〔《アジア経済》〕100號紀念特集號上，對於有志研究台灣以及研究中國的人，有一篇忠言逆耳的發言。那就是戴國煇所著，在回顧展望戰後日本研究台灣的一文。戴國煇是這樣寫的：

> 本來一個國家的外國研究應有的姿態，不可只停留於順應時代潮流的地步，可是目前的實情卻不得不說，還是順應時代潮流的例子占了「研究」的主流。在日本的台灣研究，當然也不可能例外，日本國內政治、經濟的變化會反映於台灣「研究」，但是對於研究對象的台灣政治、經濟，不從其現象的變化深入捕捉其結構，卻被其表象迷惑，甚至導致對台灣的事實認識，也一向被視若無睹之感甚深！

　　然後著者質問為何不能深入台灣本身社會、政治、經濟的結構來認識，只流於膚淺的時事介紹以及解說而已？結果造成台灣研究不振，其原因何在？並提起對外國研究者身分以及生活未加充分的保障，視台灣研究為禁忌，視台灣評論者為台灣政治說客而造成特殊氣氛的存在。

由於戰前派研究者的去世與緘默所引起的研究停滯，比以上三條件更重要的問題，對於「做為生存在同時代的社會科學者，將不幸的殖民地體驗（從民眾的立場來說，對統治、被統治雙方都是不幸的體驗）在其各別歷史中予以正確定位，並加以邏輯化」，說明有其必要性。這個指摘很重要。尤其做為台灣經濟最近能有高度成長的論據之一，使日本殖民統治的遺產被肯定評價的情況下，則研究者之台灣認識以及其基本態度將成為重點。

戰前的台灣研究，除了一部分外，不過扮演了日本殖民統治的配角，現今的情形也類似，目前的台灣研究是要使進入台灣的日本經濟合理化，並淪為欠缺主體性的調查，就無可救藥。因我們感到擔心，戴國輝的指摘就是刺耳。亦即對日本人來說，台灣到底是什麼？台灣研究是什麼？重點就是需要把握其主體性。

日本與台灣的關係基本上，成為日本與中國關係的部分問題，而日本50年殖民統治的歷史事蹟介於其間，所以呈現更複雜的曲折。正如著者所說，站在民眾的立場，不管對統治、被統治任何一方，同樣都是不幸的事態。在戰後有一段時期，連民眾也要坐在歷史的被告席上受到裁判的傾向，如此要把殖民統治當漂亮事完了，故意裝著罹患了健忘症，皆非正確的態度。對於我們，台灣到底是什麼？這樣的詢問等於詢問殖民地台灣到底對日本是什麼？透過這件事就是，必須使日本的台灣觀，乃至對中國、對亞洲觀使之能夠正確發展的問題。

我並不是在說心理上的負債。當然這點也有關聯，但是不只如此，而是想說必須將負債做為負債，予以歷史的確認，將其當作研究的觀點座標。專攻韓國近代史的梶村秀樹，繼戴國輝的論文之後，寫了以「韓國」為題的一文，展望戰後日本人的韓國研究，其中有一節如下：

　　與敗戰同樣，日本人一般對殖民統治的責任問題並不自我批判，
只是單純地喪失了對韓國的關心。在聯軍占領下，來自韓國的資
訊被隔離，也是造成此怠忽的要素之一。以殖民統治乃非得已之
事「不然要怎樣」，這種突然翻臉的蠻橫論調，日本人甚至容許
之。

如果將文中的「韓國」以「台灣」來代替，也充分通用。韓國研究的情
形，無法與台灣研究比較，可以看見此自覺在高漲中，究其原因可能
是，韓戰的不幸事態迫使日本的研究家們，不管願不願意，須與現實真
摯地對決，以此為關鍵透過科學的研究來建構日韓間的真正友誼，由此
基本態度而產生該自覺的吧！旗田巍說：「殘留日本人腦裡的殖民統治
者意識，其實正在藉由日韓友好運動裡所成長的連帶意識，從現實上被
消除之中」（《日本人的韓國觀》〔《日本人の朝鮮觀》〕），可是對
於台灣，這種連帶感是期望不得的。實際上現在的韓國研究，如果失去
與在日韓國人研究家的連帶感，則其水準不能想像。為了使台灣研究也
能產生這種連帶感，日本人台灣研究家的研究態度非大加改革不可吧！

　　對於像我們這樣在殖民地出生，在殖民地成長，親身體驗了殖民
地的統治與被統治的人來說，殖民地的體驗伴隨負債的重荷，經常都重
現於生活中。譬如發生了如下之事。

　　戰爭中在殖民地台灣常唱的歌曲裡，有一首叫作「榮譽的軍伕」
的軍國歌謠。註明是由栗原白也作詞，鄧雨賢作曲，但其原歌曲就是
〈雨夜花〉。由哥倫比亞灌成唱片，背面灌有成對的時局歌謠〈軍伕之
妻〉，在台灣頗為暢銷。可是實際上雖經台灣總督府的高官們大力捧
場，該歌的普及不如預期地理想，「披著紅色肩帶的軍伕，我們是日本
男兒！」的歌詞，不如將女性之美與哀愁比喻為被無情風雨打落的「雨

夜花」，結果〈雨夜花〉大行其道。我在中學時代學過該歌，邱永漢似乎也難忘懷，在他的直木賞得獎作品《濁水溪》〔《濁水渓》〕裡提起：「當局為了要普及此歌而大力支持，不料結果反而使原詞的〈雨夜花〉風靡全島，甚至內地人之間也流行起來，當局乃緊急禁唱。台灣人被迫朝向共同祖先的大陸同胞開槍，同時還要高唱這首隱含自己悲劇的軍歌，我們夥伴之間，誰都有錐心之痛。」這種盜用民眾所熟悉老歌的旋律，而加上軍國日本烙印的手法，以日本殖民統治的整個結構來說，可能是司空見慣的小事。不過這也是與其他措施並列的問題，諸如以日語來替代台語（閩南語、客語），強迫常用「國語」，整理寺廟來增設神社等等。正如「為國應召，遠渡東海，越過怒濤……」（〈軍伕之妻〉）的歌詞所說，在以同胞為敵的戰場上，不得不做日本軍的走狗上場，想到這樣的悲情，這首軍歌真是殘酷無比。為了華南作戰，他們被動員充當軍伕或通譯，到戰爭末期即被擬為日本兵驅赴戰場當砲灰。當時不僅所謂本島人，連高山族的年輕人在內也都如此，太平洋戰爭開始後，報紙上即時常報導高砂義勇隊在南方戰區的活躍情形。高雄州潮州郡葩枯修青年團出身的達利洋以血書表明志願：

　　天皇陛下萬歲
　　我是日本的男兒
　　秉持大和魂
　　為了天皇陛下
　　為了國家
　　任何苦差事都不以為苦
　　請讓我當軍伕
　　（竹內清，《事変と台湾人》）

　　像這樣的血書志願者裡，以前在霧社事件中反抗日本殖民統治的倖存者也參與其中。不但被編入體制內，還成為軍事的尖兵，藉此以強調自己的存在，這樣的年輕人姿態，隨著高砂義勇隊的活躍情形廣被宣傳，深深刻在人心。

　　這樣的事實多得不勝枚舉。事體雖小，性質上與心理傷痕深切牽連。詩人長崎浩以「高砂義勇隊歸來」（《文藝台灣》第7卷第1號）為題發表了如下的詩文：

　　為了奉獻祖國的新信仰

　　高高地揮舞著

　　祖先秉持古老信仰沾了血的利刃

　　雖然巴丹(Bataan)半島的峻嶺橫亙於前

　　馬里韋萊斯(Mariveles)的密林阻擾前進

　　科雷希多(Corregidor)的岩壁嵯峨之處

　　疾馳如風

　　進如潮湧

　　以袒露的胸脯當盾牌

　　不斷地面對敵人

　　今日凱旋榮歸

　　勞苦功高卻不誇耀

　　長列隊伍靜默行進

　　……

　　發起霧社事件的泰雅族，自古就有稱為出草的風俗。此並非以殺人為目的，首級本身具有至高無上的意義。據說發動出草的目的，是為

了進入成人之列、洗清嫌疑或冤枉、從爭論到娶妻的所有競爭中制勝，或是一般為了誇示自己的威武。這是神聖的儀式也是祭典。設使不用殺人而有其他出草的方式，他們必採之無疑。雖然詩人把出草的遺留風俗，在詩裡歌詠著「為了奉獻祖國的新信仰，高高地揮舞著，祖先秉持古老信仰沾了血的利刃」，可是眼看日本當局這種見風使舵的「機會主義」式作風（以往日本的官警嚴加警戒取締出草，有時甚至將出草當作彈壓藉口，但現在卻將其合理化做為日本武裝侵略的武器），高砂義勇隊的行動即造成錐心之痛！

　　這些事也許已經成為過去的問題，但這只是說時間已經過，卻一點也未成為歷史的東西。藉由融入歷史的認識，體驗才能成為「歷史」之物。我們必須做的並非感傷地述說過去的傷痕，而是要凝視傷痕，並記取教訓，再將其對應於現實以免重蹈覆轍。

2

　　霧社事件是昭和5年（1930）10月27日，在霧社所發生的高山族起義事件。參加的高山族包括霧社分室管轄內的霧社番11社裡，以馬赫坡社、波亞倫社、荷歌社、羅多夫社、塔洛灣社、斯庫社等六社為中心的壯丁約三百人。當時正在霧社公學校舉行，小公學校、各蕃童教育所的聯合運動會，在此當場遭受襲擊，包括女子在內有134個日本人被殺。兩個漢族台灣人被誤認為日本人而遭難，兩人負了重傷而死亡，一人在竹藪避難中，被恙蟲刺死。當時在霧社有157個日本人，因為是一年一度的聯合運動會，所以霧社分室管轄內各駐在所職員和家族也多數參與，被襲擊時增加至227人之多。由馬赫坡社的頭目莫那魯道所率領的起義軍，襲擊了13處駐在所，奪取了三八式的騎槍以及村田槍180挺、彈藥23,000發，在山間的道路以及斜坡建構堡壘，以對抗日軍的反擊。

　　接到事件爆發的通知後，台中州廳即緊急召集州下的警官178人，警察部長親自率領急赴霧社，將本部設在能高郡役所擔當陣前指揮。總督府也認為事態嚴重，決定從其他州廳調派支援隊，命令台北、台南兩州以及花蓮港廳急派支援警察隊，於28日先發的台中警察部隊自埔里進入霧社，接著台南州的警察支援隊為了援護先發部隊，分為兩組進發。先發部隊與後續部隊合流之後，幾乎未受到抵抗而進入霧社，此時為29日的上午八時五分。事件發生後整整二日始得奪回霧社，但起義勢力的抵抗並未衰退，因而不只警察連軍隊都被動員。不僅投入山砲，並利用飛機進行殲滅戰，甚至使用起毒氣，這樣的鎮壓作法似乎有點異常。也許這不是當局怕莫那魯道等人的捨身抵抗，而是對這個事件的直接間接影響加以極度警戒所採取的措施。莫那魯道與殘餘部下撤退到馬赫坡溪上游的岩窟裡，最後部下都自縊了，他自己也深入森林裡自殺了之（以上經過主要依據台灣總督府發表的《霧社事件始末》）。

　　總督府在《霧社事件始末》裡，就事件的原因舉出，搬運建築材料的勞苦、對工資延遲付款的不滿、荷歌社的青年比荷沙波與比荷瓦歷斯的策劃、莫那魯道的反抗意識等等，而將事端局限於對勞役與工資給付的不滿，或是個人的問題，並牽扯出草的遺留風俗來作解釋，意圖使一般人有突發事件的印象。所謂勞役問題是指事件爆發時，駐在所附屬建物的遷移、改建等，包括道路、橋樑的修補等大小九件賦役。對於從無搬運習慣的原住民，命令他們從事建材運送，並只付給漢裔台灣人日薪的一半，而其工資也處於積欠的狀態，這些助長了他們的不滿乃明確之事實。至於受到荷歌社青年的煽動，對此不平不滿火上加油，利用此機會抒解仇恨之說，並不成為充分的理由。而舉出莫那魯道的反抗，怨恨其妹狄瓦斯魯道被日人巡查部長近藤儀三郎拋棄，以及毆打吉村巡查事件，也是將民族的問題轉移為個人的仇恨。這個所謂毆打吉村巡查事

件，來龍去脈是：直接負責木材採伐供建小學宿舍的吉村巡查，某日拒飲莫那魯道的敬酒，並被他按倒在地之事，莫那魯道怕受處罰，乃先發制人云云，其真相不得而知。

參加起義的霧社分室六部落高山族，總計有1373人，可是經壓倒性優勢日方火器攻擊的結果，連女人也自盡身亡，最後投降歸順的，不過551人而已。而到戰後才明白，投降者中有十數個年輕人，被認為起義的主謀者，經拷問後被殺害了。再者，倖存者也不許回到霧社，都被遷移到西寶、羅多夫兩社居住，而在霧社事件發起的翌年四月又發生了慘事，他們被事件當時協助日方的其他部落高山族襲擊。

這個霧社事件在國內外都起了種種的風波。台灣民眾黨向國際聯盟投訴禁止使用毒氣，呼籲反對出兵，產業勞動調查所發刊的《國際》登載台灣某位青年的檄文，讚許霧社蕃族的英雄行動。住在台南的共產主義者陳元，將一篇反省的文章投到上海的《太平洋勞動者》，提及台灣左翼勢力組織的脆弱，以往對原住民實力的評價過小，未能參與霧社的起義，只能眼看他們敗北以終。此《國際》第4卷第16號所發表的〈擁護蕃人的起義〉、《無產階級科學》第三年第一號登載的陳元論文〈關於在台灣的民族革命〉（署名為蘇慕紅），以及台灣文化協會的中文機關誌《新台灣大眾時報》1931年3月號所收的〈霧社蕃人蜂起的意義〉（署名雪嶺）等，都在1969年8月的雜誌《中國》被詳加介紹。尤其令人感到興趣的是《無產階級科學》所登載的蘇慕紅論文，與台灣總督府發表的《霧社事件始末》形成針鋒相對的立場，蘇文主張對抗日本帝國主義的殘酷略奪，要解放自己之道，除了武裝起義外別無他法，並強調事體的本質不在於有許多日本人被殺、槍枝和彈藥被奪、與日本軍隊對峙，而在於必須站在無產階級的國際團結上，做為殖民地、半殖民地解放鬥爭的一環以掌握全局。另外雪嶺的論文則對於站在改良主義立

場的台灣民眾黨，僅在道義上反對出兵與禁止使用毒氣，嚴加批判，認為事件是有計畫的，是民族解放之戰，此種論調發表於屬台灣共產黨系台灣文化協會之機關誌，想必當然耳。

　　事件突發時，石塚總督正在自東京歸任的扶桑丸船上，回台後馬上又被召回東京，並被迫辭職。也有人說這是松田拓殖大臣的主意，因為不久將要召開第59屆議會，他怕霧社事件成為攻擊政府的好材料，乃使其不成為政治上的過失，而僅止於事務上的失策，如此可為政府脫罪。在第59屆帝國議會的貴族院，湯地幸平、川村竹治、志水小一郎等人也提出質問，在眾議院由政友會的濱田國松和全國大眾黨的淺原健三等人追究政府的事件對策。全國大眾黨為了調查霧社事件派遣了河上丈太郎與河野密到霧社。當時的調查內容詳載於〈談霧社事件的真相座談會〉（《改造》昭和6年3月號），以及河野密的〈揭發霧社事件的真相〉（《中央公論》昭和6年3月號）。淺原健三也在議會上根據河上、河野兩人的調查，列舉六項霧社事件的原因，而大放厥詞地說「為了世界和平，為了愛護人類，受這次霧社事件的教訓，政府難道不幡然改悟，打算即時解放日本殖民地嗎？」（〈第59屆帝國議會議事錄〉No.1）。可是其內容較政友會的濱田國松，有欠精采之感。對於這樣的不滿，河野密的〈揭發霧社事件的真相〉可說作了補充，在當時的日本人所寫的報告裡，是唯一具有客觀性的見解。

　　河野密提及台灣總督府發表的《霧社事件始末》裡所列事件的原因，認為太屬膚淺之見，乃根據勘察的結果，列舉木材搬運等苛刻的強制勞動、工資低廉並延遲給付、在農忙期強制賦役、取締警官的不諒解與掠奪、原住民生活手段的狩獵區域被狹隘化等項，而將事件歸因於原住民管理政策之缺陷所引起不平的累積，認為事件是有計畫的。石塚總督接到事件通報後，在記者會上稱「應付徒具單純頭腦的蕃人，須時常

細心注意之，無論何事必使其無所誤解」，但實際上，霧社是蕃地中開發最多的，然而卻把霧社高山族的起義說成出草風俗所引起突發事件，實乃無聊之論。河野密駁斥這些世俗的說法，斷言事件的根本在於勞動問題、民族問題。

> 我們在台灣所見的是「專制政治」。亦即在專制政治背後培養出來的「腐敗政治」。資產階級政治××的詭計，其最好的標本就在台灣！「霧社事件」不過是這個××政治所產生的一事件而已。不將這個根本加以××的話，第二個霧社事件、第三個霧社事件，何時會××不得而知。在台灣並非只是14萬人的蕃人為民族問題的對象，不是還有400萬的本島人嗎？

正如他所說的，在霧社事件的背後，尚涉及台灣島民全體的問題，甚至更有韓國的民族問題擺在面前。總督府的武裝權力如此大張旗鼓地進行討伐，其目的也可說是要防範這些問題於未然。

3

以霧社事件為題材的日本人文學作品並不多。大鹿卓的《野蕃人》、中村地平的《霧的蕃社》、坂口䙡子的《霧社》等，除了這些直接將事件當題材的作品之外，尚有五味川純平的《戰爭與人》當作部分題材。將昭和5年10月的霧社事件以外的在霧社發生的反抗事件當作間接題材的作品有，細田民樹的《一兵卒的紀錄》〔《或兵卒の記録》〕以及佐藤春夫的《霧社》。當然，大鹿卓與坂口䙡子、中村地平、佐藤春夫等人不只上述的單作而已，還有幾本直接或間接自霧社事件取材的作品，在各別狀況下扮演了一定的文學、思想角色，可是中村地平、坂

口褄子、五味川純平等人，這些與殖民地有直接體驗的作家，都以霧社事件當題材，未必能說是偶然之事。而這與ねず・まさし的告白也相吻合，他在三一書房版的《日本現代史》裡說「對於在台灣與韓國的統治，將此二大問題站在被統治者的立場，做為貫穿現代史的一大脈絡來描述」。將其編入現代史，要不是生長在殖民地台灣的話，他不會想到這樣的創新觀點。實際上，他費了六年完成力作《日本現代史》，精心地研究日本舊殖民地的台灣、韓國，以及以武力直接侵略中國的諸問題，藉以立體浮現日本帝國主義的發展過程，而且採取站在被統治民族的觀點，想要將他自己的殖民地體驗，提高到歷史層次的認識。可惜的是，因為只是啟蒙的通史，未能得到正當的評價。而戴國煇的前述論文可說是，將此ねず・まさし的工作加以有系統介紹的第一篇文章，包括武者小路實篤對西來庵事件判決作了抗議的事實，發掘了細田民樹《一兵卒的紀錄》裡對事件的描述等等，連同其研究學問的正確基本態度，戴文都給予甚高評價。

　　坂口褄子，大正3年（1914）9月在熊本縣八代郡高田村（今八代市內）出生，畢業於八代高女、熊本縣女子師範本科二部，供職於八代市的小學校，昭和15年結婚後，居住在台灣的台中市。昭和21年3月才撤離台灣回到日本，因此居住過台灣滿六年之久。而且也曾疏散到過稱為「中原」的原住民社，那是霧社事件發生當時，以親政府的萡蘭社為中心，由塔卡南、喀蚩枯等六社所組成的。她開始以其經驗直接取材霧社事件而寫成《霧社》，接著又有獲得新潮文學賞的《蕃地》（新潮社刊，昭和29年3月）以及昭和36年4月刊行的《蕃婦羅婆的故事》〔《蕃婦ロポウの話》〕（大和出版株式會社）所收的各篇等，而形成一連串關於蕃地傳說的寫作動機。她從都市疏散到中原是日本敗戰前後十個多月的事，在此之前也寫過以霧社事件當題材的作品，那就是發表在她所

屬《台灣文學》雜誌昭和17年2月號上的中篇〈時計草〉。可是掌握絕對之生殺與奪大權的總督府審查機關，不喜歡此作品公開在一般的讀者眼前，除了保留版面第一頁與最後七行之外，橫暴地刪除了45頁之多。因此其難得的力作如今看不到全貌。

她所屬的《台灣文學》是由張文環等較多台灣裔作家組成的團體，比起西川滿等人的《文藝台灣》，批判國策的人不少。作者預定要改寫〈時計草〉，可是因戰況吃緊而無法著手，只好在返回日本安定之後，才推出了《蕃地》、《霧社》二作。在獲得新潮文學獎的作品《蕃地》裡，描寫了一位母親是原住民的某年輕人的民族之痛，《霧社》則著眼於被視為殉職的花岡兄弟等被壓迫者的立場，由此可見〈時計草〉的挫折，經過15年的歲月，以如此的形式深植於她的心中。據作者所言，在〈時計草〉裡似乎也將原住民和日本人的混血問題，從女性的立場做了處理，由這些事實可以感覺到，坂口䙓子對於庄司總一在他的作品《陳夫人》所提示的問題，想要更深刻更尖銳地積極挖掘。《蕃地》的主人公純，因有著高山族的血統，經歷了幾次婚姻生活的挫折，不能融合於高山族與日本人的社會，使其在二者之間立場搖擺不定，辛虧由於妻子真子的誠意，終能擺脫鬱悶。作者最後描述了主人公的境遇，日本人不讓他知道戰敗的事實，使他被迫對自己所處位置產生自覺。坂口䙓子如此設定主人公，也許可說她將自己的深刻傷痕化為文字吧。

再者，中村地平本來是宮崎縣出身，高中時代曾在台北住過數年，其後在日本與同為浪漫派的塩月赳、《文藝台灣》的濱田隼雄等人，是同班同學的關係，發行了《足跡》的同人雜誌，對當時才開始習作的他來說，南方的風物確實是寄託浪漫抒情的最好題材。就此意義，莫那魯道本人以及他的長子塔達歐莫那只不過是一種素材，讓憧憬南方、偏愛南國趣味的作家藉以抒發南方鄉愁。可是把莫那魯道等人的原

住民生態，加以樂天的描繪，給讀者有了與日本專制統治者所想殘忍至極的高山族，完全不同的印象，這也是事實吧。包含〈霧之蕃社〉〔〈霧の蕃社〉〕（《文學界》，昭和14年12月）的《台灣小說集》〔《台湾小説集》〕（墨水書房，昭和16年9月刊），雖說是自台灣取材，所寫的幾乎都是蕃地的傳說與事件，由此亦可推測，對於中村地平台灣的印象是屬於敘事詩的世界。他在〈霧之蕃社〉的最後，記載莫那魯道的遺體被收藏在台北帝國大學文政學部土俗學教室的一隅，以此做為結束，同樣的表現也可在野上彌生子、野上豐一郎的紀行文《韓國‧台灣‧海南諸港》〔《朝鮮‧台湾‧海南諸港》〕（拓南社，昭和17年8月刊）內讀到，此亦饒富趣味。野上彌生子從嘉義經由埔里進入眉溪，覺得既已來此，不造訪霧社事件的發起地而回，實在可惜，於是變更旅程逗留霧社。聽到客棧老闆等人說起莫那魯道的勇猛果敢的故事，忽然之間想起托爾斯泰的《哈吉穆拉特》，不久返回台北後，便在土俗學教室與已成白骨的莫那魯道相見，她寫道，看見了在如棺材的細長箱子裡，裝著依照人體骨骼順序所組成的遺體。這篇文章想來並非野上豐一郎所寫，而是彌生子寫的，雖然只是若無其事的記載，卻讓我可以推想在她印象中記憶鮮明的霧社事件（哈吉穆拉特）。

　　一提起浪漫派，在中村地平的作品基底，可以讀到佐藤春夫的濃厚南方憧憬色彩，佐藤春夫本人的訪台是大正9年的夏天到秋天期間，正好是他滿28歲時。正如在《彼夏之記》〔《かの夏の記》〕以及《詩文半世紀》裡的記載，他接受森丑之助（丙牛）的照顧，得以周遊台灣各地，而森丑之助與伊能嘉矩齊名，乃研究台灣高山族的先驅者。在安平的興致成為《女誡扇綺譚》，在那附近尼姑庵的見聞成為《鷹爪花》，霧社蕃的反抗成為《霧社》，自高砂族傳說的取材成為《魔島》等作品，但都是基於旅台時的見聞。不過此處佐藤春夫取材的霧社

事件，是大正9年的反抗，而他曾經暗示，自1897年的深堀上尉事件以來，霧社的高山族對於當局的不斷高壓，表現出絕不屈服的崇高精神。作者參觀蕃童教育所時的見聞裡，談到關於日本話的數與量之表現，他對小孩的難答做了如下的素描，即教小孩說台灣最大的都市是台北，日本最大的都市是東京，日本最偉大的人物是天皇陛下，台灣最偉大的人物是總督閣下，但這樣的組合常被搞混，他們回答說台灣最偉大人物是東京，日本最大都市是天皇陛下。這正如ねず・まさし也說過，豈不活像一張戲畫，巧妙地勾勒出象徵天皇制的殖民統治所演的鬧劇？（《霧社》的初版是昭和11年7月刊行，可是在昭和18年的再版時，原有「天皇陛下」之處變為四字份的空白，由此亦可知狀況有所變化）。同樣受了佐藤春夫《霧社》的刺激，很可能直接自霧社事件關係人取材的大鹿卓，以他的《塔塔加動物園》〔《タッタカ動物園》〕（昭和6年12月）為首的一連串關於蕃地作品裡，卻也缺乏像佐藤春夫那樣若無其事地描寫卻令人吃驚的情節。

　　大鹿卓是金子光晴的大弟，以「日本詩人」系的詩人身分出道，可是在蕃社的塔塔加分所看到動物檻裡的山貓，便以《塔塔加動物園》描寫了山貓所象徵的蕃地孤獨之野蠻性，自此改成寫小說，不久就以《野蕃人》獲得《中央公論》的獎賞。《塔塔加動物園》發表於霧社事件的翌年，而且為調查事件而前往現地的河野密，就是他的妹夫，由此可想像他很早就對霧社事件抱持關心。自大正14年的詩集《兵隊》開始，經過《野蕃人》，至戰時中的生產文學與描寫田中正造的《渡良瀨川》、《谷中村事件》等，他的文學年輪脫離都會的事物，返回野性的志向極為強烈，這個志向也強烈地刻畫在霧社事件相關的《野蕃人》和《蕃婦》裡。尤其在《野蕃人》中，其主人公是煤礦經營者的兒子叫作田澤，他介入父親煤礦的爭議，大力煽動礦工，而與其父對立，可是前

來援助爭議的工會組織幹部卻對他冷眼相待，為了宣洩此受挫的感情，即流浪到蕃地。由此作品可看出，這樣的挫折與逃避之思想，伴隨了原住民起義的緊張，與接觸山地女性的野性時之落差，顯示作者獨特的個性。大鹿卓以如此形式引入事件，在此種認識的背後，甚至讓人覺得日後過於投入撰寫田中正造與足尾礦毒事件的《渡良瀨川》而病倒的執拗，令人有如起爆源之感。

比大鹿卓出版詩集《兵隊》稍為前些時，細田民樹出版了創作集《一兵卒的紀錄》（大正13年12月，改造社），而在其中的一篇〈高原的廠房〉〔〈高原の廠舍〉〕裡面，插述有在T的K（台灣的嘉義？）執勤的H中尉之回憶。其中有一討伐蕃地的場面，部下的一兵卒向高山族說，如果你肯殺你的嬰孩，就饒你一命，不久嬰孩被抱出舉得高高還笑呵呵的樣子，霎時覺得彷彿大地怦然一聲地崩裂，有這樣一段清晰烙印在心的告白。在大正末期那時候，未曾見到其他作品將殖民統治的悲慘情形，加以如此坦率的呈現。

上述的作家都屬於間接或直接有過殖民地體驗的世代。即使他們能夠帶著深刻的傷痕來回憶霧社事件，使漩渦中的人們有同感而甦醒，但光是這樣也很難讓沒有殖民地體驗的現世代來繼承此感受。讀了1969年8月號雜誌《中國》所登載大田君枝、中川靜子二人的現地報導〈霧社訪問記〉，我認為不知戰爭的世代似乎也能解讀與認識霧社事件。尤其是對高愛德的採訪，高先生是參加起義高山族的兒子，事件後一直住在強制遷移地的川中島部落，他透露事件是有計畫地進行，是有思想背景的革命行動，讀此段令我有比過去所讀小說更大的感動。當時知道攻擊過來的原住民是平時有交情的朋友，日本警官即以手掩面哀求「不要開槍！不要開槍！」對方邊答「就是朋友才要殺你，這都是日本造的罪孽」邊開了槍。還有莫那魯道最後召集了年輕人說：「這場戰爭是不會

打贏的。可是今天不站起來，我們將永遠過奴隸生活。山地必須改革了。」這些部分是殖民地體驗派始終無法引出的被壓迫者之聲吧！

　　能客觀地將以往的舊殖民地視為一個外國，這樣的世代或許可以超越殖民地的傷痕亦未可知。但為此體驗的主體性認識（其方法化）是必要的吧。

本文原刊於《思想》第548號，1970年2月，頁80～94

當年台灣左翼如何掌握及看待
霧社事件

◎ 林彩美譯

　　明年10月27日霧社事件就滿40歲，這40年前發生的有關異民族統治的大慘案，從中國這方來看，對於抗日武裝蜂起之一的霧社事件，目前還沒有全面性的社會科學研究文章發表。

　　研究的起步雖嫌晚些，但聽說有一部分人開始投入了，又，在人人大力謳歌昭和元祿之際，本誌即製作該事件特輯＊，這種尊貴的熱誠打動了筆者，是讓我捰筆的機緣。

　　在本稿，筆者的目標是，將一般日本人所不大知道的、有關本事件當時台灣左翼的發言以及研究，以文獻介紹的形式試作介紹。

　　首先列記相關文獻於下：

　　戰前出版的文獻——

　　1.〈擁護蕃人的暴動！——台灣××青年的檄文〉（11月7

＊ 依此句判斷，戴國煇應係投稿於日本的《中國》雜誌，但查悉本文確無在《中國》或其他刊物發表。致力於「霧社事件」研究的春山明哲亦佐證之。

日，10月革命紀念日，《國際》第4卷第16號，1930年12月8日發行）

　　2. 蘇慕紅（台灣）〈關於台灣的民族革命〉（〔〈台湾における民族革命について〉〕1930年11月10日，《無產階級科學》第3年第1號，昭和6年1月1日發行所載）

　　3. 陣[1]元〈台灣霧社的暴動〉（〔〈台湾霧社に於ける暴動〉〕1930年11月30日，《太平洋勞動者》，第1卷第11號所載）

　　4.〈台灣民眾黨的結社禁止——第四、五次黨大會〉《產業勞動時報》，第20號，1931年4月30日發行）

　　5. 雪嶺〈霧社蕃人蜂起的真相與我們左翼團體之態度〉（《新台灣大眾時報》3月號，1931年3月15日發行所載）

　　以上五項是本稿所要提出討論的主要文獻，當然不是說當時的台灣左翼發言僅止於這些。未發掘的部分不計在內，也有已知其存在，只是目前身邊未有此資料而不得不割愛的重要文獻，在此一併聲明。

　　上記的第一至第四項為日文，只有第五項是以中文發表。又，發表地點是前三項與第五項是東京，只有第四項好像是上海（？）。執筆者的政治立場以論文的內容來推論，所有的人可以想見是站在當時共產主義立場者。在本稿為何要提起左翼所撰論文之因，是由於這些論文幾乎都被禁止發行而埋沒，這極為妨礙了霧社事件社會科學的、總合的研究。以下的介紹如多少能對今

1　陣應為陳之誤排。

後台灣史研究有些許幫助，即是筆者望外之喜。

　　或許是畫蛇添足，筆者在列記文獻之際，對執筆日期或發表日期詳細記下，不外是想將個別意見的發表，在時間上的制約與其所代表的意義一起掌握之故。接著來看文獻的具體的內容。

　　文獻的具體內容與其意義，本來為了更正確地、總合地把握中國人一方的發言，應該把日本人方面的處理霧社事件的方法摻進做考察，但因時間與筆者的能力有限，這回不得不只言及最低限度，感到甚為遺憾與歉意。又，為了避免文字重複，原則上省略了論文而以筆者列記順序的號碼代行之。

　　第一項的〈擁護蕃人的暴動！〉是以台灣××（是否可讀作革命或者無產）青年檄文的形式發表。檄文署名的期日是「11月7日（十月革命紀念日）」分明是表明十月革命之意。那號召的對象同時是「中國、朝鮮、日本的××的勞動者農民與被壓迫的大眾」與「各國的××的勞動者以及被壓迫民族」，而把霧社事件申訴如下：

　　○○帝國主義對台灣蕃人的壓迫與榨取更加一層地××××。從那××的台灣占領以來，繼續××政策。僅數年〔譯註：佐久間總督時代〕之中，×蕃人五、六萬，而免於被××者也被××包圍到山林深處，遭受如牛馬般的殘酷使役，完全被斷絕與外界的接觸，在帝國主義與大自然的不斷的威脅之下，被迫過著非人的原始生活。加之日本人到處××蕃婦，無理毆打蕃人，將蕃產無償強制徵收。到最近因復興帝國主義電氣之故，以極為廉價工資（對一日15、16小時的勞動僅付7、8錢）強要

蕃人勞動，或強制義務勞動，又因電氣工程的使用，沒收蕃人的房屋、耕作地、蕃人生活手段悉爲○○帝國主義所剝奪，生活受到極度不安的威脅，被迫至面對生死問題……，在此關鍵時刻，台灣的蕃人勇敢地站立起來，而與○○帝國主義開始決死的××鬥爭。擊滅蕃人區域的××警察，奪其槍械，燒其駐在所，而現在尚在帝國主義軍隊的重圍下繼續其英勇的鬥爭。數百蕃婦以自殺激勵蕃人之鬥爭，表示反帝國主義的決心。

將其蜂起的意義評價為：

蕃人的暴動分明是不堪帝國主義的榨取與壓迫，爲自己的生存而奮起的反帝國主義的××運動。而也是台灣××運動高漲的第一聲，是第三期特徵在台灣最明瞭的表現。而此鬥爭對○○帝國主義的統治力有相當的打擊。○○帝國主義是國際帝國主義在東方的柱石，是榨取東方殖民地民眾的××。……所以此次的鬥爭削弱世界的反動階級○○帝國主義的統治力。並客觀地給予世界××的前進相當大的助力的。

最後：

然而，○○帝國主義現在把精銳部隊集中於暴動區域，以飛機重山砲、爆裂彈、毒瓦斯、照明砲包圍進行攻擊，欲剿滅××蕃。又於台灣全島準備逮捕××的分子，逐漸布下白色恐怖。××爲了能安心進行俄羅斯××殖民地爭奪的帝國主義大戰之

故，欲絞殺台灣的××運動。

　　做如上的掌握，接著「台灣的××是受全世界的無產階級以及被壓迫民族支持，只有這樣才能獲得徹底的勝利。全世界的無產階級以及被壓迫民族！站在國際主義的立場上，××○○帝國主義、支持台灣蕃人××！」做如上的申訴。以上是台灣的共產主義者在事件發生第10日便發出檄文，申訴支持蜂起。至於對蜂起的高山族給予什麼樣的支持，筆者未經調查，所以不清楚。筆者所知台灣內部的動靜，是台灣民眾黨向國際聯盟發送電報：「即時給予禁止毒瓦斯使用彈壓」[2]與反對霧社事件的出兵[3]。這個台灣民眾黨與當時的台灣農民組合、台灣文化協會相對立，前者受後二者定位為反動團體是眾所周知的。

　　第二項的〈關於台灣的民族革命〉被認為是台灣共產主義者的蘇慕紅在11月10日所撰寫的。本論文與第一項的檄文不一樣，沒有任何「伏字」〔譯註：受當局所避諱的字〕（不過筆者在日本神田的古書展覽會，買到的同論文登載誌《無產階級科學》第3年1號，蓋有警視廳，日期為5・12・30的「發賣頒布禁止」的圖印）。蘇先生先是以「這次的台灣暴動是如何爆發？那導火線在何處？我們必須探討研究其真相」來設定問題，然後說：

---

2 請參照〈台灣民眾黨向國際聯盟抗告日本使用毒瓦斯毒殺台灣霧社同胞案〉，《蔣渭水遺集》，頁100。

3 請參照〈台湾民眾党の結社禁止——第四、五次党大会——」，《產業勞働時報》第20號，1931年4月，頁70的「政治部報告（五）」）。

日本帝國主義的傢伙們，把蕃地的兄弟說成像是不具有人性的，殺害不同人種，殺並吃文明人，切下首級來吃等，言過其實，誇大地散播流言。兄姊們絕非如帝國主義的傢伙們所散布的謠言那樣，這事可以這次的暴動明白地被證明了。對同樣是不同民族的台灣的（譯註：漢）民族為何不殺？為何殺了日本帝國主義的走狗──官吏以及家族？僅據此即可明瞭這次暴動的性質。那些傢伙說蕃人是因感情用事？蕃婦與日本人的關係。但是，兄姊們斷然不是因如謠言的問題而暴動的。日本帝國主義者自統治台灣以來不是屠殺蕃人數十次嗎？兄姊們的日常生活是如何？對兄姊的待遇如何？積年累月的壓制是兄姊們暴動的遠因。絕不是傢伙們所說的偶然的突發事件。

其主張如上。這是對當時統治當局所散布的「兇蕃泰雅族」的太衝動原因說與偶然的突發事件觀[4]，從正面站出來給予否定的第一篇論文。蘇先生把可視為霧社事件遠因的「理蕃政策」本質，以：

收買蕃人頭目或有勢者，讓長相出色的女兒或蕃婦與日本警察結婚，讓頭目的兒子或有勢力者以官費受教育，對傢伙們最忠順的人贈與結婚費用，或帶他們去東京等大都會參觀。而一方是沒收蕃人的土地、強奪其蕃產，這就是傢伙們的理蕃政策。

---

4 現在還有「這事件是受厭世、自暴自棄的不良蕃丁的花言巧語所蠱惑，總頭目莫那受甜言蜜語所騙，完全是突發性事件」（宮村堅彌著《マヘボ社日誌》，昭和40年，東京，頁337）的說法，附記於此。

以及：

他方沒收蕃人的土地造林，強制兄姊們做無報酬勞動。集合青年兄姊強制其從事勞動。當帝國主義傢伙們的走狗官吏家族以及御用紳士入山時，不問男女老幼、壯弱都坐轎讓兄妹們無報酬抬轎。傢伙們對日用品的強制徵收，令兄姊們到很遠的平地購物，驅使如牛馬。蕃人下山，與台灣人的談話未得警察的許可是不行的。開鑿山路、造林以及其他山地的一切勞動，全令兄姊們負擔，幾乎與無報酬同樣地強制其勞動。就是有也微乎其微有如鼻屎的東西，對1日之勞動——14小時以上，付1條鹹魚——約10錢——或充其量5、6枚銅板。利用蕃人的體格健強、性情慓悍之故適合於山地勞動，傢伙們用所有的方法來榨取。不只是勞動力的榨取，生產物——獸皮、藥草、食品、食糧其他一切的蕃產物——斷然不許可兄姊們做自由的買賣。那是完全由警察協會經過蕃產物交換所的榨取而進行。高價的獸皮在交換所與警察協會之手上是一文不值的東西。傢伙們所說對蕃人的授產、撫育政策，是以榨取為目的的授產，以壓抑為目的的撫育，這是戴上再怎麼狡獪的假面具，但要分辨其真面目是不難的。

做如上的掌握。並以「這次的暴動是對累積數年來的壓制的爆發為遠因」做如上的定位。又近因與高山族的蜂起以：

蕃人的暴動不是單純的附和雷同性的爆發，連反動新聞（本節

之前，蘇先生引用《台灣日日新報》的昭和5年11月5日，關於霧社事件近因的報導，在此省略）都這樣說。以殘酷的榨取與壓制爲此次暴動的導火線。蕃人兄弟的暴動絕不是情感因素或對不同人種的殘殺，在此次的暴動是明顯可見。40錢的工資如何生活？何況又先行扣除一半，20錢的工資如何支撐一家子？兄姊們過得再怎麼原始的生活，你說20錢要如何生活？再怎麼殘酷、無慈悲的人，既然是人，斷然不會叫人全家以20錢生活吧。兄弟們是要餓死嗎？或者要自殺？不會做如此懦弱的事，向榨取鬼的日本帝國主義做了決死的鬥爭。以武裝暴動自我解放之外沒有別條道路，這是弱小民族解放當然應取之路。

將之做了關聯的定向。

又對蜂起時，統治當局所採取的諸行動做：⑴關於參加蜂起的人，「那是比反動新聞的報導，必定是最殘酷的方法不行。傢伙們立刻動員軍隊武裝警察官隊，投下炸彈，以山砲、野砲向蕃地進行總攻擊，燒毀蕃社，使用毒瓦斯進行一大屠殺」的報導；⑵關於漢族系台灣人：

帝國主義者傢伙們在暴動爆發時，便立即以警務局的名義做如下的發表：「對騷擾蕃人以及其支持袒護者徹底實行鎮壓。」……傢伙們是懼怕革命蕃人兄弟與台灣〔譯註：漢〕民族兄姊之間握手，因爲向台灣民族做如上記的恐嚇，在另一方，糾合對革命蕃人抱反感的兄姊們，令之與傢伙們在同一戰線之下向革命蕃人屠殺！蕃人兄弟襲擊霧社之際，只殺日本帝

國主義者的走狗及其家族，傢伙們視爲極其離奇不可理解。以
爲其背後有台灣人在煽動，從台中緊急派遣檢察官到埔里，汲
汲於檢舉台灣人。蕃人兄弟也是人，便也有做爲人的理智。同
樣呻吟於日本帝國主義鐵蹄下的台灣人兄弟是夥伴，他們是熟
知的，不殺台灣人，而專殺傢伙們的狗和家屬有什麼可疑問
的？那是當然的結果。

將官憲的動向做了報導，同時把蜂起時蜂起方誤殺了穿和服的一
個台灣人小孩與穿官服的乙種台灣人巡查一人，共計二人之外，
保護了台灣人的安全給予解釋。在此所報導的官憲對漢族系台灣
人的監視，山邊健太郎亦提及：「此討伐（指對霧社事件的彈
壓）是使用飛機以至毒瓦斯的大規模行動，總督府爲什麼做如此
大規模的討伐？是因爲叛亂拖久了，不只刺激其他原住民，也會
刺激朝鮮民族之故。」[5]將此指點相併做思考是頗有意思的。

　　這暫且擱下，蘇先生最後說：

那單單是二百餘的日本人被殺，奪取槍械彈藥，與日本帝國主
義者的軍隊相對峙，問題的核心不在此。我們須站在馬克思主
義的立場，討論研究此次的台灣暴動不可。這次的暴動是比較
有組織、有計畫地遂行，比以往的暴動更進步，然而這次的暴
動分明也不能說是成功。這不只是台灣蕃人的問題。兄姊是一
個弱小民族的情形，不能不與國際勞動者階級的聯繫。蕃人問

---

5 山辺健太郎，〈日本帝国主義と植民地〉（《岩波講座日本歷史19現代(2)》〈1963年3
　月〉所收），頁238。

題也是國際勞動者階級自身的問題。勞動者階級的解放沒有殖
民地勞動者的援助是不可能的；蕃人的解放如沒有台灣勞動者
的解放，也是不可能的。我們必須把台灣的革命蕃人的暴動看
作被壓迫弱小民族對帝國主義的鬥爭。勞動者階級以及殖民地
半殖民地勞動者階級的聯絡是必須把將來臨的帝國主義者們對
殖民地的再分配，以及反蘇聯同盟戰爭轉化爲勞動者革命。印
度、安南、朝鮮的兄弟的鬥爭要與台灣的蕃人兄弟的鬥爭連結
起來戰鬥不可。不能讓台灣的兄弟孤立。在極東的被壓迫民
族——印度、安南、緬甸、菲律賓、朝鮮、台灣，要以此次在
台灣的暴動爲契機，不能沒有再堅固一層的同盟。我們要援助
台灣兄弟的英雄暴動同時，徹底地打倒帝國主義的統治，而且
不停地大聲疾呼擁護勞動者的祖國。

其不僅積極地評價了霧社事件，而在世界革命的展望之中也
將之連結起來，做了定向。

第三項的〈台灣霧社的暴動〉的登載誌《太平洋勞動者》的
編輯者說明，執筆者陳元是在台灣製糖會社工作的「同志」，是
直接的投稿（執筆者署名上記明「於台南」）。

本論文與第二項論文同樣沒有任何的「伏字」，但有相當多
的錯字與誤排（錯字、誤排依筆者的改訂將於各字之下以括弧區
別〔譯者據改訂字翻譯，括弧省略〕）。

陳氏首先把霧社暴動看作「台灣人反抗日本帝國主義者第17
回的組織性暴動」。那直接的原因由「日本帝國主義者們在台灣
無償沒收土地，遠自宋代以來，中國歷代專制君主所使用最惡

劣的保甲制度，依此制度強制無報酬勞動，把台灣勞動者的生活水準往下拉到不堪的生活程度並且強化勞動、攻擊等等」可看出。

將蜂起的意義看作：

特別是這次的暴動是資產階級們所謂的「生蕃」，而且由他們所說的溫順但文化程度高的霧社爆發的高砂民族的第一次組織性暴動一事最具意義。因爲這回的暴動與過去單單割取人頭的騷動性質不同，純然是反抗日本帝國主義政策的暴動之故。而給至今日未顧及「生蕃」的台灣勞動運動民族運動一大衝擊、重大[6]教訓，與輝煌的暗示。

做如上的定位，特別將以往的台灣的勞動運動民族運動，以廣義的台灣全般的解放運動的關聯來連結霧社蜂起，以運動實踐家的反省：

數千[7]的勇敢的同胞仆倒在可恨的日本帝國主義者的槍火下，回顧此次不幸慘敗的暴動，我們做何感想？那是不管誰都痛感：
（一）現在台灣左翼勢力之弱小吧。因爲現在的台灣左翼很遺憾不僅連站在大眾日常鬥爭的前頭都辦不到的微力，大眾自然

---

6 山辺氏把「會子」讀作「重大」，請參照上引〈日本帝國主義與殖民地〉，頁238。

7 本論文執筆於蜂起的當時，故可想爲不得已，蜂起的高山族的犧牲者並非數千名，而是實際數目爲合計838名（包含第二霧社事件的犧牲者216名）。參加蜂起「蕃社」六社的總合爲1,236名，所以是有三分之二以上的犧牲者。真是悲慘。

發生的鬥爭也指導不了，也沒有可令之擴大化的強固組織體，又這次的霧社的暴動，一手也未碰觸眼看著那民族的悲慘的滅亡的敗北吧。（二）在台灣的同志們事實上到今日在民族運動勞動運動把「生蕃」評價過低，完全未伸手過去一事必須指出。暴動失敗的原因，責任之一半可說在台灣革命家上。

相當深刻地提出問題之所在值得注目。此反省的表明，又把當時台灣左翼運動的狀態，間接地提示給我們。

陳氏站在此次蜂起的教訓上，把今後運動應有的狀態寫在論文的最後：

將來的階級戰，或日常與日本帝國主義的鬥爭，資產階級所謂的「生蕃」最最弱小的民族也扮演了大角色。因此我們在台灣的勞動運動者應盡早一日組織起由下部的統一戰線戰術，不問各民族統一之、強固化之，同時把以往所犯過來的謬誤（過低評價高砂民族之處）改正，被日本帝國主義奪去土地而被趕往深山，受追逼而分散在全島「二十萬」左右高砂民族的我們的純樸同胞，應向他們伸出手不可。這次霧社暴動可惜慘敗，但是霧社事件是與世界弱小民族的抬頭有一脈之共通點，是不可看漏的，是表示全世界被壓迫民族解放運動更加進展，不可否定的事實。

記述如上。由此記述可窺知，漢族系台灣人對高山族系台灣人的革命的連帶感，以霧社蜂起為契機才剛產生。此兩者的連帶感此

後是如何的展開或者沒有，對台灣史研究者應是有趣的地方吧。

　　第四項文獻對霧社事件沒有直接的主張，但將圍繞同事件左翼諸派動態的紀錄提供給我們，所以很珍貴。下面就來將此做介紹。

　　該誌之78頁有全大黨（全國大眾黨）的霧社事件調查項目紀錄：

1月3日，全大黨在日本帝國主義的╳祭，假裝迎合大眾對霧社事件的憤激令河野、河上兩人渡台。

1月18日，在台灣農民組合與文化協會的抗議與官憲的護衛下（參照大朝1月18日）「調查」完了回到神戶。

1月24日，舉行霧社事件真相發表演說會。以此演說會以及依議會上淺原代議士的一片質問即終了「鬥爭」。

　　河野密、河上丈太郎兩人的霧社事件調查旅行，與根據此調查報告的淺原健三代議士（屬社會大眾黨）的第59回國會的質問是很有名的。

　　我們的關心，毋寧是在於當時的日本與台灣島內的左翼政黨或者團體相互間的對立（即日本的共產黨系勞動、文化團體與全國大眾黨的對立，與台灣島內的共產黨系台灣文化協會、台灣農民組合與台灣民眾黨的對立），在圍繞霧社事件的處理的作法上也有分歧之事實。

　　該誌的〈台灣民眾黨的結社禁止〉的報導（頁68～71）也可看到，當時站在共產主義立場的《產業勞動時報》把台灣民眾黨

定位為「明白地立腳於自由主義運動的急進豪族階級」的政黨，
將其組織的構成定義為「在急進豪族的主導下結成，但其基礎的
組織要素，主要以機械工、木工、石工等的手工業者為基礎所組
織的台灣工友總聯盟與小市民的階級」。該誌又把台灣民眾黨對
霧社事件所做的諸活動也記錄下來。尚且該誌把台灣民眾黨——
亦即筆者在前面所提到——圍繞霧社事件的出兵、使用毒瓦斯，
台灣民眾黨進行抗議活動，並且不顧台灣農民組合與台灣文化協
會的反對，舉辦河上、河野二人的歡迎演講會的紀錄就是。

　　該報導又敘述：

> 深刻的經濟窮困化，再是面臨戰爭而越發狂暴化的日本帝國主
> 義資產階級的剝奪與法西斯分子——專制者的打壓，成爲促進
> 台灣民眾民族階級自覺的馬刺。霧社事件是爲最佳的明證。正
> 面臨如此民族階級運動的發展，台民黨指導分子，雖在社會民
> 主主義的限制內，不得不採取「左翼化」的方向。（中略）因
> 此，第五次黨大會在已過的2月18日（昭和6年）上午10時獲得
> 代議員一百七十餘位的出席於黨本部舉辦。（中略）提案者在
> 做提案說明中，突然遭台北警察署長勒令大會解散與宣布禁止
> 結社。

對於台灣民眾黨於九一八（「滿洲事變」）將爆發前左傾，但終
於在昭和6年2月18日遭到禁止結社的史實，給了我們提示。
　　霧社事件與台灣民眾黨的左傾化與結社的禁止有何種關係，
是今後的我們的研究課題吧。

最後要介紹的第五項的論文的登載雜誌《新台灣大眾時報》是當時台灣共產黨文化團體「台灣文化協會」在東京的中文機關雜誌。

論文〈霧社蕃人蜂起的真相與我們左翼團體之態度〉〔譯註：《新台灣大眾時報》，1931年3月15日〕的構成是：

一、被征服前台灣蕃族之生活狀態

二、××帝國主義對蕃地的榨取和凌辱

三、霧社蕃人蜂起前夜

四、霧社蕃人蜂起的概況

五、××帝國主義的逆襲

六、讐怨蕃人的背叛

七、霧社蕃人蜂起的意義

八、左翼團體的態度

同論文是我在本小文所提到的論文之中，可視為唯一的研究論文。

因篇幅的關係與本稿的目的，我們的關心不得不集中到七、八兩項目，下面就來做介紹：

第七項有關霧社蕃人蜂起的意義：

受××帝國主義的最殘酷的××與××的霧社蕃人，俄然賭死堅決進行反抗××帝國主義。總督府的正式發表是說突發性的騷擾事件，但我們絕不這樣看。

在這資產階級兩大政黨的難看的紛爭之下，動輒影響濱口內閣的生命可能被波及的情勢，總督府的方針在於隱蔽事實、曲解

其意義，是不言可喻的。此乃與往常同樣，官方的在形式上的
表面交鋒而已。（中略）霧社蜂起是，稍做調查那前後的諸
情勢的話，無論誰都可斷定這是有計畫的、是內亂、是民族
××。（中略）××帝國主義在蕃地的荒唐的行徑，世界上找
不出比這更糟糕的例子。從而霧社蕃人日常的困苦已達到極點
是當然的。祖先所遺留下的土地在何處？獨立的主權已消失，
自給自足的經濟組織已被破壞、被封鎖，最後如牛馬般被驅出
使役，警察官隨意姦污蕃婦或其女兒。這是霧社蕃人痛恨的
事，變成他們蜂起的原動力。被陷入如此悽慘的境遇，有如此
事實的霧社蕃人怎能不××〔暴動〕。」

階級分化含糊，在酋長的政權被剝奪的狀況之下，蕃人所反抗
的唯一對象是只有××帝國主義。
霧社蜂起對我們台灣人的解放運動給予重大的教訓，從來我們
對蕃人的××不關心××××。

第八項左翼團體的態度：

霧社蕃人的蜂起的堅決進行中時，我們左翼團體對勞農、無產
市民做散漫的宣傳或者以個人的××〈反對對霧社的出兵〉，
但是其態度是極為消極的，這些分明是左翼團體的最大的錯
誤。

民眾黨對霧社事件始終保持沉默，到日本大眾黨的河野密要來

台，才以電報歡迎簡單地處理了這件事。但是自治聯盟的狗仔們，說對霧社事件要慎重處理，向官憲聲明取消演講，更甚者是地方的幾個黨員，還偽稱是街民的代表，親自赴戰地慰問「討伐軍」。這是反叛民眾的黨，暴露其××××，我們不必大費唇舌的吧。

霧社蕃人的蜂起後，××××主義者在各地募集××通敵蕃人的壯工，且在其工資揩油的那時候，我們的左翼團體當然應該開始起來做反對徵發壯工與反對工資抽頭的鬥爭。由此可讓一般大眾認識××〔霧社〕事件的意義和台灣人與蕃人的地位，同時有必要使之展開到××××。應以此做為我們對霧社蕃人的×××××。但是當時我們左翼團體全部以主觀力量薄弱為理由，未勇敢地實行鬥爭。我們的左翼團體再次犯了機會主義的錯誤。

本文係為未刊稿，應寫於1969年

戰後台灣經濟的發展與未來

◎ 何鳳嬌譯

　　台灣是由79個島組成，面積約36,000平方公里，是中國的一省。其人口約1,400萬人（1969年底的資料，不含軍隊、外國人），人口密度平均一平方公里約380人，人口密度相當大。

　　國府的行政院國際經濟合作發展委員會（簡稱「經合會」，相當於日本的經濟企畫廳，相比之該會擁有無比的權力）最近將有關台灣經濟的一般指標公布：一、GNP（國民總生產）是1,913億元，約47.83億美元（1美元以40元計算）；二、經濟成長率實質為8.9％；三、平均每人國民所得258美元；四、GNP的產業源泉別比率，礦工業由1968年度的30.3％提高為32.0％，農林漁業則相反地由23.7％大幅下降為20.8％；五、對外貿易總額是23億1,600萬美元，其中輸出是11億1,100萬美元，輸入是12億500萬美元，增加率前者為32％，後者是17％，入超9,400萬美元；六、都市區消費者物價上升指數與去年相比為5.09％；七、礦工業的成長率是18.5％，其中值得注意的是，農林漁業的總指數是負

0.2％，其中最大部門的農作物是負2.6％的大減收[1]。

一、戰後台灣經濟的進展

達到這種經濟水準的進展過程是如何呢？

雖然一般能夠說明目前台灣經濟的資料是1952年以後才公布，但戰後台灣經濟的進展，大概可以分為下面四個時期。

（一）混亂期（1945～1950年）

如大家所知，台灣以8月15日日本的戰敗為契機，回歸中國。這個回歸的政治意義之表現是編入當時統治中國大陸大半的國民黨政權下，其狀況一直持續到今天。在經濟方面，則是從日本經濟圈脫離，重新編入中國經濟圈。然而台灣經濟以中共政權的成立為契機，實質上因台灣所站的特殊政治地位，人為地從中國經濟圈切離，編組入以美國與日本為中心的「自由主義經濟圈」，直到現在。

台灣經濟這時期的各種情形集中表現於，台灣內部本身受到戰爭災害而帶來的動盪、脫離日本經濟圈與重編進入中國經濟圈伴隨而來的混亂與傾軋，在中國大陸的戰爭災害與國共內戰相乘的經濟、社會混亂對台灣的影響，進而國共內戰國民黨的敗退與國民政府移轉台灣（1949年底）所伴隨的人口急激的社會性增加

1　《聯合報》，1970年2月11日。

（據說增加約160萬）等集中表現在相環接的惡性通貨膨脹。以上的混亂可視為發生二二八事件的原因之一，其慘狀仍記憶猶新。

對應這種危機狀況，國府當局僅能跟在混亂之後，利用極少的美援，企圖把可說是唯一賺取外匯的台灣糖業，既存的基礎設施（社會資本）的鐵路、水力發電以及既有各工廠的生產能力從戰爭災害中復原，但因為社會、經濟混亂走在前頭，所以效果極微。

在採行措施上可看到的成效，毋寧是農業部門。因戰災崩潰的農產品的供需平衡和人口的社會性增加，對農產品需求急迫。國府當局策劃為防止來自大陸農民運動波及的防波堤，由上實施農地改革初期政策的佃租減免措施（三七五減租），更加刺激農民的生產意願。在措施中值得注意的第二點，是在當時緊迫的外匯狀況下，傾全力輸入肥料，講求恢復農業生產的策略（表現在「中國白皮書」國府‧美國關係的冷卻下僅提供的少數「美援」，也大部分撥給肥料[2]）。

只是以上這些措施，在台灣經濟循環的恢復和危機狀況的迴避應是不充分的，此自不待言。對危機狀況的緩和來說相當幸運的，毋寧是以韓戰的爆發（1950年6月）為契機，美援部分恢復和台灣糖業在外國市場的開展（一年間賺取約5,000萬美元，占總輸出額的五成以上）。當然，在政治上支撐這種經濟潮流的「幸運」，不能忽略的是美國的台灣海峽中立化政策和派遣第七艦隊

---

2 拙稿，〈台灣經濟發展與美援〉，《アジア經濟》第7卷第11號，頁33〔參見本冊〕。

巡守台灣海峽。

（二）過渡期（1951～1958年）

在此所謂的過渡期，是意味著包含台灣在內的國際情勢和做為台灣的政治地位必然歸結其結果的「台灣經濟自立之道」之摸索過程的過渡期。

對國府而言，「台灣經濟自立之道」不是一開始即有的課題。真實的情形是，此為在進行中產生的暫定課題，並在不知不覺中逐漸成形的。

從表1也可以明白，台灣經濟的戰災復興大致上在1952年結束。前期以來的惡性通貨膨脹，衣服類以1952年為界，又主穀類稍稍有點偏離，以1953年為界，終於除去「惡性」，傾向緩和，物價變動的幅度也變小了[3]。

國府為了因應移轉台灣以來行政費用支出的增大，以脫離生產人口為中心的急激的人口社會性增加的赤字預算，物資欠缺等窘迫狀況下，以所有財政、經濟上的措施，做為安撫敗退下來的人心不安和抑止通貨膨脹為最大的課題。這課題因韓戰爆發的新情勢之開展，戰災復興各種措施的奏效，進入1950年代最為安定的局面（1953～1954年）下，部分地得到解決。稻作正常地發展，大幅提高食糧的自給能力，賺得9,000萬美元的砂糖輸出之好

---

3 同註2文章，頁32～33。

景氣[4]，大大緩和外匯不足。

　　支撐此最大的要因，不用說，是因適用《共同安全法》，
將美援正式地導入。進而為導入美援，做成的第一次四年計畫
（1953～1956年）的大致實施。該計畫期間的經濟成長率實質
上是7.4％，主要的投資是針對輸入替代產業主導部門的綿紡織
業的培育（1951～1954年）和肥料、人造纖維、PVC（氯乙烯樹
脂）、石油業等。

　　從內部支撐農業部門開展的無他，正是先進的農民高揚的生
產意願。由上而下的農地改革，從1951年的公地放領的第二階段
開始，在1953年進入第三階段的佃耕地的解放、衝入自耕農的創
設。國府將農民高揚的生產意願，巧妙地動員於蔗作與稻作生產
的開展，其成果則透過「分糖法」和「肥料換穀」、「田賦徵
實」的強制儲蓄方式，謀求工業的資本蓄積。

　　農地改革的另一功用是將中國社會資金傳統的流向，從土地
轉回，投入工業資金，另一方面，將接受比較高等教育、長期以
寄生存在別無功能的地主知識階層引出，一部分誘引到企業經營
上。

　　國府四年計畫提出「以農業培養工業，以工業發展農業」的
口號，依筆者看，後者的實現雖尚未見到，但前者確實已被實
施。

　　即使在第一次四年計畫結束的1956年階段，如國府所承認
的，過大的軍事費用支出與赤字預算仍是問題，國際收支的逆

---

4 拙稿，〈糖業在台灣經濟的地位〉，《今日之中國》第1卷第6號，頁9〔參見《全集》
10〕。

表1　重要農工業生產物各時期產量比較　　　　　　　單位：1,000噸

	日據時期最高產量	1945	1949	1952	1953
米	1,400	640	1,200	1,570	1,642
鳳梨	146	18	43	63	68
水產品	120	17	80	122	131
煤炭	2,850	790	1,600	2,286	2,393
砂糖	1,420	330	650	624	921
水泥	300	100	290	446	520
紙	26	3	10	28	28
發電量（100萬千瓦）	1,195	357	854	1,420	1,564

資料來源：一、迄1949年是尹仲容著，《台灣經濟十年來的發展之檢討與展望》。
　　　　　二、1952至1968年是行政院主計處編的《統計月報》，1970年1月號。

差、物資供需的不平衡雖然有所緩和，但其解決之道，還相當遙遠[5]。

　　然而進入第二次四年計畫的1957年，經濟的諸情況明確地見到變化。

　　衣、食最低的自給能力得以維持將近100％的狀況，等於除去最大元兇通貨膨脹一樣，傳統對貨幣不具信賴感的大陸系新來台者；以及回歸祖國以來，飲盡國府財政亂象苦酒，同樣對貨幣不具信任的台灣省人，現在，隨著通貨膨脹傾向的改善和物價波動變小，以囤積物資或藉著保有美元、黃金等來維持貨幣價格的嘗試防衛者逐漸地減少，伴隨的是銀行存款開始大幅增加。

　　除了上述的經濟情勢外，美援資金順利地導入和農地改革影

___
5　參照《第二期台灣經濟建設四年計畫》，頁1。

響效果的結合，讓一部分經濟發展的展望變成可能，安定而長期的企業經營之氣氛也開始慢慢地顯現出來。

而清楚顯示追求投機和眼前利益的資金流動動向的黑市利息，從過去的月利一成以上大幅滑落，到了1957年時跌破四分，開始降到三分左右穩定下來，與先前的儲蓄增加一起，是經濟情勢好轉的徵兆。

事實上，從1958年開始的惡性倒閉，是以預測通貨膨脹的持續，借款未用在生產事業上，藉由物資和資金的囤積追求投機利潤的業者為多。以這種倒閉為契機，台灣經濟的體質改善，隨著1958年8月包含金門馬祖的台灣海峽之砲擊戰，由於政府支出的增大引發物價變動和帶來政治不安，與所導致的外匯市場大變動加在一起，發展成台灣經濟在戰後的第二次再整編。

這暫且不說，來看看關於該期間經濟成長的主要指標。若以1951年做為100的話，1958年的GNP實際上約增加72％，平均每人國民所得增加35％，農業生產增加57％，工業生產則大大地增加135％。1952至1958年的平均成長率是GNP 8.0％，每人平均國民所得是4.4％，農業生產是6.6％。工業生產變成13％。

再來看同時期的國民總生產產業根源別百分比的變動，農林漁業從35.7％變成31.0％，礦工業從17.9％變成23.8％（製造業從10.8％變成15.4％），第三產業部門從最初比率極高的46.4％稍稍減為45.2％，可以說沒有變動。

產業別就業人口（12歲以上）結構比，同樣地農林漁業從61.0％減少為57.1％，礦工業從9.3％增加為10.9％。

在輸出的產業別結構比，同樣地，農產品及其加工品合

計，從95.2％變成86.9％，工業產品從4.8％一舉變為三倍左右的13.1％，大幅度增加。

從上面記述和圖1及圖2〔參見本冊頁166、167〕可以了解，這期間的經濟成長在一般開發中國家中屬於高度成長的類別，高度化的經濟結構也慢慢地進行中。但是，農業部門所占比重，在產業別國民所得、就業人口、輸出各方面依然很高，尤其是每人平均國民所得是真正展現一國經濟力的指標這一點上，其成長率絕不應就此滿足的。特別是從低水準成長的台灣經濟的後進性，在統計數字上也可能證實。

就每人平均國民所得的成長趨勢來看，進入相對的安定期是1959年以後的事。以下想就相對的安定期加以介紹。

（三）安定期（1959～1962年）

如先前已提的，從1958年的夏天開始，經過體質改善和再整編的台灣經濟，輸入替代產業主導部門的紡織，得以充分供應島內需求下，1956年以後順利成長300萬美元左右的輸出額，從1959年後大幅度增加為1,200萬美元，在1960年代成長為2,000萬美元大關。

做為輸入替代工業發展途上的金屬、機械工業也是同樣地，1959年是400萬美元，接著在隔年很快地有1,000萬美元左右的輸出，化學製品也從300萬美元成長為700萬美元左右，紙漿類也成長為250萬美元，又水泥在1958年是500萬美元左右的輸出，但伴隨水災的內需成長，一度掉到200萬美元左右，1961年以後又到

達600萬美元以上的順利成長。

工業產品占總輸出比率，在上述的成長下，1959年是22.4％，1960年是33.9％，1961年是42.8％，1962年首度超過五成，為50.7％，金額也遙遙超過1億美元，達到1億2,400萬美元大關。

輸入替代產業的培育在當期步上軌道，可以看作是輸入替代與輸出並進的過程急速地進展。

八七水災的影響波及下，露出台灣經濟的脆弱性，1959年和1960年的農業生產各與前一年比，雖然看到成長率各自停頓在1.1％和1.3％，但在工業部門的好景氣下，復發的通貨膨脹在1960年後半期便被抑止，而可見到緩和。

工業部門在這期間安定、順利的成長，如圖1所呈現。

這期間是橫跨第二次四年計畫期（1957～1960年）的後半和第三次四年計畫期（1961～1964年）的前半期。在此，我們有提及第二次四年計畫的必要。

如眾所知，第一次四年計畫是為接受美援而提出的生產目標。大致上只是生產復興的大綱，事實是幾乎等於完全沒有製作計畫的時間、經驗、理論。計畫目標經過幾度的修正，所期待的唯一確實資金來源的美援，在運用上也未必如國府當局期待的形式下順利到達。

第二次四年計畫也是以如何將美援結合運用於台灣的經濟發展為主要目的。因此第一次四年計畫只有礦、工業部門，第二次四年計畫便加上農、工部門，也加上交通運輸部門。與第一次四年計畫相比，國府的財政困難可以說是稍稍緩和，但要政府籌出

必要的大量資金仍不可能。唯一確實的財源仍須仰賴美援。這次
計畫與第一次計畫比起來，可舉出的成果是，第一次計畫完成當
事人的預想成果和前述的經濟、社會情勢的好轉下，在經濟關係
指導層（例如「美援會」＝以後的經合會＝即尹仲容和中國農村復
興委員會＝簡稱「農復會」＝即蔣夢麟為代表的這些人）可持有基
於長期的觀點來考慮台灣經濟的自信。

　　事實上，做為接受美援機構的雙翼美援會（擔當工業部門和
總括）和農復會（農業部門）擁有高薪，在較少受國府傳統的私
情人事困擾的形式下動員開明官員，進而美援的運用、經濟政策
的執行，在完全不必經過多數欠缺先進感的團體盤據的立法院之
審議，得以強力且集中地實施[6]。

　　特別的是，這段期間的經濟發展政策與一般後進國家常見的
宣揚國威型和隱藏在工業化美名下輕視農業型有所不同，採取重
視農業政策是值得注意的。其具體的事實是在農村社會由上開始
毅然進行農地改革，進而緊追其後，對既存的高農業生產力，充
分利用美援的相對基金，且集中地投入資金（1952～1964年會計
年度止，僅次於直接軍事合作支出第一位的91億元，第二位的43
億元【占相對基金的16.2％】則投入農業）。對於反應靈敏的先
進台灣農民和其經營的農業，上述的投資雖絕對不是大量的，但
其效果卻是顯著的。與此結合而發揮作用，不只對「分糖法」、
「肥料換穀」、「田賦徵實」等的強制儲蓄充分撐住，且可以說
與1960年代初期的現金收入為目的、可說被強制的經濟作物栽培

---

6 參照筆者與杉岡碩夫的對談，〈台灣經濟與日本投資〉，《経済評論》，昭和44
　（1969）年8月。〔參見《全集》18〕

和多角經營的急速進展銜接，誠如後述，可以說是做為獲得外匯的旗手而活躍，成為資本蓄積的主要承擔者的作用。

　　姑且不論此，由於我手上有公布的數字資料，想回顧看看1950年代（1953～1960年）達成的經濟成長。經濟成長率實質上是6.9％，每人平均國民所得僅2.9％的低率。這個低率，過去被視為禁忌的節制生育（因標舉「反攻大陸」，人口的自然增加毋寧被視為是必要的）在蔣夢麟果斷的提議下，經過多次的論爭，形成正式採納的機會，其意義是深長的。又，農工生產的成長，前者是4.6％，後者是11.8％，其中製造業部門得以維持13.0％的高比率。GNP的產業根源別比，農林漁業從38.0％降為32.5％，礦工業從11.6％變成24.7％，慢慢地達到高度化的傾向。

　　我們應該注意的，不外是輸出中產業別結構比的急遽變化吧。

　　看到農產品及其加工品從92.7％大幅降低到66.1％；相反地，工業產品從7.8％一舉躍升為3成以上的33.9％。輸出額來看，1953年當時雖然不到1,000萬美元，1960年代則大大增加近5,000萬美元，意味著苦於外匯不足的國府在國際收支逆差改善上，礦工業部門也有可能貢獻一部分。但是，總輸出額從1953年的1億3,000萬美元，在1960年達到1億7,400萬美元，八年間，增加不到5,000萬美元，實際上在緩和國際收支的逆差上，可以說未必有多少貢獻。

　　正由於有這段期間的情事，一方面將過去沒有太大實效的外國人投資條例（1954年制定，1959年底第一次修正）、華僑歸國投資條例（1955年制定，1960年3月第一次修正）加以修正，一

方面透過誘導島內資金向工業投資為目的的投資獎勵條例的制定（1960年9月）等，進行投資環境的改善整備策略的實施。

（四）發展期（1963至1969年）

如圖2中可以看到的，進入1963年開始，每人平均國民所得首次超過人口增加率的趨勢。又如圖1所示，農業生產以穩健的步伐前進，工業則可看到急速地開展向右上爬升的曲線。

事實上，以公布的統計來看，1963年的經濟成長率達到以往所未有的最高紀錄11.3％，以後則以14.2％、8.7％、8.3％、10.4％、11.2％的高度成長維持到今日。1960年代（1961～1968年）的平均成長率實是10.0％的高率，每人平均國民所得的成長率6.4％也遠比1950年代的平均率大大地增加2.2倍。

尤其是貿易額，從1963年的7億美元急速到達19億美元左右，成長近3倍；輸出從3億4,000萬美元急速成長為10億美元，充分吸引世界的眼光。而且，輸出的產業別結構比，在工業部門從5成左右提高為66.4％，現在完全奪取農產品及其加工品所占的優勢，金額上從1億5,700萬美元成長為5億6,000萬美元。

輸出前五名的第一位是紡織品，1億8,300萬美元，第二位是金屬機械的1億4,600萬美元，第三位是香蕉的5,700萬美元，第四位是合板的5,500萬美元，第五位是砂糖的5,000萬美元，輸出結構是傳統的輸出品（砂糖、米、鹽、香茅油、鳳梨罐頭）的比例降低，輸入替代工業的剩餘輸出品（紡織品、金屬製品、化學製品）的發展和地位的固定化，加上一開始就以海外市場為目標的

新興輸出品（合板、洋菇、蘆筍罐頭等）的興起發展，可看作以明確的趨勢出現是不會錯的吧。

　　1963年以後急速的經濟擴大，就筆者所知，國府當局的要員，例如包含對台灣經濟最清楚，持當時經濟大權近百分之百的故尹仲容先生在內，任何人都無法預測。

　　從1959年到1960年，在主要的美國有力人士間公開地展開二個中國論（例如，1959年11月康隆報告的公布、1960年10月美國總統大選中候選人甘迺迪暗示金門馬祖的撤退、放棄）和對國府中斷美援的動向（雖然自1961年初就有此動靜，實際上的中斷是迂迴曲折的結果，1965年才見實行），對國府而言，是相當大的衝擊。

　　特別是對好不容易步上軌道的台灣經濟，唯一的確實投資財源（而且是保持追加外匯形式資源的美援資金）將被切斷，尹仲容陷入悲歎，訪問故池田首相，奔走日圓信貸供給（這是現在實施中的1億5,000萬美元的日圓信貸的開端）而最終取得，這件事現在仍記憶猶新。

　　在上述的國際政治的另一面，我們不能漏掉的是甘迺迪總統的上場和甘迺迪與赫魯雪夫的和平共存路線的出發對國府的影響。

　　形式邏輯上，上述的動態對國府的國際政治上好像是逆境，若我們注意深入地分析的話，金門砲擊雖是對於美、蘇，砲擊者的相互示威，與1955年、1958年所謂的台灣海峽危機，本質上是不同的，已完成質的轉換，本身與上述的國際政治的情勢結合，結果毋寧可視為具有強化國府安定的一面。

　　尤其是唯一的強力反對勢力的反對黨運動團體在雷震事件瓦解以來，國府安定度的強化是台灣海峽相對的安定和經濟的好基礎（產業基礎工程大致完成，紡織、肥料、水泥等為中心的輸入替代工業順利的發展，不只食糧完全自給自足而已，也重新看到經濟作物栽培成功，這些結果導致的通貨膨脹的收縮）及投資環境的整備等，外資進入台灣頓時變得興盛起來。

　　關於外資進入台灣，後面會再度提及，以下我們想提提1963年以後，台灣經濟獲得的第二次的「幸運」。

　　首先是關於農業生產，回歸祖國以來，總指數為負數的紀錄只有1963年的0.5％和去年（1969）二次而已。然而，在1964年忽然躍升為12.7％。其祕密無他，國府政權成立以來，在貿易收支上首次帶來盈餘，國際糖價的暴漲、香蕉對日輸出的急速成長及新興經濟作物的洋菇、蘆筍罐頭登上輸出品目等，即表現在農產品及農產加工品輸出的好景氣。即砂糖1963年約1億1,000萬美元，1964年是1億4,000萬美元，香蕉從1963年的900萬美元一舉增加為近4倍的3,400萬美元，鳳梨同樣從1,100萬美元增加為1,400萬美元，洋菇與1963年大致相同水準的1,600萬美元，蘆筍從1963年的4,000美元增加10倍為4萬美元[*1]，在1965年時，可以看到它又大大地增加28倍，為1,100萬美元。

　　如此，我們不能忘記，外國市場的開展不只帶來農業生產的活力，與農地改革地價部分（相當於主要作物大約37.5％）10年平均支付結束相結合，更進一步帶給農民生產意願一時的高揚。

[*1]　原刊誤植，應為「增加100倍為40萬美元」。

以上以農民為中心，形成國內市場的開展，變成有助於經濟規模擴大的一個決定性要素。

這種島內市場的開展在九三〇事件的「波及效應」下，輸出印尼的美棉委託加工，甚至與越南相關軍事特需和輸出越南的單方面貿易好景氣相乘之下，不只對停頓等待蛻變的輸入替代產業注入活力，也誘發投資於新設備。

第二個「幸運」的主要支柱之一是有關越南的軍事特需，聽說1966年是1億美元，1967年達到1億5,000萬美元之龐大的數目，但不是很清楚。根據統計可以知道，輸出越南，其變遷是1964年為3,400萬美元，1965年4,300萬美元，1966年8,400萬美元，1967年稍稍退後，為7,100萬美元，1968年雖然更減為4,400萬美元，但不管怎麼說，正因為從越南的輸入都在100萬美元之下，所以龐大的出超優勢是斷然的。

最後，我們應該注意的是貿易外收支的觀光收入的巨額成長。1963年以來華僑訪問台灣的人數進入1萬人左右，之後順利成長，1967年以來，一直保持5萬人左右。外國人的訪問者數目，自1963年的6萬人左右開始不斷地成長，到1968年的現在，紀錄為32萬人。根據最近發表的統計，1969年度的觀光收入大約是6,700萬美元，占獲得外匯項目的第五位，入境者數是414,000人，其中43,000人是與越南有關的外國籍軍人。

順便將觀光收入的成長列記的話，1965年是1,500萬美元，1966年2,000萬美元，1967年2,800萬美元，1968年為3,300萬美元。越南休假士兵和其家族訪問台灣是始自1966年11月，1968年底紀錄總訪問人數是126,000人，未加算在前記外國訪問者統計

內，將這部分以每人平均使用30美元，保守估計停留一週來看，也有2,500萬美元左右，是不能忽視的金額。

觀光事業的投資成為國府第五次經濟計畫重點計畫之一的理由也應該是有以上的進展之故吧。

最後，想一併介紹從1960年代中期到後期支撐台灣經濟高度成長另一主要支柱的外資導入狀況。

根據《聯合報》（1970年）3月11日的報導，國府1952至1969年18年間導入的外資（包括華僑資本）總額是4億2,200萬美元，其中一年的許可件數和許可額度最大的是1969年的207件，1億1,000萬美元。導入的外資中，華僑資本約占三分之一，外國資本約占三分之二。投資傾向，華僑過去是循著觀光飯店、食品工業、建築業、紡織業及裝飾品產業的順序，近年來慢慢地，似乎也投資於機械、精密機械上。其產品主要是向島內市場。又外國資本雖然以電子、化學工業為中心，但近年來逐漸朝向精密工業，主要是製造輸出的產品。

報導更將其內容詳述如下，華僑投資許可有效件數是632件，總額是1億3,400萬美元，其中香港華僑415件，約5,600萬美元（約41％），占首位，第二位是日本華僑，71件，1,300萬美元（約10％），其他地區146件，5,600萬美元（約49％），其實施率據傳是61％，暗示著許可申請的撤銷率也有39％。

又，外國人資本的許可有效件數是525件，總金額是2億8,700萬美元，件數最多的是日本的340件，金額是6,100萬美元（21％），美國的件數是第二位的143件，金額是最大的，1億7,400萬美元（60％），其他5,200萬美元（19％）。特別是美國

系資本每件平均是130萬美元的投資，日本則是其六分之一強的20萬美元的小額投資。外國人投資的實施率比起華僑投資是高的，17年來撤回件數只有22件，可說高達96％以上。

　　就筆者所知，過去國府當局對實施率的公開有所忌諱。我想實施率能夠公布，是1950年代無法相比的外資流入興盛之自信表現。

　　這且擱下不說，上記的4億2,200萬美元是否可將之全部做為經濟開發的外來追加資金來評價，首先想提出疑問。如眾所知，直到1950年代末期為止，乘華僑投資優待措施的盲點僅止於商品的輸入，似乎尚未落實為生產資本的比較多。又擔心到1950年前期的台灣情勢，流出島外的資金披著華僑資金的外套再流入的情形也有。這部分是以現物出資的形式輸入商品，或是為技術革新接受適用縮短折舊，採取適用生產財導入的形式，進入台灣。

　　上記導入的總金額中，雖然包含高雄輸出加工區部分大約3,000萬美元[7]，該部分雖也有技術導入的部分效果（效果相當遲緩的波及）大多只是單純的勞動輸出下的經濟效果，也有值得我們斟酌之處。

　　第二個疑問是公開的許可有效投資金額的統計製作之概念不清楚。

　　有效投資額究竟是全額將到達，或是已到達的東西，並不清楚。根據筆者之調查，上記華僑資本的許可有效金額中，包含增資部分大約是2,000萬美元，外國人資本相同，增資部分約8,600

7　《高雄加工出口區統計月報》，1969年10月號。

萬美元。

　　這個增資大約1億2,600萬美元中，有多少是以導入外幣來增資，在上記的資料中不明確。如日本進入企業大多的例子所見，藉由（日本）在當地進入企業的利潤成為增資資本（特別是因內需而獲得利潤的話，就更不用說了）與為了經濟發展純粹追加外來資金，在本質上似乎相當不同。

　　這姑且不論，導入外資許可有效金額成為2,000萬美元是1963年以降的事，總金額4億2,200萬美元中，事實上85％多的3億6,600萬美元是筆者所區分的發展期（1963～1969年）許可導入的，可見台灣外資進入的激烈動向是驚人的事。

　　只就日本來看，總金額6,100萬美元中，1967年是1,600萬美元、1968年是1,500萬美元、1969年是1,800萬美元，真是83％的5,100萬美元[*2]是在這三年間許可導入，日本勞動市場結構的變化、台灣限制輸入，與此相對應為堅持獨占台灣市場優勢地位的要求，加上追逐日圓信貸的進入投資動向，即使今後，將可預見其進一層強化。

　　一方面，似乎可以看到國府當局在接受外資姿態的變更，或許不得已地，或積極地在經濟上摸索確立主體性的對策。

　　第一，在這之前幾乎是無限制的接受，現在積極地控制有可能妨礙台灣經濟自主發展的東西。

　　第二，之前投資比率沒有明確之規定，現在台灣方面占高比率，特別想限制合辦企業的外資單獨增資。

[*2] 合計應為4,900萬美元，占80％為正確。

　　第三，合辦企業的當地化，尤其是慢慢朝向將輸出商品的商標當地化。

　　第四，嘗試修正以往過度偏重美、日資本傾向等動向。

　　將這些動向與先前提及未曾有過的公布實施率的來龍去脈之關聯來解讀，是相當有趣的。

二、今後的展望

　　台灣經濟戰後發展的概略，按照上述這樣做了考察。就表面上，台灣經濟給人很深的感覺是貿易額急速地擴大、外資流入的情形良好下，工業化步調照舊的快速下有如受「高度成長」發高燒所苦之感。但是，工業生產單位零星性、技術水準及勞動生產性低，經營組織和分工體制的未近代化與未整頓，欠缺實施有效經濟政策的充分的金融制度和稅收制度，低行政效率和社會中間階層的無魄力和社會意識未進化，即常被提及的政治全面落後的問題。經濟理論和政策的落差（例如所謂的經濟計畫，過去很難說有經濟理論根據的政策，其大多只是基於對客觀經濟情勢的變化和暫時的課題之應急措施）等，問題相當多。

　　比起上述，更為重大的事是，國府所站的特殊國際地位和與此相關的不安定的國際關係，今後將以何種形式影響台灣經濟的開展是個問題。特別是可預見不久將出現的越南和平，對台灣經濟的影響是吉、是凶，越南的軍事特需、輸出越南、與越南有關的觀光收入的成長，與越南相關軍事特需下急速開展的新設備投資的新產品的新市場開拓的問題等，正因為台灣經濟對越南關係

的依賴度不小，所以問題很多。繼1958年第三次的再整編過程是不能避免的。

我們最關心的是毋寧是在過去，堅忍支撐島內高度成長的農業部門，如本文一開始所描述的，陷於極度蕭條之點。最近台灣農村經濟的衰微很有可能在台灣經濟興起風波，農工兩部門間的不平衡，如國府也承認的，是相當深刻的事。

台灣農業不僅立於轉折點，且因確實地有困難的狀況，去年〔1969〕以來台灣朝野一致以過去未曾有的形式進行討論農村經濟問題，是有其真正的原因。從事農業者平均一人所得只有其他產業從事者的41％，助長放棄耕作的趨勢，變成農地價格的大暴跌，農家所得之低、租稅公課的過重、農產品不合理的便宜，以冰山的一角呈現，使國府當局認識到情勢相當的嚴重。

上述的情況，甚至在行政院財經會報（蔣經國行政院副院長主宰的財政、經濟、金融聯絡會議）中以過去沒有的速度，不只決定肥料配銷價格大幅降價，進而促使「現階段農村經濟建設綱領」在二中全會（中國國民黨第十屆中央委員會第二次全體會議之簡稱）上列入、通過公布。

限於篇幅關係，雖然沒有餘裕提及有關綱領的全文、形成過程，但綱領十個項目中的基本策略之一有如下減輕農民的負擔。

（甲）田賦徵收的標準及農業有關的租稅公課，基於農業所得與非農業所得及農民的稅賦負擔和其他產業從事者的稅賦負擔的比較之下，全面設法改善。

（乙）隨賦收購食糧價格決定儘可能合理參照產地價格。

（丙）檢討農業用生產財的價格，協助援助農民以圖降低成

本，必要時由政府籌出特別補助金，支出給農民。

綱領今後以何種形式實施、實現是引起我們注意的。只看上述的一項目，（壞的）情況已相當進行著，從字裡行間可以得知農民已支撐不了高度成長。關於台灣農業面臨的問題，想另稿再加以介紹。

本文原刊於《朝日アジアレビュー》第1卷第2號，東京：朝日新聞社，1970年夏季號，頁36～43

台灣經濟的現狀與問題點

◎ 何鳳嬌譯

前言

在〈戰後台灣經濟的發展與未來〉（原刊《朝日アジアレビュー》第1卷第2號，1970年）〔參見本冊〕這篇小文中，我將戰後台灣經濟的進展分為下列四期：

混亂期：1945～1950年

過渡期：1951～1958年

安定期：1959～1962年

發展期：1963～1969年

在本文指出的問題如下：

1. 經濟內部體質的問題（生產規模的零星性、技術水準、勞動生產性的低水準、經營組織、企業體制近代化的落後）。

2. 經濟行政（金融制度、稅收制度的未整頓、經濟理論和政策的落差）。

3. 圍繞國府不安定的國際關係（越南軍事特需、外資流入狀況、觀光收入）。

4. 開始出現疲弊的農村經濟、農工兩部間的不平衡問題。

一、1970年的經濟指標

1. GNP：54億4,400萬美元（去年度〔1970，下同〕是49億4,400萬美元）

2. 實質經濟成長率：10.1％（去年度是8.8％，由於1953至1968年平均是8.6％，成長率是很高的。又第五次四年計畫預估是7％）

3. 每人平均國民所得：292美元（去年度是261美元）

4. 產業結構：

    (1)農林漁業：19.2％（去年度是20.3％，1952年是35.7％，農林漁業的比重是急速下降）

    (2)礦工業：因未能掌握正確的數字，無法明示，但比起去年度可見到若干的成長（去年度是32.0％、1952年是17.9％）

    (3)製造業：23.5％（去年度是23.0％，1952年是10.8％），又重工業與輕工業之比是56.9％對43.1％（去年度是53.6％對46.4％）

    (4)商業：14.5％（去年度是14.6％，1952年是18.7％）

    (5)公務：13.5％（去年度是12.8％）

5. 農業生產總指數：正成長4％

6. 工業生產總指數：正成長16.8％

7. 貿易：30億美元（去年度是23億1,600萬美元，增加6億8,400萬美元，增加29.6％），以輸出入別來看即如下：

    輸出──15億1,500萬美元（與去年比，增加4億400萬美元，36.0％）

輸入──14億8,500萬美元（與去年比，增加2億8,000萬美元，23.0％）

出超──3,000萬美元（去年入超9,400萬美元，這是國府有史以來第三次出超。第一次是1963年的2,600萬美元，第二次是1964年的5,900萬美元，都是因國際糖價急漲所致）

8. 物價：

⑴批發物價指數（1～11月）比去年微漲2.93％。

⑵消費者物價指數（1～11月）比去年微增3.57％。

9. 外資導入：

⑴許可件數──新投資：140件、增資：200件

⑵許可金額──新投資7,800萬美元、增資：5,200萬美元，合計1億3,000萬美元（因去年是1億980萬美元，增加18％）

又台灣的情形，許可金額和實際到達金額未必一致。在僑資上尤其可以這麼說。即使增資金額也未必意味著外匯的導入。這樣說是因為包括從既存企業內部的利益再投資之故。

⑶僑資──72件（去年91件），這相當於總件數的51％。金額2,900萬美元（比去年的2,750萬美元，增加5％），相當於總許可額度的22％。

⑷外資──68件（去年116件），相當於總件數的22％。金額1億100萬美元（與去年的8,230萬美元相比，增加23％），是總許可金額的78％。

投資順位

第一位：電子（electronics）、電氣關係：6,000多萬美元

第二位：服務業（service）（觀光飯店業為中心）：1,000多萬美元

主要許可對象

①僑資：僅馬來西亞的華僑周氏開發公司一家，就出資1,000萬美元。

②外資：

a. 康寧公司（美國‧電子工業）：投資1,100萬美元

b. 飛力浦（荷蘭‧電子工業）：增資900萬美元

c. 增儞智公司（美國‧電子工業）：投資750萬美元

d. 國際銀公司（亞洲水泥與亞東化學公司合辦）：投資720萬美元

e. IBM（美國）與大同電子公司合辦：增資600萬美元

f. 國際無線電公司（美國‧中華電子投資公司合辦的「中華映像管（真空管，Braun管）」公司）：投資125萬美元

10. 技術協助：

許可件數：115件，比1969年的93件，增加24％，在行業別方面，電子工業26件、基礎金屬工業16件。

11. 台灣的對外投資：

台灣對外進行投資的例子是有的。去年許可件數7件，金額53

萬美元（1969年3件，13萬美元）。對象國是馬來西亞、泰國、韓國。

12. 對日本資本許可的件數和金額（〔1971年〕2月3日《產經新聞》）：

1970年是51件，金額2,853萬美元（1969年79件，1,764萬美元）。以此來看，比起1969年是有增加。1969年是過去最高的，其增加與「周四條件」之間＊有何關係，有需要檢討的地方。

13. 人口的自然增加率：2.16％，比起1969年的2.29％是低的，逐漸接近日本的水準。

二、台灣經濟今後的問題點

（一）農業問題

所謂台灣經濟當前的重要課題是農業問題，雖然已在之前敘述的拙文中特別強調，在此要稍微具體地敘述，首先關於1970年農業的生產指數如下。

總指數：比去年增加4％，但是1969年雖另有不同的意見，但負3％這個數字應該可信賴的。若與1968年相比，只增加1％，

＊ 1970年4月15日，周恩來在接見日本民間貿易代表團時提出了四項條件，舉凡：1. 援助蔣家政權反攻大陸，援助南韓侵犯朝鮮的日本商社；2. 巨額投資台灣、南韓的日本商社；3. 為侵略越南、寮國、高棉供給武器的日本商社；4. 日美合辦事業及其下屬機關，一律不准與中國進行交易。

幾乎可以說是停頓狀態。

畜產：比去年增加10％

漁業：比去年增加8.5％

作物：比去年增加2.3％

尤其作物（即耕種部門），1969年因和1968年相比是負2.6％，即使與1968年相比，仍是負0.3％的減少。可以說耕種部門的問題很多。

林產：比去年增加1.9％

在此最是問題的是作物生產指數的減少傾向。

1. 相對於以往米的多茬耕種，最近將重點置於第一期水稻作。種植面積自然也變小了。這種傾向與日本不同，對稻作未實施保護政策，農民所賣的出產地價格低廉，反映稻作農業在經營上變得困難。

2. 甘蔗（生產量比去年減少14.6％）、香蕉（生產量比去年減少21.4％）、蘆筍（生產量比去年減少1.3％）、大豆（生產量比去年減少1.5％）、甘薯（生產量比去年減少7.8％）

3. 茶（生產量比去年增加3.9％）、玉蜀黍（生產量比去年增加25.8％）、柑橘類（生產量比去年增加19.4％）、洋菇（生產量比去年增加18.9％）

從以上的數字來看，台灣農業未必見得順利發展。台灣農業的停頓傾向可以說是台灣經濟發展的難關。

接著敘述有關農工間的不平衡。礦業從1952到1970年雖然增加10倍生產，但農林業從1952到1970年不過增加2倍。農業人口對全部人口，從1952年的52.4％，到1970年減少為42.0％。相對

於1952年農業生產占國民純生產的35.7％，1970年則是19.0％。
農業、加工品占輸出的比例，從1952年的95.2％降到1970年的
22.0％。這也是表示台灣工業化發展的指標。但是，同時也表現
出農工業的不平衡，也暗示著國民所得的再分配不平均。

（二）工業問題

台灣工業的特質可以舉出以下三點：
1. 對外資過度的依賴
2. 勞動密集、低級產品、輸出為主體
3. 經營規模的零星性（員工100人以上的工廠只有3.5％）
這雖是發展中國家一般的特徵，但台灣工業發展的理由，到
底是美援和越南特需。即使如此，因越南軍事特需而急速開展的
製鐵廠平均資本額只有1,000萬日圓。即在此狀況下，又越南軍
事特需減退會產生何種影響，美援中止後，雖藉由導入外資來補
救，但今後導入是否順利進行，又是個問題。

（三）貿易問題

如前所述，台灣經濟是加強傾向於出口依賴型經濟。出口占
GNP的比例，1969年占26.3％，1970年是27.8％。因此先進國的
貿易政策及發展中國家的競爭，影響今後貿易的發展是很大的。
最近的美國、日本不景氣的深刻化，特別是美國轉向保護貿易政
策，反轉過來對台灣出口有何影響，應值得注意。甚至，由於最

近發展中國家努力於出口產業的振興，像這種後進國家的追趕也須考慮。特別他國製造的相同產品在日本市場的角逐，今後將會更加激烈。

（四）導入外資

就今後外資的導入，我想與國際情勢，尤其是與台灣的國際地位的關聯很大。最近雖然島內證券市場非常蕭條，這與外資導入的關聯上有何意義，需要加以檢討。

（五）觀光收入

觀光收入去年度因萬國博覽會（1970年3月14日開幕）影響，成長到大約8,000萬美元，呈現一下好景氣。與前年79,279,000美元相比，有所增加。其旅客細分：訪台外國客人409,756人、華僑62,696人、美軍關係者31,946人，合計504,398人。今後觀光收入是否循著這種增加傾向，必須考慮種種的條件，不能輕易地預料。

三、再度簡化僑外投資申請手續

政府為使華僑及外國人方便來台投資，正著手出入境手續和投資手續的簡化。最近採取新的幾個措施，其要點如下：

1.投資事業所得的再投資：僑外資事業在原許可條件不變下

進行再投資時，僑外資投資審議委員會主任委員做決定，可以事後處理向該委員會報告（沒有必要經過新投資案的審議程序）。

　　2.觀光旅館建設手續：在這之前的規定，申請書必須同時添附土地使用權證明書及詳細的建築設計圖等，在新法中，這些附加文件可以於日後再提出。

　　3.僑外資公司登記手續：所有的僑外資事業進行公司登記或變更登記時，可以向投資審議會提出。由該會統一核對，委託經濟部發放登記證。

　　4.投資者自用物資輸入手續：僅限於電子工業輸入自用機械設備時，可以取得投資審議會外匯委員會的許可。這雖是試辦的措施，成績若是良好的話，也將逐漸適用於其他投資事業。

　　5.稅務事務手續的改善：投資事業的租稅減免、分期繳納等的申請案件由投資審議會代替財政部來處理。機械設備進口時的免除關稅手續也由該審議會處理。

四、女性勞動力的擴大

　　由於社會、家庭及個人的需要等種種原因，在台灣從事職業的女性數目急速地變多。因此，這些女性勞動力在經濟發展上扮演角色也隨著工業之發達重要性日增，在社會全體的發展上已不能無視其存在。

　　根據台灣省勞動力調查研究所發表的資料，1970年職業婦女的人數達到157萬，其中未婚者652,000人，已婚者84萬人，分居、離婚和喪偶者約78,000人（以15歲以上為對象）。

　　從這個統計知道，由於女性提供勞動力，很多家庭在經濟上得予改善，提高生活水準。不只是家庭，很多的事業因她們的力量而運作，女性的勞動力直接、間接地有助於社會的安定和經濟的繁榮。

　　人事上，徵求女性也比徵求男性的還高，這在台灣省各區國民就業輔導中心的調查中明白顯示。以去年十月分來看的話，求職方面，男性1,721人，女性1,562人，雖然差不多，但在徵人方面，相對於男性的1,806人，女性則是4,137人。其中實際就職的，男性1,961人，女性1,849人。可知，求職及就職方面雖然男女的數目大致相同，但徵求女性的則為男性的2倍以上。

　　又以內政部的國勢調查結果來看的話，台灣從事經濟活動的總人口是4,543,000多人中，女性有1,164,000餘人，占總數的25.6％。然而非經濟活動人口的331萬多人中，女性為264萬多，即仍留有79.8％做為潛在的勞動力，還有很大的開發空間。

　　台灣的女性勞動者的事業別分布，首先以農、漁關係事業最多，計674,692人（占全部職業婦女人口的62.1％）。其次是技術員工、組裝員，為全體的12.3％，各種服務業8.1％，售貨員6.1％，專門技術人員4.6％，祕書類4.4％，運輸及交通相關人員1％，管理職0.6％，礦山關係者0.5％，其他0.3％。

　　以台北市為例，比較男女勞動者的數目的話，需要專門技術的職業中，男女的占有率分別是6.2％和16.8％，做為管理者為12.5％和21.5％，在服務、娛樂業，為12.6％和15.5％，女性方面遠遠超過男性。如這個統計數字所呈現的，到目前為止台灣一般對女性勞動者只適合雜役或是非技術職業的看法必須改正。

五、台中加工區新設事業和加工區資訊

到一月底為止，決定進駐台中加工區的出口事業有十家，其中七家是外資事業（全部是日本資本），合辦事業二家，國內資本的一家。詳細如下：

1.台灣蓬萊電子公司：日本資本，投資額200萬美元（在台中加工區目前為止的最高額），製造電晶體（transistor）集積回路指示管。每年預定輸出額437萬美元。從業員1,050人。

2.台灣佳能（Cannon）公司：日本資本，投資額100萬美元，製造計算機、影印機和相機。每年輸出目標1,050萬美元，從業員600人。

3.台灣慶喜公司：日本資本，投資額100萬美元，製造瓷器電容體等，每年輸出目標是175萬美元，從業員1,000人。

4.台灣釜星公司：日本資本，投資額50萬美元，製造電氣用固定器。每年出口目標60萬美元，從業員200人。

5.台灣日通公司：日本資本，投資額25萬美元，製造電子計算機零件。每年出口目標為460萬美元，從業員300人。

6.台灣京三公司：日本資本，投資額25萬美元，製造信號用繼電器。每年出口目標134萬美元，從業員500人。

7.台灣大橋工業公司：日本資本，投資額165,000美元，製造電子計算機及相機零件。每年出口目標160萬美元。從業員85人。

8.台灣保勝光學公司：由西德、瑞士、日本及英國四國資本合辦的事業，投資額80萬美元，製造相機鏡片。每年出口目標87

萬美元，從業員300人。該公司的部分機器設備早已抵達，將成為台中加工區內最先開工的事業。

9.台灣美松公司：日台合辦，投資額30萬美元。製造塑膠窗簾、桌巾等等。每年出口目標124萬美元，從業員240人。

10.台灣漁具公司：本國資本，投資額20萬美元，生產釣竿等塑膠製的漁具。每年出口目標為200萬美元，從業員300人。

六、高雄加工區已呈飽和狀態

台中加工區與高雄和楠梓兩加工區比起來，規模較小，且離港口較遠，所以以設置小型工業或精密加工業為原則。但是沒有嚴格限制，若是在高雄加工區被許可設置的21種出口產業，將會受到許可。但是，為了最大範圍內活用土地的利用價值，規定投資的最低金額為15萬美元。現在外資進駐申請相當多，尤其是日本資本的申請蜂擁而至。

又做為台灣第一個加工區的高雄加工區，雖然迎接創設以來的第六年，但早已是飽和狀態，新事業的設立已經不可能。現在作業中的事業有164家，投資金額計3,900萬美元，從業員36,000多人，各種成績都已超過預定目標。

七、南北超高壓電線的建設計畫

台灣電力公司為因應今後商工業的發展，今年中積極推進火力發電設備和配電工程的方針。

電線設置工程中最大規模的南北超高壓線配電工程（全長330公里）決定下半年開工。從高雄附近的大寮到台北近郊的板橋的高壓線是以354,000KV（千伏特）的超高壓線，完成後將更為提高配電能力。其他配送電工程如下。

1. 羅東一次變電所建設工程：最近東北部蘭陽地區的商工業發展是驚人的，為因應其電力需要，提出這個計畫。內容是在羅東鎮建設6萬KVA（千伏安）的一次變電所和從南港到羅東（全長53公里）配置161,000V（伏特）的送電線。

2. 谷關到新竹間的電路增設工程：全長84公里中，增設161,000V的送電線。

3. 板橋一次變電所擴大工程：擴大位於台北西南近郊的這個變電所，完成後提高容量為18萬KVA。

八、日本製谷氨酸流入的困擾

調味料業界控訴日製的調味料原料——谷氨酸最近大量地流入台灣市場，對台灣製品很大的打擊，希望政府當局好好處理。

根據台灣調味料製造廠商的代表企業之味全食品公司的指出，日本的谷氨酸最近經由香港流入台灣，且以走私的方式擾亂台灣的市場。去年一、二月間僅海關沒收拍賣的就達16噸。

在調味料業界，由於現在調味料被課的貨物稅29％是極高的，所以主張應對外國流入的同樣製品課予重稅。

又根據味全公司的話，因日本對印尼廉價賣出大量的調味料，去年調味料的輸出目標雖為5,400噸，所以只達5,000噸。若

是放任日製谷氨酸的流入，業者憂慮不只是影響輸出，且會招來
國內市場的混亂。

本文原刊於《東南ア貿易経済旬報》第59號，東京：国際技術協力協
会，1971年3月1日，頁5～15

戰後台灣農業發展與農復會

◎ 陳進盛譯

何謂JCRR

1. 名稱：Joint Commission on Rural Reconstruction in China，中國農村復興聯合委員會（簡稱農復會）
2. 法律根據：美國第80次國會1948年第472號公法第407節（4月3日）公布的《1948年援華法案》（第472號公法第四章）

> 第407節（a）國務卿在與經濟合作總署署長協商之後，得就設立由美國總統任命的兩名美國公民與由中國總統任命的三名中國公民組成的「中國農村復興聯合委員會」事宜，與中國締結相關協定。前述的委員會在「經濟合作總署」署長指揮與監督下，得就包括中國農村復興必要與適當之調查與訓練活動等在內的事務，擬定並實施在中國農村的重建計畫。然而根據本節規定所提供的援助，不得解釋成爲達成本節的目的，美國有明示或暗示再增加提供經費支出義務之意。（b）在可能範圍內，根據第404節（a）（註：第404節（a）爲實現本編之目的，總

統在中國援助事務上，於本法制定日起的一年期間之內，有權
支用不超過3億3,800萬美元的歲出預算額）項，得以不超過得
支用資金10%的金額用於本節第（a）項目的之實現。前述的金
額指美金或是販賣根據第404節（a）項所持有資金，或是出售
提供給中國的商品所得之中國貨幣或是此兩者的貨幣。（美國
與中國關係）

3. 從法律所看出的端倪

⑴在經濟合作總署指揮下的1948年經濟合作法的範圍內，可以提
　供援助或調查、工、農業發展政策調整的可能性。

⑵不過從但書的規定來看，美國當局對於中國農村的重建工作並
　非是全心投入的（與印度的情況比較的話，我認為可以發現其
　中的差異奧妙）。

⑶純從法條文的內容來看，上述計畫主要是偏向教育性質的領域
　範疇。

JCRR的成立與在中國大陸時期的各種活動

1. 1948年10月1日在南京成立

中國方面的委員：

⑴蔣夢麟（第一任教育部長、北京大學校長、行政院祕書長，留
　學美國，原本念農業，後來轉攻教育）

⑵晏陽初（知名的平民教育家與鄉村建設運動家）

⑶沈宗瀚（康乃爾大學農藝博士，專長為育種遺傳，曾任金陵大

學農學院教授、農林部中央農業實驗所所長）

（在此要順便一提的是，晏陽初也是國際鄉村改造學院〔International Institute of Rural Reconstruction〕院長）

美國方面的委員：

(1)穆懿爾（R. T. Moyer），沈宗瀚的同學，曾任中國山西銘賢學校農業主任，與沈宗瀚共同研究小麥、高粱的品種改良實驗，1946年中美農業技術合作團副團長（沈宗瀚同）。

(2)貝克（J. E. Baker），任職期間1948～1952年，中國華洋義賑會（China International Famine Relief Commission，CIFRC）總幹事。

2. 關於初期政策的爭議與實驗

爭論：晏陽初主張：通過平民教育的擴充→促進農村經濟的發展

蔣夢麟與沈宗瀚：經由改革或消除阻礙農作物積極增產與農業生產性的主要因素：如佃農制度的改革除去

背景：1946年中美農業技術合作團（Joint U.S.-China Agricultural Mission）的勸告，特別是關於應該特別考慮降低地租與利息立即實行的勸告問題，包含在1948年5月15日的「關於經濟特別措施對華勸告」中的「農業之改善」項目裡。

實驗：兩派主張同時進行實驗

(1)以地區為單位的鄉區建設辦法之方式

成人識字教育→生產合作社的組織化→經濟性的社會改革

例如：

a. 四川省第三區（北碚）在社會教育運動中心的平民教育

b. 杭州縣市區：農業普及家事普及方式

c. 福建省龍巖縣的農地改革

(2)從全國農村共同基本問題著手之方式

例如：

a. 佃耕制度的改革

b. 灌溉水利系統的建立

c. 作物與家畜優良品種的供給（含品種改良）

(3)實驗所獲得的經驗教訓：

第一種方式的失敗：

a. 佃耕制度→阻礙生產

b. 缺乏促進生產的條件（水利設施、優良品種與肥料等）

c. 因為農民教育水準低落，導致無法接受現代生產技術

d. 由於收入低生活不安定，農民普遍拒絕接受識字平民教育運動

1948年冬天開始積極主張應該要先改革佃耕制度，不過改革派仍屬於少數派，蔣夢麟主張以社會公道（social justice）與公平分配（fair distribution）做為刺激農業生產的動力。

3. 大陸時期（1948年10月～1949年8月）的主要計畫

(1)農業改進計畫：91個，經費522,609美元

(2)農民組織計畫：16個，經費151,320美元

(3)農村工業計畫：18個，經費34,240美元

(4)公民教育計畫：7個，經費867,755美元

(5)灌溉計畫：51個，經費1,482,761美元

(6)農村衛生計畫：25個，經費85,897美元

(7)土地改革（只含農地）計畫：8個，經費293,680美元

以上經費合計3,438,262美元，共約350萬美元。

註：1948年10月1日成立，12月4日移往廣州

中國農村復興聯合委員會的指導理念與組織

1. 初期委員的人事與經驗的累積

穆懿爾：在中國有長達15年的農業改良工作經驗

　　　　美國農業部遠東局局長

　　　　經濟合作總署（ECA）成員

貝克：國民政府鐵道部顧問

2. 如1947年中美農業委員會報告書（美國農業部外國農業關係室）所顯示，對於中國農業有一定的認識

3. 中國委員的人物與態度

與政治沒有很深瓜葛的人物，都有留學美國的經驗，而且能夠接受近代思想。任事清廉，不只不是出自傳統的腐敗官僚階層或是委靡不振的傳統士大夫階層，而且是能夠拒絕並克服這些傳統影響，實踐計畫理想的人物。

(1)蔣夢麟的理念：社會正義、公平分配、將科學從象牙塔移植到農村、「不求立功只求立業」

(2)JCRR實施政策的五原則

a. 因應農民的確實需要

b. 公平分配利益

c. 只對確認有能力接受援助機關實施援助

d. 計畫必限定於能實用且能迅速普及者

e. 計畫實施之際必有專家監督指導

4. 政策實施的基本理念

(1)不得從事的事情：

a. 不建巨大的建築

b. 農復會不設立與地方機能相互競爭的下部組織

(2)應該從事的事項

a. 深入地方、農民的階段掌握其要求，不對他們提出的要求擱置
不理

b. 增產成果要公平分配

c. 找尋適當機構以遂行相關計畫（避免勉強）

(3)關於計畫重要性的選擇

a. 農地改革

b. 水利

c. 肥料

d. 農民組織

e. 農業貸款（信用供給）

f. 預防蟲害

g. 優良品種培育繁殖

h. 家畜飼養

i. 鄉村衛生

j. 社會教育

5. 組織：

委員會
（祕書處）

總務處　會計處　新聞處　企畫處

植物生產組　畜牧生產組　農業經濟組　農貸組　農民組織
水利工程組　鄉村衛生組　農業推廣組　森林組　漁業組

JCRR在台灣的活動（從支出經費別的觀察）

表1　JCRR之1951～1965年度支出（美元部分）

美國顧問	2,070,000
物資器材	7,106,400
在美國的訓練與研習	1,033,850
在其他國家的訓練與研習	419,300
小計	10,629,550美元（約1063萬美元）

表2　JCRR之1951～1965年度支出（台幣部分）

計畫支出	4,025,113,000
出國研習者的國內費用	23,050,002
美國顧問的國內費用	37,855,000
小計	4,086,018,000（約40億元）

註：含1950年度的20,008,000元。

表3　JCRR之1966～1968年度支出（台幣部分）

補助部分	523,112,415（約5.2億元）
作物	104,189,702
畜牧	39,219,687
漁業	23,770,193
林業	8,795,500
林地	7,763,200
山坡可墾地	52,478,337
平地可墾地	50,647,700
灌溉區	36,556,793
研究與訓練	46,963,608
調查、企畫與試驗	27,020,682
農民輔導	38,894,832
鄉村住宅	18,119,539
其他	42,034,665
外島	26,657,977
貸款部分	597,245,948（約6億元）
作物	10,050,000
畜牧	177,740,000
漁業	155,778,000
林業	4,400,000
林地	38,350,000
平原區可墾地	12,119,000
灌溉區	123,847,000
研究與訓練	3,950,000
農民輔導	49,752,627
外島	21,259,000
家庭計畫	44,000,000
統一農貸（農貸基金累積利息所得）	53,780,000
技術援助及行政費	90,142,000
技術援助	46,240,000
行政費	43,902,000
	總計1,308,280,363（約13億元）

JCRR的成果與政策推進過程中的各種問題

　　1. 農地改革

　　2. 限制生育的家庭計畫

　　3. 農會改組

　　4. 四健會與婦女教育活動

　　這些政策的推展對傳統思想、人事任用的徇私關係，意即腐敗低效率的政治，構成了挑戰。

本文係爲未刊稿，寫作時間約爲1971年

譯者簡介

李毓昭

1961年生。中興大學社會學系畢業。曾任出版社編輯，現爲專職譯者。譯有：《銀河鐵道之夜》（晨星）、《顏面考》（晨星）、《霍去病》（實學社）等。

何鳳嬌

1964年生。政大歷史研究所博士，現任職於國史館。譯有：〈清末台灣南部製糖業與商人資本（1870～1895）〉、〈豐臣秀吉的台灣島招諭計畫〉、〈清代台灣南部製糖業的結構——特別以1860年以前爲中心〉等。

林彩美

1933年生。中興大學農經系畢業，日本東京大學農經系博士課程修畢。旅日長達40年，中華料理研究家，曾主持梅苑中華料理研究室（日本）二十餘年。致力於梅苑書庫的保存與研究，長期投入《戴國煇全集》的編譯工作。
著有：《中菜健康瘦身法》（文經社）、《新灶腳的健康料理》（文經社）等；主編：《戴國煇文集》；策劃：《戴國煇全集》等。

陳進盛

1957年生。台灣大學政治學研究所碩士，日本東京大學研究，台灣大學政治研究所博士班肄業，專攻國際關係與政治。曾任報社記者、編譯與撰述委員。譯有：《人體大揭密》（時報）、《工作雞湯Ⅰ——縱橫21世紀職場的成功祕訣》（天下雜誌）、《李登輝與台灣的國家認同》（共譯，前衛）等書。

蔣智揚

1942年生。台灣大學外文系畢業，美國西海岸大學電腦學碩士。曾任職大同公司，現專業翻譯。譯有：《不老——新世紀銀髮生活智慧》（遠流）、《閒話中國人》（馥林）等。

謝明如

1980年生。台灣師範大學歷史所博士候選人，專攻日治時期教育研究。譯有：〈日治初期的女子教育與女教師〉等。

（以上依姓氏筆畫序）

日文審校者簡介

吳文星

1948年生。台灣師範大學歷史研究所博士。曾任美國哈佛大學及史丹佛大學訪問學人，東京大學、京都大學等校外國人客員研究員及招聘外國人學者，歷任台灣師範大學進修部教務主任、歷史學系主任、文學院長，現爲台灣師範大學歷史學系教授、台灣教育史研究會會長。研究專長爲台灣近現代史、中日關係史。

著有：《日據時期在台「華僑」研究》、《日治時期台灣的社會領導階層》、《台灣史》等；〈東京帝國大學與台灣「學術探檢」之展開〉、〈札幌農學校と台灣近代農學の展開——台灣總督府農事試驗場を中心として——〉、〈京都帝國大學與台灣舊慣調查〉等論文一百餘篇。

林彩美

（簡介略，見前述）

（以上依姓氏筆畫序）

戴國煇全集 7
【史學與台灣研究卷七】

著　作　人　　戴國煇
策劃／總校　　林彩美

編 輯 製 作　　財團法人台灣文學發展基金會
　　　　　　　10048台北市中山南路11號6樓
　　　　　　　02-2343-3142
編 輯 委 員　　王曉波　吳文星　張錦郎　張隆志
　　　　　　　陳淑美　劉序楓（依姓氏筆畫序）
主　　　編　　封德屏
執 行 編 輯　　江侑蓮　王為萱
美 術 設 計　　不倒翁視覺創意

出　　　版　　文訊雜誌社
發 行 人　　王榮文
發 行 所　　遠流出版事業股份有限公司
　　　　　　　10084台北市中正區南昌路二段81號6樓
　　　　　　　（02）2392-6899
　　　　　　　http：//www.ylib.com

排　　　版　　浩瀚電腦排版股份有限公司
印　　　刷　　松霖彩色印刷事業有限公司
初　　　版　　民國100年（2011）4月
定　　　價　　全27冊（不分售）精裝新台幣16,000元整
ISBN　　978-986-87023-1-8（全集7：精裝）
　　　　　978-986-85850-4-1（全套：精裝）

國家圖書館出版品預行編目（CIP）資料

戴國煇全集．1-9，史學與台灣研究卷／戴國煇著．
－－ 初版．－－ 台北市：文訊雜誌社出版；遠流
發行, 2011.04
　　冊；　公分
ISBN　978-986-85850-5-8（第1冊：精裝）. － －
ISBN　978-986-85850-6-5（第2冊：精裝）. － －
ISBN　978-986-85850-7-2（第3冊：精裝）. － －
ISBN　978-986-85850-8-9（第4冊：精裝）. － －
ISBN　978-986-85850-9-6（第5冊：精裝）. － －
ISBN　978-986-87023-0-1（第6冊：精裝）. － －
ISBN　978-986-87023-1-8（第7冊：精裝）. － －
ISBN　978-986-87023-2-5（第8冊：精裝）. － －
ISBN　978-986-87023-3-2（第9冊：精裝）

1. 史學　2. 文集

607　　　　　　　　　　　　　　　　　100001708